簿記の基礎から融資判断までが一気に身につく！

# 三訂 基礎から学ぶ財務知識

公認会計士
坪谷 敏郎 著

# はじめに

　本書は，2013年8月に出版された初版の三訂版として出版されることになりました。初版以来7年間超の長きにわたり数多くの読者にご購入いただき，筆者としてこれ以上嬉しいことはありません。心より御礼申し上げます。

　私は，遠い昔に新潟の田舎から上京し，ひょんなことから公認会計士を目指す決心をしました。その時点では財務諸表はおろか簿記もまったくわからない状態でしたので，まず簿記から勉強したほうがよいと思い，簿記の本を買ってきて読み始めたものの，最初に書いてある「借方」「貸方」という用語に引っかかってしまいました。借方は左，貸方は右ということまではわかりましたが，「お金を借りると左に，お金を貸すと右になるのはどうしてだろう？」と考え始めると頭の中が「？」だらけになります。さらに読み進むうちに，「売掛金」「貸倒引当金」「利益剰余金」など今まで聞いたこともない用語が次々に出てきます。自慢ではありませんが，私は物覚えが悪いことにかけては天下一品で，一度本を読んだくらいではその内容がさっぱりわかりませんでしたが，ある日，大学のサークルで簿記の試験を受ける機会があったため，受けてみました。その結果は見事に「0点」でした。なぜ0点になったかを分析してみると，そもそも問題に書いてある文章の読解ができなかったことが原因でした。「……を答えよ」と書いてあるのですが，何を答えてよいのかさっぱりわからず，ほとんど白紙の状態で答案を提出してしまったのです。ようするに，私は答がわからなかったのではなく，答え方（＝ルール）がわからなかったのです。

　簿記にしろ，財務諸表，財務分析にしろ，その学習内容は「共通ルールを理解すること」です。このルールは多くの人がそれを適用して財務諸表作成や分析を行うため，比較的理解しやすいものになっています。きっと皆さんもわかってみれば「あっ，そういうことだったのか！」と腑に落ちることがたくさんあると思います。

　何回も申し上げますが，私は物覚えが悪い（結局頭が悪い）ため，苦労しました。しかし，それが役に立つこともあります。それは「多くの人がわからないところがわかる」ということです。本書は，私の経験を踏まえてできるだけ平易に財務諸表の基礎知識を理解できるように書いたつもりです。財務諸表を分析する能力は金融機関にお勤めの方だけではなく，あらゆるビジネスに携わる方にとって必要です。その意味で，本書は財務知識がほとんどない方がターゲットですが，読み進むうちに実務でも十分役立つ知識が習得できるはずです。まあ，騙されたと思って読んでみてください。きっと満足していただけると思います。

　なお，本書は銀行業務検定協会の許諾を得て，練習問題の中に銀行業務検定試験財務2級および3級試験の過去の出題問題を入れてあります。したがって，銀行業務検定試験対策のテキストとしても役立つはずです。

　最後になりましたが，本書を制作するにあたって経法ビジネス出版株式会社の小野忍氏には大変お世話になりました。厚く御礼申し上げます。

2020年10月　　坪谷　敏郎

# 基礎から学ぶ財務知識 ● 目　次

はじめに

## 財務諸表編

| 序 | 株式会社オンデマンについて | 3 |
|---|---|---|
| 第1章 | 財務諸表の構造と関連 | 9 |
| 第2章 | 流動・固定分類基準 | 41 |
| 第3章 | 金銭債権の評価 | 48 |
| 第4章 | 割引手形・裏書譲渡手形の会計処理と表示 | 58 |
| 第5章 | 有価証券 | 66 |
| 第6章 | 棚卸資産 | 81 |
| 第7章 | 固定資産 | 93 |
| 第8章 | 減損会計 | 116 |
| 第9章 | 繰延資産 | 122 |
| 第10章 | 負債の内容 | 128 |
| 第11章 | 引当金 | 133 |
| 第12章 | 純資産 | 140 |
| 第13章 | 費用・収益の計上基準 | 153 |
| 第14章 | 製造原価 | 164 |
| 第15章 | 外貨換算 | 172 |
| 第16章 | 税効果会計 | 177 |
| 第17章 | 連結会計 | 190 |

## 財務分析編

| 序 | 株式会社オンデマンの財務分析について | 211 |
|---|---|---|
| 第18章 | 財務分析の目的と方法 | 218 |
| 第19章 | 資本利益率 | 225 |
| 第20章 | 資本利益率の分解 | 233 |
| 第21章 | 損益分岐点分析 | 247 |
| 第22章 | 利益増減分析 | 261 |

| 第23章 | 生産性分析 | 263 |
|---|---|---|
| 第24章 | 静態的安全性分析 | 271 |
| 第25章 | キャッシュ・フロー分析はなぜ必要か | 282 |
| 第26章 | 資金繰り表 | 294 |
| 第27章 | 資金運用表 | 307 |
| 第28章 | 資金移動表 | 333 |
| 第29章 | キャッシュ・フロー計算書 | 347 |

| 練習問題　解答・解説 | 368 |
|---|---|

| 参考文献一覧 | 425 |
|---|---|
| 事項索引 | 427 |

---

<おことわり>

　本書に掲載している銀行業務検定試験の「財務3級」および「財務2級」の問題は，銀行業務検定協会の許諾を受けています。

　銀行業務検定試験の問題の著作権は，銀行業務検定協会に帰属します。よって，本書に掲載した問題の無断複製，無断転用等，銀行業務検定協会の権利を侵害する行為を固く禁じます。

---

☆　本書の内容等に関する追加情報および訂正等について　☆

本書の内容等につき発行後に追加情報のお知らせおよび誤記の訂正等の必要が生じた場合には，当社ホームページに掲載いたします。

（ホームページ 書籍・DVD・定期刊行誌 メニュー下部の 追補・正誤表 ）

# 法令等の略語、条文の略記

## 法令等の略語一覧

| 法　令　等 | 文中略語 | 条文引用 |
|---|---|---|
| 企業会計原則 | 企業会計原則 | 会計原則 |
| 企業会計原則貸借対照表原則 | BS原則 | BS原則 |
| 企業会計原則損益計算書原則 | PL原則 | PL原則 |
| 企業会計原則注解 | 企業会計原則注解 | 会計原則注解 |
| 連結財務諸表原則 | 連結財表原則 | 連結原則 |
| 財務諸表等の用語、様式及び作成方法に関する規則 | 財務諸表等規則 | 財規 |
| 連結財務諸表の用語、様式及び作成方法に関する規則 | 連結財務諸表規則 | 連結財規 |
| 会社法 | 会社法 | 会 |
| 会社計算規則 | 計算規則 | 会規 |
| 法人税法 | 法人税法 | 法 |
| 法人税法施行令 | 法人施行令 | 令 |
| 法人税基本通達 | 法人税基本通達 | 法基通 |
| 金融商品に関する会計基準 | 金融商品会計基準 | 金融商品基準 |
| 金融商品会計に関する実務指針 | 金融商品実務指針 | 金融商品指針 |
| 棚卸資産の評価に関する会計基準 | 棚卸資産会計基準 | 棚卸資産基準 |
| 研究開発費及びソフトウェアの会計処理に関する実務指針 | 研究開発指針 | 研究開発指針 |
| 資産除去債務に関する会計基準 | 資産除去基準 | 資産除去基準 |
| リース取引に関する会計基準 | リース基準 | リース基準 |
| 固定資産の減損に係る会計基準 | 減損会計基準 | 減損会計基準 |
| 外貨建取引等会計処理基準 | 外貨建基準 | 外貨基準 |
| 金融商品取引法 | 金融商品取引法 | 金商 |

## 条文の略記

（例）財務諸表等の用語，様式及び作成方法に関する規則第54条の4第2項第一号

　　→財規54の4② 一

# 財務諸表編

「序　株式会社オンデマンについて」は，実際の企業をもとにした財務諸表の見本
と企業の状態です。読者の皆さんが，仕事を通じて触れる財務諸表は4ページから
8ページに示してあります。まだ，詳細な名前や書式を覚える必要はありませんが，
この本を読み通した時にはその読み方がわかるようになると思います。
　　これら財務諸表からわかること（分析結果）と分析の方法は，後半の「財務分析
編」で解説しています。

# 株式会社オンデマンについて

　株式会社オンデマンは，1989年に設立されたニット製品製造業を営む会社です。現在の従業員数は56名です。

　ニット製品製造業は，毛糸を仕入れてそれに加工を加えセーターやカーディガンを生産し，それをアパレルメーカーや商社に販売することを仕事としています。オンデマンは設立当初，順調に業績を伸ばしてきたのですが，最近は振るいません。これは皆さんがふだん着るセーターやカーディガンをどこで購入しているかを考えていただくとわかると思います。皆さんはおそらくユニクロやしまむらなどの量販店でそれらを購入していると思いますが，それらの量販店で売っている製品はどこで作られたものでしょうか？　そのほとんどは，中国や東南アジアなどの海外で生産されたもので，日本製はまれです。つまり，オンデマンで生産された製品は，これらの量販店では取り扱ってもらえないのです。

　それでは，オンデマンの製品はいったいどこで販売されているのでしょうか？　オンデマンの製品の多くは，デパートや専門店のいわゆる「ブランドもの」として販売されています。これらはセーター1着の価格が，たとえば20,000円～30,000円程度の設定になっています。これらは，「高いけれどもよい品質なので購入する」という購買層にターゲットを絞っています。しかし，今まで長年続いた不景気の影響で，そのような高級品の売れ行きは減少の一途をたどっています。このためオンデマンの売上も減少しているのです。

　一方で，オンデマンは経常的な設備更新を行うことが必要です。オンデマンの製品は当然のことながら「編み機」によって生産されるのですが，この編み機は高いものだと1台1,500万円します。たかが編み機がなぜそのように高いかといえば，現在の編み機にはすべてコンピュータが付いており，コンピュータに柄をインプットするとそのとおりに生産してくれる優れものなのです。オンデマンにはそのような編み機が約20台あり，毎年のように新機種が発売されているため，新たな付加価値を生み出す製品を生産するためにはその更新は避けて通れません。

　しかし，最近，最新鋭の編み機は中国・東南アジア向けに輸出されており，もはや海外で生産されるものが「量販店向け」で，国内で生産されるものが「ブランドもの」という棲み分けは成り立たなくなりつつあります。

　このような状況において，オンデマンの社長は「短サイクル小ロット生産」を志向しています。つまり，受注してから短期間のうちに少ない数量の製品を出荷するという，海外企業ではまねできない生産体制を築き上げようとしているのです。ちなみに，オンデマンとは「オンデマンド（On Demand）」から付けた社名で，お客様の欲しい物を欲しい時に欲しい量だけ生産することを目指して設立されたので，「短サイクル小ロット生産」はまさに設立の原点に帰る動きといえます。

# 財務諸表（見本）

## 比較貸借対照表

株式会社オンデマン

（単位：千円）

| 科　目 | X3年3月末 | X4年3月末 | 科　目 | X3年3月末 | X4年3月末 |
|---|---|---|---|---|---|
| 現 金 預 金 | 26,147 | 27,912 | 支 払 手 形 | 25,924 | 24,680 |
| 受 取 手 形 | 52,959 | 67,142 | 買 掛 金 | 61,197 | 54,903 |
| 売 掛 金 | 104,793 | 76,051 | 短 期 借 入 金 | 31,200 | 0 |
| 製 品 | 26,336 | 32,825 | 未 払 金 | 69,792 | 43,728 |
| 原 材 料 | 40,178 | 31,362 | 預 り 金 | 74 | 32 |
| 仕 掛 品 | 111,471 | 79,291 | 未 払 費 用 | 7,462 | 6,264 |
| 見 本 品 | 376 | 2,151 | 未 払 法 人 税 等 | 80 | 80 |
| 立 替 金 | 1,753 | 1,906 | 未 払 消 費 税 等 | 3,665 | 1,672 |
| 未 収 入 金 | 4,319 | 8,534 | 流動負債合計 | 199,394 | 131,359 |
| 貸 倒 引 当 金 | △ 1,112 | △ 859 | 長 期 借 入 金 | 158,159 | 168,468 |
| 流動資産合計 | 367,221 | 326,316 | 固定負債合計 | 158,159 | 168,468 |
| 建 物 | 57,513 | 56,136 | 負債合計 | 357,552 | 299,828 |
| 建 物 付 属 設 備 | 5,921 | 5,077 | 資 本 金 | 40,000 | 40,000 |
| 構 築 物 | 548 | 458 | 利 益 準 備 金 | 800 | 800 |
| 機 械 装 置 | 73,805 | 52,923 | 繰越利益剰余金 | 178,141 | 173,932 |
| 車 両 運 搬 具 | 3,413 | 2,243 | 純資産合計 | 218,941 | 214,732 |
| 器 具 備 品 | 6,965 | 5,827 | | | |
| 土 地 | 8,800 | 8,800 | | | |
| 有形固定資産計 | 156,965 | 131,464 | | | |
| 電 話 加 入 権 | 219 | 219 | | | |
| ソ フ ト ウ ェ ア | 1,491 | 1,545 | | | |
| 無形固定資産計 | 1,710 | 1,764 | | | |
| 投 資 有 価 証 券 | 2,103 | 2,104 | | | |
| 出 資 金 | 309 | 229 | | | |
| 保 険 積 立 金 | 2,658 | 2,320 | | | |
| 長 期 貸 付 金 | 36,312 | 41,379 | | | |
| 長 期 前 払 費 用 | 1,216 | 985 | | | |
| 子 会 社 株 式 | 8,000 | 8,000 | | | |
| 投資その他の資産計 | 50,598 | 55,017 | | | |
| 固定資産合計 | 209,273 | 188,245 | | | |
| 資産合計 | 576,494 | 514,560 | 負債・純資産合計 | 576,494 | 514,560 |
| 受取手形割引高 | 4,038 | 17,641 | X2年3月末 | | |
| 有 形 固 定 資 産 減価償却累計額 | 577,490 | 608,477 | 総 資 産 | 621,754 | |
| | | | 純 資 産 | 217,774 | |

（注）　上記の金額は千円未満を四捨五入して示しており，合計が不一致になる部分があります（以下同様）。

## 比較損益計算書

株式会社オンデマン

（単位：千円）

| 科　目 | X3年3月期 | X4年3月期 |
|---|---|---|
| 【　売　上　高　】 | 658,197 | 552,260 |
| 【　売　上　原　価　】 | 609,398 | 519,742 |
| 期　首　製　品　棚　卸　高 | 64,743 | 26,336 |
| 当　期　製　品　製　造　原　価 | 570,991 | 526,231 |
| 計 | 635,734 | 552,567 |
| 期　末　製　品　棚　卸　高 | 26,336 | 32,825 |
| 売　上　総　利　益 | 48,799 | 32,517 |
| 【販売費・一般管理費】 | 43,455 | 45,537 |
| 役　員　報　酬 | 20,160 | 20,160 |
| 法　定　福　利　費 | 1,550 | 1,300 |
| 福　利　厚　生　費 | 21 | 0 |
| 広　告　宣　伝　費 | 108 | 144 |
| 賃　借　料 | 888 | 888 |
| 事　務　用　消　耗　品　費 | 1,562 | 1,989 |
| 旅　費　交　通　費 | 1,939 | 3,212 |
| 支　払　手　数　料 | 1,773 | 2,184 |
| 租　税　公　課 | 162 | 317 |
| 減　価　償　却　費 | 1,911 | 1,169 |
| 交　際　接　待　費 | 3,050 | 2,840 |
| 保　険　料 | 2,061 | 1,373 |
| 通　信　費 | 1,045 | 985 |
| 諸　会　費 | 2,593 | 4,077 |
| 資　料　研　修　費 | 300 | 519 |
| 会　議　費 | 484 | 529 |
| リ　ー　ス　料 | 371 | 596 |
| 車　両　費 | 2,854 | 2,921 |
| 貸　倒　引　当　金　繰　入 | 270 | 0 |
| 雑　費 | 353 | 336 |
| 営　業　利　益 | 5,344 | △13,020 |
| 【　営　業　外　収　益　】 | 1,752 | 13,037 |
| 受　取　利　息 | 643 | 651 |
| 雑　収　入 | 1,109 | 12,387 |
| 【　営　業　外　費　用　】 | 5,393 | 4,320 |
| 支　払　利　息 | 4,178 | 3,697 |
| 手　形　売　却　損 | 1,216 | 622 |
| 雑　損　失 | 0 | 1 |
| 経　常　利　益 | 1,703 | △4,302 |
| 【　特　別　利　益　】 | 0 | 253 |
| 【　特　別　損　失　】 | 0 | 0 |
| 税　引　前　当　期　純　利　益 | 1,703 | △4,049 |
| 法　人　税　等 | 536 | 160 |
| 当　期　純　利　益 | 1,168 | △4,209 |

## 比較製造原価報告書

株式会社オンデマン　　　　　　　　　　　　（単位：千円）

| 科　目 | X3年3月期 | X4年3月期 |
|---|---|---|
| 【　材　料　費　】 | 201,796 | 164,954 |
| 期 首 材 料 棚 卸 高 | 42,358 | 40,178 |
| 当 期 材 料 仕 入 高 | 199,615 | 156,138 |
| 計 | 241,974 | 196,316 |
| 期 末 材 料 棚 卸 高 | 40,178 | 31,362 |
| 【　労　務　費　】 | 175,337 | 163,782 |
| 賃　金　給　料 | 138,676 | 132,741 |
| 雑　　　　　　給 | 6,376 | 8,223 |
| 賞　与　手　当 | 5,976 | 2,696 |
| 法 定 福 利 費 | 20,690 | 16,844 |
| 福 利 厚 生 費 | 1,301 | 1,153 |
| 退 職 年 金 掛 金 | 2,318 | 2,125 |
| 【 外 注 加 工 費 】 | 101,077 | 101,889 |
| 【　製　造　経　費　】 | 86,693 | 63,426 |
| 水 道 光 熱 費 | 9,568 | 8,185 |
| 荷 造 運 賃 | 6,317 | 5,991 |
| 工 場 消 耗 品 費 | 6,367 | 4,098 |
| 通　勤　費 | 3,660 | 3,553 |
| 減 価 償 却 費 | 48,297 | 30,578 |
| 修　繕　費 | 3,186 | 2,936 |
| 賃　借　料 | 3,264 | 3,264 |
| 租　税　公　課 | 3,855 | 2,835 |
| 保　険　料 | 752 | 1,129 |
| 見　本　費 | 1,364 | 553 |
| 工 場 雑 費 | 62 | 304 |
| 当 期 総 製 造 費 用 | 564,903 | 494,050 |
| 期 首 仕 掛 品 棚 卸 高 | 117,560 | 111,471 |
| 期 末 仕 掛 品 棚 卸 高 | 111,471 | 79,291 |
| 当 期 製 品 製 造 原 価 | 570,991 | 526,231 |

## 株主資本等変動計算書
自X3年4月1日　至X4年3月31日

株式会社オンデマン

（単位：千円）

| | 株主資本 | | | | | 純資産の部 |
|---|---|---|---|---|---|---|
| | 資本金 | 利益剰余金 | | | 株主資本 | |
| | | 利益準備金 | その他利益剰余金<br>繰越利益剰余金 | 利益剰余金合計 | | |
| 前 期 末 残 高 | 40,000 | 800 | 178,141 | 178,941 | 218,941 | 218,941 |
| 当 期 変 動 額 | | | | | | |
| 　剰余金の配当 | | | | 0 | 0 | 0 |
| 　当 期 純 利 益 | | | △4,209 | △4,209 | △4,209 | △4,209 |
| 当期変動額合計 | | 0 | △4,209 | △4,209 | △4,209 | △4,209 |
| 当 期 末 残 高 | 40,000 | 800 | 173,932 | 174,732 | 214,732 | 214,732 |

（注）

1　当事業年度末日における発行済株式の数　　800株

2　当事業年度末日における自己株式の数　　　　0株

# 個別注記表
## 株式会社オンデマン
### X4年3月期

1　この計算書類は,「中小企業の会計に関する基本要領」によって作成しています。

2　重要な会計方針の注記
　(1)　資産の評価基準および評価方法
　　(a)　有価証券の評価基準および評価方法
　　　①　時価のあるもの
　　　　期末日の市場価格等に基づく時価法（評価差額は全部純資産直入法によって処理し,売却原価は移動平均法により算定しています）
　　　②　時価のないもの
　　　　移動平均法による原価法
　　(b)　棚卸資産の評価基準および評価方法
　　　総平均法による原価法　ただし,原材料は最終仕入原価法
　(2)　固定資産の減価償却の方法
　　(a)　有形固定資産
　　　法人税法の規定に基づく法定償却の方法
　　(b)　無形固定資産
　　　法人税法の規定に基づく定額法
　(3)　貸倒引当金の計上基準
　　　債権の貸倒れによる損失に備えるため,一般債権については法定繰入率により,貸倒懸念債権等特定の債権については個別に回収可能性を勘案し,回収不能見込額を計上しています。なお,当期末においては,貸倒懸念債権等はありません。
　(4)　その他計算書類の作成のための基本となる重要事項
　　(a)　リース取引の処理方法
　　　リース物件の所有権が借主に移転すると認められるもの以外のファイナンス・リース取引（所有権移転外ファイナンス・リース）については,売買取引にかかる方法に準じた会計処理によっております。
　　(b)　消費税等の会計処理
　　　消費税および地方消費税の会計処理は,税抜方式によっております。

3　その他の注記
　　受取手形割引高　　　　　　　　17,641,342円
　　有形固定資産減価償却累計額　　608,477,214円

# 第 1 章 財務諸表の構造と関連

―本章で学ぶこと―
1　財務情報
2　貸借対照表
3　損益計算書
4　株主資本等変動計算書

## 1　財務情報

　たとえば，あなたの親友が脱サラして八百屋を始めたとしましょう。その八百屋を始めるにあたって，あなたのところへ100万円の出資をしてくれないかと依頼に来ました。あなたは，親友でもあるし，100万円なら何とかなるので，その八百屋を営む友人に現金100万円を出資しました。すなわち，あなたはその八百屋の出資者（八百屋が株式会社であれば株主）になったわけです。

　さて，この100万円の出資をした後，あなたは八百屋の友人からどのような情報を教えてもらいたいでしょうか？「友人に出資した以上はくれてやったも同然。情報など何もいらない」という人がもしいらっしゃったら，ぜひ私と友達になってください。しかし，お金は「命の次に大切」なものです。それを出資して，その出資先の状況に関する情報を聞かなくともよいという人はあまりいないと思います。

　八百屋に関する情報としては，次のようなものが考えられます。

八百屋に関する情報
　◎　どこに出店するのか
　◎　取扱品目は何か（野菜中心，果物中心）
　◎　お客様にはどのような人がいるのか
　◎　自分の出資した資金は何に使うのか
　◎　自分以外にどのような人が資金を出しているのか
　◎　きちんと儲かるのか
　◎　店員にはどのような人がいるか　　　　　など

　これらは，八百屋という企業に関する情報ですから，**企業情報**といいます。

さて，この企業情報をよく見てみると，お金で示すことができる情報（資金の使いみち，資金の出どころ，利益の金額）と，お金では示すことのできない情報（出店場所，取扱品目，客層，どのような人がいるか）に分かれることに気づくと思います。前者の「お金で示すことのできる情報」のことを**財務情報**といいます。財務というのは，「お金」という意味です。財務情報はお金で表現されていますから，「10万円」は誰が見ても「10万円」なので，きわめて客観的に企業を判断するときに役立ちます。そして，この財務情報を示した表を**財務諸表**といいます。財務諸表は，別の呼び方として，決算書，計算書類ともいいますが，基本的には同じものを指しています。

## 2　貸借対照表

### （1）　お金の出どころと使いみち

さて，財務情報として，まず「お金の出どころ」と「お金の使いみち」があります。あなたが出資した100万円を八百屋がダイコン・ニンジンの仕入資金に使ってくれればよいのですが，競馬好きの友人が馬券代に充てるかもしれませんし，宝くじを買うかもしれませんから，お金の使いみちはきちんと確認しておきたいところです。また，あなたは八百屋に100万円出資しましたが，八百屋を始めるにあたって必要な資金が総額で300万円だとした場合，あなた以外の誰かが残りの200万円を出していることになります。この200万円をいわゆる「ヤミ金」から借り入れていたとしたら，あなたの出資金はその利息であっという間になくなってしまうかもしれません。したがって，誰からいくら資金を集めたのかを確認することも重要です。

このように考えると，企業はその出資者等に対して，「お金の出どころ」と「お金の使いみち」を示すことが必要になります。八百屋の事例で考えてみましょう。

《事例》

① 株主から100万円出資してもらって株式会社八百富士商店を設立した。
② 銀行から200万円を借り入れた。
③ 店舗（土地代100万円，建物代100万円）を取得した。
④ ダイコン・ニンジン（商品）を合わせて100万円で仕入れた。

この事例では①と②がお金の出どころ，③と④がお金の使いみちです。

仮に右側にお金の出どころ，左側にお金の使いみちを示す表を作ってみると，次のようになります。

【図表1-1】 お金の出どころと使いみち

| お金の使いみち | | お金の出どころ | |
|---|---|---|---|
| 商　　品 | 100万円 | 銀　　行 | 200万円 |
| 建　　物 | 100万円 | 株　　主 | 100万円 |
| 土　　地 | 100万円 | | |
| 合　　計 | 300万円 | 合　　計 | 300万円 |

## (2) 貸借対照表の構造（その1）

　このように，右側にお金の出どころ，左側にお金の使いみちを示した表を**貸借対照表**（たいしゃくたいしょうひょう）といいます。これをなぜ貸借対照表というかというと，財務諸表の世界では，右側のことを「**貸方（かしかた）**」，左側のことを「**借方（かりかた）**」というためで，貸借対照表は要するに右のお金の出どころと左のお金の使いみちを対照した表という意味なのです。それならば，最初から「左右対照表」といえばよさそうなものですが，昔からずっとこのように呼んできたので，いまさら変えられないというわけです。財務諸表の世界では，このようなことがこれからたくさん出てきますので，慣れてください。

　貸借対照表の構造をまとめると，次の【図表1-2】のようになります。

【図表1-2】 貸借対照表の構造①

　さて，先ほどの八百屋の事例では，お金の出どころが「銀行」と「株主」の2種類ありました。どちらもお金の出どころという意味では同じなのですが，その性格は異なります。すなわち，銀行から借りたお金は返済期限がきたら返さなければならないのですが，株主から出資してもらったお金はどうでしょう？　「返さなければならない」か「返さなくともよい，もらいっぱなし」なのか判断に迷うところです。実は，株主から出資してもらったお金も「返さなければならない」という意味では，銀行から借りたお金と同じなのです。しかし，そのお金を「いつ」返すかといえば，会社をやめるときです。これは，会社の起源を考えてみればわかると思います。

## (3) 胡椒で大儲け

　会社という組織が芽生えたのは，中世ヨーロッパにおいてだそうです。その頃ヨーロッパの人々は今と同じように肉を食べていましたが，現在のように冷蔵庫がありませんから，肉の風味がすぐ落ちてしまいます。ところが，そこに胡椒を振りかけると不思議なことに肉の風味が長持ちすることがわかりました。したがって，当時のヨーロッパでは胡椒はきわめてニーズの高い産物でした。ところが，その胡椒はヨーロッパではまったく採れず，どうしてもインドへ行かなければ手に入らない貴重で高価なものだったのです。そこで，あるときイタリアの商人がインドから胡椒を買い付けてきて，それをヨーロッパで売り，大儲けしようと思い立ちました。インドへ行くにはどうしても船が必要ですが，その商人の資金だけでは船を買うことができなかったので，彼は仲間に船を購入する資金の出資を持ちかけました。その呼びかけに応じて数人の仲間が船の購入資金を出してくれました。すなわち，出資者（株主）になってくれたのです。その後，この商人は危険を冒してインドから胡椒を買い付けてきて，それをヨーロッパで販売することにより大儲けしました。今，彼の目の前にはたくさんの資金があります。もう船はいりませんから売ってしまい，さらに資金が増えました。さあ，この資金はどのように処分されたでしょうか？　当然ですが，この資金は出資者（株主）に，その出資金額に応じて配分されました。

## (4) 貸借対照表の構造（その２）

　この事例からもわかるように，出資者（株主）が出したお金は，会社をやめるときにそれまで稼いだ利益とともに戻ってくるのです。逆にいえば，会社が存続している限り出資したお金は戻ってきません。会社側からいえば，出資者（株主）から出資してもらったお金は，会社をやめない限り「返す必要のない，もらいっぱなし」のお金です。通常，会社組織は永遠に継続することを前提に活動しますので，結局，そのお金は会社にとって返却不要なものと考えることができます。

　銀行から借りたお金のように「返却必要」な資金を**負債**，株主から出資してもらったお金のように「返却不要」な資金を**純資産**といいます。

　一方，お金の使いみちのことを**資産**といいます。われわれはこの「資産」という言葉をよく使います。「あの人は資産家だ」という場合の資産は「財産」という意味です。確かに，八百屋が購入した商品，建物，土地はなにがしかの財産的価値がありますから，資産＝財産と考えてもよいのですが，財務諸表の世界では，あくまでも資産はお金の使いみちを指します。もっと正確にいえば，「いつか資金回収ができるお金の使いみち」を資産といいますから，財産的価値のない資産も登場します（後で登場する繰延資産がこれに該当します）。しかし，この段階では，資産≒財産と理解しておけばよいでしょう。

　このように考えて，貸借対照表を図示すると，【図表１-３】のようになります。

【図表1-3】　貸借対照表の構造②

貸借対照表

| 資　産 | お　金　の 使いみち | 負　債 | 返済必要 |
|---|---|---|---|
| | | 純資産 | 返済不要 |

上記のように，お金の使いみちである資産とお金の出どころである負債と純資産の合計額は一致します。したがって，貸借対照表では次の等式が成り立ちます。これを**貸借対照表等式**といいます。

《貸借対照表等式》
**資産＝負債＋純資産**

しかし，ここで気付いた人がいらっしゃると思いますが，右側の「負債＋純資産」がお金の出どころで，左側の「資産」がお金の使いみちだとしたら，それが常に一致するとは限りません。前出の【図表1-1】の貸借対照表は，集めてきたお金300万円を全部使い切ったから，左側の合計と右側の合計が一致したのです。それでは，八百屋がダイコン・ニンジンを100万円ではなく，50万円しか仕入れなかったら，次のような貸借対照表になってしまいます。

貸借対照表

| お金の使いみち | | お金の出どころ | |
|---|---|---|---|
| 商　　品 | 50万円 | 銀　　行 | 200万円 |
| 建　　物 | 100万円 | 株　　主 | 100万円 |
| 土　　地 | 100万円 | | |
| 合　　計 | 250万円 | 合　　計 | 300万円 |

このように，資産合計額と負債＋純資産合計額が一致しなくなってしまいます。しかし，ここでもうひとつのルールが追加になります。上記のケースでは手許に使っていないお金，すなわち現金が50万円あります。この現金も将来は使うので，資産の仲間に入れます。このルールを加えると，先ほどの貸借対照表は次のように書き表されます。

貸借対照表

| お金の使いみち | | | お金の出どころ | | |
|---|---|---|---|---|---|
| 現 | 金 | 50万円 | 銀 | 行 | 200万円 |
| 商 | 品 | 50万円 | 株 | 主 | 100万円 |
| 建 | 物 | 100万円 | | | |
| 土 | 地 | 100万円 | | | |
| 合 | 計 | 300万円 | 合 | 計 | 300万円 |

　ちなみに，貸借対照表に記載されている金額は，決算日現在の状況を示しています。た
とえば，銀行からかつて500万円借り入れ，その後決算日までに300万円を返済したと
したら，貸借対照表に記載される金額は，かつて借り入れた500万円ではなく，決算日
現在銀行から借り入れている金額である200万円です。つまり，貸借対照表に表示され
ている金額は，決算日現在「どこからいくらお金を集めてきて，それをどこにいくら使っ
ているか」という「現在進行形」の情報なのです。


## (5)　貸借対照表の構造（その3）

　さて，前述のとおり，貸借対照表の左側に示した資産は「いつか資金回収ができるお金
の使いみち」を指します。先ほどの八百屋の事例で示したダイコン・ニンジンなどの商品
は，いつかお客様に販売されて資金が回収されます。一方，八百屋が取得した建物や土地
も資産に分類されるのですが，これらに投下した資金はいつどのようにして回収されるの
でしょうか？　この答えは「建物や土地を売って回収する」ではありません。八百屋はダ
イコン・ニンジンを売る商売を行っています。不動産屋ではありませんので，建物や土地
は売っていません。それでは，八百屋が建物や土地を購入した資金はどのようにして回収
されるのでしょうか？　これは，あなたが八百屋を始めることを想定してみるとわかりや
すいと思います。たとえば，あなたが八百屋を始めるにあたり，中古の店舗を探していた
とします。あるとき，1,000万円で売り出されていた店舗が見つかりました。これなら手
許の資金で買えそうです。あなたは，この段階ですぐその店舗の購入契約を結ぶでしょう
か？　そんなことはないはずです。あなたはその店舗で八百屋を営むのですから，少なく
ともその店舗で今後どの程度の売上が上がるのかソロバンをはじくでしょう。たとえば，
その店舗で今後10年間商売をすると予想したとして，その10年間の予想売上高合計額が
800万円だとしたら，あなたはその店舗を買いますか？　絶対に買わないでしょう。なぜ
ならば，店舗に投下した資金1,000万円を回収することができないからです。それなら
ば，店舗の価額がいくらなら取得しますか？　当たり前ですが，今後の売上によって店舗
に投下した資金が十分回収できると予想されるのであれば，購入契約を結ぶはずです。逆
にいえば，店舗の取得原価は，いつか売上によってお客様から回収することを前提にして

います。

　このように，ダイコン・ニンジンなどの商品も，建物，土地もいつか資金が回収される
という意味では同じ資産なのですが，その資金が回収されるまでのスピードが異なりま
す。つまり，ダイコン・ニンジンに投下した資金はおそらく仕入れてから2～3日で回収
されると思いますが，建物や土地に投下した資金は，その全額をお客様の売上高から回収
するまでには，長い年月がかかると予想されます。したがって，商品は「投下資金がすぐ
回収される資産」，建物や土地は「投下資金を回収するまでに時間がかかる資産」という
ことができます。

　あなたが銀行の融資担当者だとして，これから融資しようとしている企業の貸借対照表
を見て，その資産のほとんどが「すぐ資金が回収される資産」の企業と，「回収するまで
に時間がかかる資産」の企業では，どちらの方が安心して融資できる企業でしょうか？
これもすぐわかると思いますが，「回収するまでに時間がかかる資産」がほとんどの企業
は，融資した資金を返済するための原資を準備するのに時間がかかるので，融資判断は慎
重に行わなければならないでしょうし，ほとんどが「すぐ資金が回収される資産」の企業
に対しては，相対的に安心して融資ができるでしょう。

　このように，同じ資産であっても，その性格によって企業の安全性の判断に影響があり
ますので，貸借対照表上はこれらを分類して表示するという決まりになっています。「す
ぐ資金が回収される資産」のことを**流動資産**，「回収するまでに時間がかかる資産」のこ
とを**固定資産**といいます。

　一方，負債も「すぐに返済しなければならない負債」と「ゆっくり返せばよい負債」に
分かれます。前者を**流動負債**，後者を**固定負債**といいます。

　それでは，流動と固定の分類はどのような基準によって行われているか，「すぐに」と
か「ゆっくり」といってもわかりにくいと思います。これについては，後で詳しく説明し
ます。

　さらに，純資産についても分類が行われます。さきほどの中世ヨーロッパの胡椒の事例
で登場した，最後に出資者に配分される資金を考えてみてください。この資金は，①最初
の出資者が投資した資金と②その後稼ぎ出した利益の蓄積額に分類されます。①を**資本
金**，②を**利益剰余金**といいます。

　このように考えると，貸借対照表は【図表1-4】のように細分化されます。

【図表1-4】 貸借対照表の構造③

貸借対照表

| 資 産 | 流動資産 | 負 債 | 流動負債 |
| | | | 固定負債 |
| | 固定資産 | 純資産 | 資 本 金 |
| | | | 利益剰余金 |

　誰が考えてもわかると思いますが，すぐ資金が戻ってくる流動資産と，なかなか戻ってこない固定資産ではどちらが安全かといえば，もちろん流動資産です。また，負債の方は流動負債よりも固定負債の方が安全と判断されます。さらに，返却不要な純資産は固定負債よりも安全（すなわち超安全）と性格付けることができます。

　このような貸借対照表の各分類の性格付けを示すと，【図表1-5】のようになります。この図表は，今後安全性分析を行う場合の基本となりますから，よく覚えておいてください。

【図表1-5】 貸借対照表の構造④

貸借対照表

| 流動資産 | 安　全 | 流動負債 | 危　険 |
| | | 固定負債 | 安　全 |
| 固定資産 | 危　険 | 純資産 | 超安全 |

## （6）　練習問題

　それでは，今までに得た知識を確認するために，貸借対照表を作成する問題をやってみましょう。次の各取引（簿記上，「取引」とはお金が変化することをいいます）があった後の貸借対照表を作成してください。

（取引1）　山田一郎氏が現金1,000万円を出資して山田運送株式会社を設立した。
（取引2）　山田運送㈱はその後銀行から500万円を借り入れ，それを現金で受け入れた。
（取引3）　山田運送㈱は手持ちの現金1,500万円のうち800万円を銀行の当座預金にした。
（取引4）　山田運送㈱は本店の土地（500万円）を不動産会社から購入し，その代金を小切手で支払った。

（取引5）　山田運送㈱は本店の建物を建設会社に依頼して建築し，その代金400万円のうち200万円は小切手で支払ったが，残金の200万円は後日支払うことにした。

（取引1）　山田一郎氏が現金1,000万円を出資して山田運送株式会社を設立した。

　これから作成する貸借対照表は，山田運送㈱の貸借対照表です。山田一郎氏の貸借対照表ではありません。株主である山田一郎氏は山田運送㈱に1,000万円の資金を出していますが，山田運送㈱はこれを受け取っていますから，山田運送㈱にとってはお金の出どころは，「山田一郎氏＝株主」です。

　一方，株主から出資してもらった資金は，現在現金で持っています。現金も資産としてお金の使いみちに入れるので，この場合の貸借対照表は次のようになります。

貸借対照表　　　（単位：万円）

| 現　　　　金 | 1,000 | 株　　　　主 | 1,000 |
|---|---|---|---|

　株主から出資してもらった資金は上記のように「株主」と表現しても問題はないのですが，前述のように，正式には「資本金」と表現しますので，次のように書き換えます。

貸借対照表　　　（単位：万円）

| 現　　　　金 | 1,000 | 資　本　金 | 1,000 |
|---|---|---|---|

　なお，資本金は，貸借対照表の分類では「純資産」となります。

（取引2）　山田運送㈱はその後銀行から500万円を借り入れ，それを現金で受け入れた。

　銀行から借りた資金もお金の出どころです。しかし，これは返済必要な資金になりますので，「負債」に分類されます。「負債」と「純資産」はどちらを上に書いてもよいのですが，一般的には「負債」を上，「純資産」を下に書きますので，この場合の貸借対照表は次のようになります。

貸借対照表　　　（単位：万円）

| 現　　　　金 | 1,500 | 銀　　　　行 | 500 |
|---|---|---|---|
| | | 資　本　金 | 1,000 |
| | 1,500 | | 1,500 |

　銀行から借り入れた資金は出どころが銀行ですから，「銀行」と表現しても問題はありませんが，実際には借入先は銀行だけとは限りませんので，一般的には「借入金（かりいれきん）」という科目を使います。

第1章　財務諸表の構造と関連

|  貸借対照表 | | （単位：万円） |
| --- | --- | --- |
| 現　　　　　金　1,500 | 借　入　金 | 500 |
| | 資　本　金 | 1,000 |
| 1,500 | | 1,500 |

（取引3）　山田運送㈱は手持ちの現金1,500万円のうち，800万円を銀行の当座預金にした。

　当座預金は1円も利息が付かない預金です。それ以外の普通預金や定期預金はわずかだとはいえ，利息が付きます。しかし，ほとんどの企業が当座預金口座を保有しています。なぜかといえば，当座預金は「手形・小切手を利用するための預金」だからです。

　次の（取引4）を見るとわかるように，山田運送㈱は不動産会社に土地購入代を小切手で支払う予定です。多額の資金のやりとりを行う場合，小切手を使用すれば，安全・便利に決済ができますので，多くの企業が利用しています。

　実際には，小切手は，お互いの取引銀行同士で手形交換所を通じて決済が行われるのですが，簡便化のために手形交換所を省略して小切手決済のしくみを示すと，次のようになります。

【図表1-6】　小切手決済のしくみ

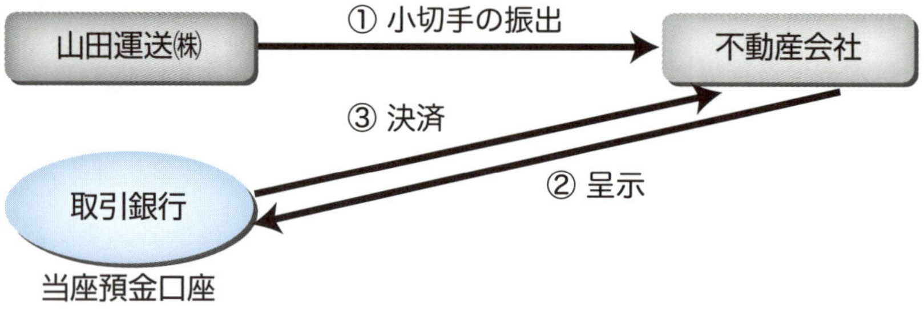

　このように，小切手を振り出すといつか取引銀行の当座預金から小切手記載金額が出金されるので，会計処理上は小切手を振り出した時点で当座預金を減額する決まりになっています。したがって，会計処理上は当座預金が減額されても，実際に銀行の当座預金口座から出金が行われるまでに数日のタイムラグが生じることになります。

　このケースは資産に計上されていた「現金」が減少し，代わりに「当座預金」が増加したので，貸借対照表は次のように表現されます。

|貸借対照表|(単位：万円)|
|---|---|
|現　　　　金　　　700|借　入　金　　　500|
|当　座　預　金　　　800|資　本　金　　1,000|
|　　　　　　　　1,500|　　　　　　　1,500|

（取引４）　山田運送㈱は本店の土地（500万円）を不動産会社から購入し，その代金を小切手で支払った。

小切手の見本は次のとおりです。

【図表1-7】　小切手（見本）

前述のように，小切手を振り出した時点で当座預金を減額しますから，この小切手を振り出すことにより，当座預金が500万円減少し，代わりに土地という資産が500万円増加します。

したがって，（取引４）終了後の貸借対照表は次のようになります。

|貸借対照表|(単位：万円)|
|---|---|
|現　　　　金　　　700|借　入　金　　　500|
|当　座　預　金　　　300|資　本　金　　1,000|
|土　　　　地　　　500| |
|　　　　　　　　1,500|　　　　　　　1,500|

（取引５）　山田運送㈱は本店の建物を建設会社に依頼して建築し，その代金400万円のうち200万円は小切手で支払ったが，残額の200万円は後日支払うこととした。

これは，少し難しいですね。今までの知識で考えれば，建物という資産が400万円増加し，代わりに小切手を200万円振り出したのですから，当座預金が200万円減少

します。これだと資産の増加額と減少額が一致しません。これは次のように考えると理解できます。

① 山田運送㈱は建設会社に400万円の建物を建ててもらった。
② その代金のうち200万円は小切手で支払ったが，残額200万円は建設会社から借りて支払った。

すなわち，山田運送㈱は建設会社に対する200万円の負債があることになります。負債は貸借対照表の右側に書きます。この場合の負債の科目は「未払金」となります。

|  | 貸借対照表 |  | （単位：万円） |
|---|---:|---|---:|
| 現　　　　金 | 700 | 借　入　金 | 500 |
| 当 座 預 金 | 100 | 未　払　金 | 200 |
| 建　　　　物 | 400 | 資　本　金 | 1,000 |
| 土　　　　地 | 500 |  |  |
|  | 1,700 |  | 1,700 |

### (7) 仕訳のルール

上記の練習問題では，取引のつど貸借対照表を作成しました。ただし，この例のように取引が5件しかなければこの方法もありですが，一般的には，どのような小さい企業でも年間の取引が5件しかないというところはないと思います。そうなると，取引のつど決算書を作成することは不可能で，もう少し簡単な方法はないか？　と考えられたのが，「簿記一巡の手続」です。

簿記一巡の手続とは，取引から財務諸表が作成されるまでの一連の流れをいい，【図表1-8】に示したとおりです。

【図表1-8】　簿記一巡の手続

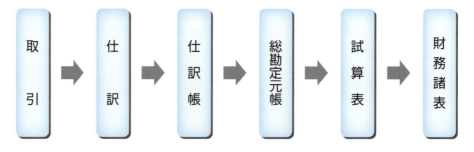

### ① 仕　訳

上図の「仕訳」とは，お金の出どころと使いみちを「メモ」したものと考えればよいでしょう。仕訳は左側（借方）と右側（貸方）の記録から構成され，次のルールによって作成されます。

**【図表1-9】 仕訳のルール**

| 科　目 | 増加取引 | 減少取引 |
|:---:|:---:|:---:|
| 資　　　産 | 左 | 右 |
| 負　　　債 | 右 | 左 |
| 純　資　産 | 右 | 左 |
| 収　　　益 | 右 | 左 |
| 費　　　用 | 左 | 右 |

（注）　収益，費用については後で説明します。

　たとえば，「自動車会社から乗用車100万円を現金購入した」という取引を例に挙げると，自動車という資産は増加しましたが，現金という資産は減少しています。資産は増加したら左，減少したら右なので，仕訳は次のように書き表します。

　（借）車 両 運 搬 具　　100万円　　（貸）現　　　　　金　　　100万円

このルールに従って，先ほどの練習問題の取引の仕訳を作成してみましょう。

（取引1）　山田一郎氏が現金1,000万円を出資して山田運送株式会社を設立した。

　株主から出資してもらったことにより，資本金という純資産が増加し，同時に現金という資産も増加しています。純資産は増加したら右，資産は増加した左に書きます。

　（借）現　　　　　金　　1,000万円　　（貸）資　　本　　金　　1,000万円

（取引2）　山田運送㈱はその後銀行から500万円を借り入れ，それを現金で受け入れた。

　今度は，銀行からの借入金という負債が増加し，その分現金も増加しました。負債は増加したら右，資産は増加したら左です。

　（借）現　　　　　金　　　500万円　　（貸）借　　入　　金　　　500万円

（取引3）　山田運送㈱は手持ちの現金1,500万円のうち，800万円を銀行の当座預金にした。

　これは現金と当座預金の交換取引です。増加したのは当座預金，減少したのは現金です。資産は増加したら左，減少したら右なので，当座預金を左，現金を右に書きます。

　（借）当 座 預 金　　　800万円　　（貸）現　　　　　金　　　800万円

（取引4）　山田運送㈱は本店の土地（500万円）を不動産会社から購入し，その代金を小切手で支払った。

　これも土地と当座預金の交換取引です。

　（借）土　　　　　地　　　500万円　　（貸）当 座 預 金　　　500万円

（取引5）　山田運送㈱は本店の建物を建設会社に依頼して建築し，その代金400万円のうち200万円は小切手で支払ったが，残額の200万円は後日支払うこととした。

　この取引では増加した資産は建物400万円，減少した資産は当座預金200万円です。さらに建設会社からの負債＝未払金が200万円増加しており，これは右側に書きます。

（借）建　　　　　物　　400万円　（貸）当　座　預　金　　200万円
　　　　　　　　　　　　　　　　　　　　未　　払　　金　　200万円

## ②　仕訳帳（または仕訳日記帳）

　上記の仕訳を一覧にしたものが仕訳帳です。本来は日付順に上から下に表示されます。この例では，日付の代わりに取引番号を示します。

|  | | 仕　訳　帳 | | | | |
|---|---|---|---|---|---|---|
| ① | （借）現　　　　　金 | 1,000万円 | （貸）資　　本　　金 | 1,000万円 |
| ② | （借）現　　　　　金 | 500万円 | （貸）借　　入　　金 | 500万円 |
| ③ | （借）当　座　預　金 | 800万円 | （貸）現　　　　　金 | 800万円 |
| ④ | （借）土　　　　　地 | 500万円 | （貸）当　座　預　金 | 500万円 |
| ⑤ | （借）建　　　　　物 | 400万円 | （貸）当　座　預　金 | 200万円 |
| | | | 未　　払　　金 | 200万円 |
| | 合　　計 | 3,200万円 | 合　　計 | 3,200万円 |

## ③　総勘定元帳

　仕訳帳に記載された仕訳を，次のルールに従って，総勘定元帳に仕訳を書き写します（これを「転記」といいます）。

1)　日付を記入する。

2)　借方科目の金額は借方（左）に，貸方科目の金額は貸方（右）に記載する。

3)　相手勘定（反対側に仕訳されている勘定）を記入する（相手勘定が複数ある場合には「諸口」と書く）。

このルールに従って，総勘定元帳の記入を行うと，次のようになります（単位：万円）。

現　　金

| ①資　本　金 | 1,000 | ③当　座　預　金 | 800 |
|---|---|---|---|
| ②借　入　金 | 500 | | |

当　座　預　金

| ③現　　金 | 800 | ④土　　地 | 500 |
|---|---|---|---|
| | | ⑤建　　物 | 200 |

|     | 建　　物 |     |     |
| --- | --- | --- | --- |
| ⑤ 諸　　　口 | 400 |     |     |

|     | 土　　地 |     |     |
| --- | --- | --- | --- |
| ④ 当 座 預 金 | 500 |     |     |

|     | 借　入　金 |     |     |
| --- | --- | --- | --- |
|     |     | ② 現　　　金 | 500 |

|     | 未　払　金 |     |     |
| --- | --- | --- | --- |
|     |     | ⑤ 建　　　物 | 200 |

|     | 資　本　金 |     |     |
| --- | --- | --- | --- |
|     |     | ① 現　　　金 | 1,000 |

　このように，各総勘定元帳への転記が終了したら，決算書を作成するために，各勘定の残高を算定し，残高がある側とは別の方に「次期繰越　××円」と記入して，貸借合計額を合わせ，さらに翌期首の日付で残高がある側に「前期繰越　××円」と記入します（これを総勘定元帳の締切といいます）。

　締切後の総勘定元帳を示すと，次のようになります。

|     | 現　　金 |     |     |
| --- | --- | --- | --- |
| ① 資 本 金 | 1,000 | ③ 当 座 預 金 | 800 |
| ② 借 入 金 | 500 | 次 期 繰 越 | 700 |
|     | 1,500 |     | 1,500 |
| 前 期 繰 越 | 700 |     |     |

|     | 当 座 預 金 |     |     |
| --- | --- | --- | --- |
| ③ 現　　　金 | 800 | ④ 土　　　地 | 500 |
|     |     | ⑤ 建　　　物 | 200 |
|     |     | 次 期 繰 越 | 100 |
|     | 800 |     | 800 |
| 前 期 繰 越 | 100 |     |     |

|  | 建　物 |  |  |
|---|---|---|---|
| ⑤ 諸　　　口 | 400 | 次 期 繰 越 | 400 |
| 前 期 繰 越 | 400 |  |  |

|  | 土　地 |  |  |
|---|---|---|---|
| ④ 当 座 預 金 | 500 | 次 期 繰 越 | 500 |
| 前 期 繰 越 | 500 |  |  |

|  | 借　入　金 |  |  |
|---|---|---|---|
| 次 期 繰 越 | 500 | ② 現　　　金 | 500 |
|  |  | 前 期 繰 越 | 500 |

|  | 未　払　金 |  |  |
|---|---|---|---|
| 次 期 繰 越 | 200 | ⑤ 建　　　物 | 200 |
|  |  | 前 期 繰 越 | 200 |

|  | 資　本　金 |  |  |
|---|---|---|---|
| 次 期 繰 越 | 1,000 | ① 現　　　金 | 1,000 |
|  |  | 前 期 繰 越 | 1,000 |

## ④　試算表（残高試算表）

総勘定元帳の次期繰越金額を集計して，試算表が作成されます（単位：万円）。

### （残高）試算表

| 現　　　金 | 700 | 借　入　金 | 500 |
|---|---|---|---|
| 当 座 預 金 | 100 | 未　払　金 | 200 |
| 建　　　物 | 400 | 資　本　金 | 1,000 |
| 土　　　地 | 500 |  |  |
| 合　　計 | 1,700 | 合　　計 | 1,700 |

## ⑤　財務諸表

本来ならば，試算表に示された科目を「貸借対照表科目」と「損益計算書科目」に分類し，試算表を２つに分けることによりそれぞれの財務諸表が作成されるのですが，練習問題の場合には，貸借対照表科目しかないので，試算表＝貸借対照表となります。

# 3 損益計算書

## （1） 利益が出た場合の変化？

ここで質問です。企業に利益が出たら，企業の何がどう変わりますか？　逆にいえば，企業の何がどう変わったら利益が出た証拠になるでしょうか？

これは簡単そうで難しい質問です。予想される回答は次のようになります。

> 企業の何がどう変わったら利益が出た証拠になる？
> ① 売上高が伸びた。
> ② 経費が減少した。
> ③ 資産が増えた。
> ④ 現金が増えた。
> ⑤ 社長がえびす顔になった。　　　など

これは，質問が意地悪でした。これらの現象は利益が出た原因のひとつかもしれないものですが，これらの現象があったから必ず利益が出ているとは限りません。たとえば，100円で仕入れたダイコンを80円で売っている八百屋は，ほかの八百屋よりは安いので，おそらくダイコンが飛ぶように売れ，売上高は伸びるでしょう。しかし，この八百屋はダイコンを売れば売るほど赤字になります。経費，たとえば給料を減少させた場合，そのために従業員がやる気を失って売上がもっと減少してしまえば，やはり利益は減少します。また，資産や現金については，銀行から借入を行えば，その分資産（現金）が増えますが，これは利益ではありません。えびす顔に至っては，地顔がえびす顔の社長は倒産寸前でもえびす顔です。

このように考えると，利益が出ている証拠を指摘することは案外難しいことです。しかし，このようなときには簡単に考えた方がわかりやすいと思います。たとえば，競馬に行って儲けるというケースを考えてみましょう。今日はダービーのため，張り切ってふところに10万円の元手を持って競馬場へ行きました。そこで何レースかやって競馬場を出てくるときには，その元手が30万円になっていました。これは儲かったのです。儲け（すなわち利益）の金額は20万円で，その金額は次のように計算します。

利益＝現在の元手（30万円）－最初の元手（10万円）＝20万円

## （2） 純資産の増加額が利益を表す

このケースでは「元手が増えたら利益，元手が減ったら損」と考えました。しかし，競馬の場合の元手とはふところの現金を指します。「現金が増えたからといって利益が出たとは限らない」ということはさきほど指摘したとおりです。それでは，企業にとって元手

とは何を指すのでしょうか？　これは，企業が誰のためにあるかを考えるとわかると思います。企業といっても個人企業・法人企業さまざまな形態がありますが，一番わかりやすい株式会社を考えてみましょう。株式会社は誰のためにあるか？「お客様のため，社員のため，社会のため……」等いろいろ考えられると思いますが，最後にお金を手にできる者は誰かと考えると，株式会社は株主のために存在していると見ることもできます。つまり，株式会社は最後に株主に渡す資金を極大化するために日夜活動をしている，というわけです。そのように考えると，株主に渡す資金が増加すれば利益，減少すれば損失となります。それでは，株主に渡す資金はどこに表されているかといえば……，貸借対照表の「純資産」がそれにあたります。つまり，企業の利益は次の算式によって求めることができます。

$$利益＝期末純資産－期首純資産$$

具体的に設例を見てみましょう。

《設例》
　次の貸借対照表の変化から，この会社の利益を算定しなさい。ただし，増資および配当金の支払は行っていない。

| 期首貸借対照表 | | | 期末貸借対照表 | | |
|---|---|---|---|---|---|
| 現　金 | 500万円 | 借入金　300万円<br>純資産　200万円 | 現　金 | 600万円 | 借入金　200万円<br>純資産　400万円 |
| 合　計 | 500万円 | 合　計　500万円 | 合　計 | 600万円 | 合　計　600万円 |

この企業では1年間で現金が100万円増加しています。しかし，この企業の利益は100万円ではありません。利益額は次のように求めます。

利益＝期末純資産400万円－期首純資産200万円＝200万円

この利益計算を図示すると，次のようになります。

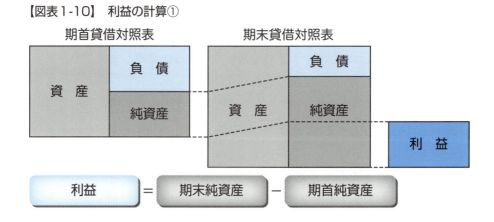

【図表1-10】　利益の計算①

## (3) どうやって儲けたか？

　上記の設例の企業が八百屋だとしましょう。この八百屋は年間で200万円の利益が出たことはわかりました。したがって，期首と期末の貸借対照表があれば，利益の計算ができることになります。もし，利益の金額さえわかればよいのならば，2枚の貸借対照表を見比べて純資産の差額を出せばよいので，これから説明する損益計算書はいらないことになります。しかし，貸借対照表を見比べるだけではわからないことがあります。

　それは，「どうやって儲けたか」ということです。確かに貸借対照表を見比べれば利益の金額はわかりますが，その利益がどのようにして生じたかという原因までは把握できません。つまり，設例の八百屋では利益が200万円計上されていますが，この利益が「ダイコン・ニンジンを売って得た利益」なのか，「土地を売って得た利益」なのか，「株式を売って得た利益なのか」はわかりません。また，ダイコン・ニンジンを売って200万円儲けたとしても，300万円で仕入れたダイコンを500万円で売って200万円の利益を出したのか，1万円で仕入れたダイコンを201万円で売って200万円の利益を出したのかもわかりません。ちなみに，ダイコン・ニンジンを売って儲けた八百屋と土地を売って儲けた八百屋はどちらがよい八百屋でしょうか？　もちろん，ダイコン・ニンジンを売った八百屋の方がよい八百屋です。八百屋はダイコン・ニンジンを売るのが本業です。本業は毎年行いますので，今年本業で200万円儲けた八百屋は，来年もそれに近い利益が計上できるものと推定されます。ところが，土地を売って儲けた八百屋は，本業では儲かっておらず，その年にたまたま空き地があって，それを売却したら利益が出たのです。来年になったらもう空き地はありません。来年は本業のみで勝負です。

　このように考えると，利益がどこから生じたのかを把握できないと，金融機関は怖くてお金を貸すことができません。だから損益計算書が必要になるのです。損益計算書は次のように表されます。八百屋だと在庫があってわかりにくいので，今度は運送会社の損益計算書にします。

### 損益計算書

| 運賃収入 | 1,000万円 |
|---|---|
| 給料手当 | 800万円 |
| 利　益 | 200万円 |

　ある運送会社で年間の売上高（運送会社の場合には，上記のように「運賃収入」と表現します）が1,000万円あり，そのために従業員に給料を800万円支払ったとすれば，この会社の利益は200万円と計算されます。なお，実際に運送会社では従業員給料以外にトラックのガソリン代や税金，その他いろいろな経費がかかると思いますが，それらは無視しています。このように示されれば，200万円は本業（すなわち運送業）で儲かったとい

うことがわかります。

　ところで，上記損益計算書における「運賃収入」は，運送会社にとって「損か得か」と考えると，もちろん「得」です。得をするということは，企業の元手である純資産は増えるか減るかと考えると，増えます。純資産が増加する取引のことを収益といいます。なお，この場合も増資や配当金の支払はないものと仮定しています。

　一方，「給料手当」は運送会社にとって「損」です。損をするということは，純資産は減ります。純資産が減少する取引のことを費用といいます。したがって，利益は収益から費用を差し引いても計算することができます。

【図表1-11】　利益の計算②

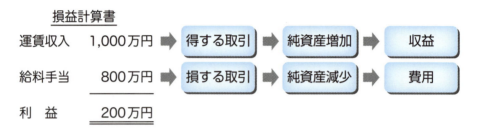

　このように，利益の額は貸借対照表でも損益計算書でも計算できるのですが，どうやってその利益が出てきたのかを把握するためには，損益計算書を見なければならないというわけです。

　ここで，このからくりを理解するために簡単な設例をやってみましょう。

《設例》
　子供の財布に200円が入っていました。その子は，おじいちゃんから小遣いを1,000円もらい，800円でおもちゃを買いました。
　この子の財布の中身はいくら増えたでしょう。

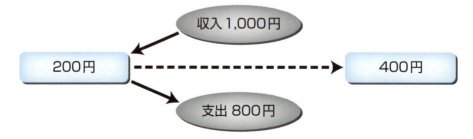

この答え（200円）を導き出す方法は2通りあります。

第1は「財布の中身同士を比べる」方法です。「最初200円あった財布の中身が400円になったから200円増えた」と計算します。

第2は「収入金額から支出金額を控除して求める」方法です。「おじいちゃんから小遣いを1,000円もらって，おもちゃを800円買ったから200円増えた」と計算します。

どちらの方法も答えは同じですが，なぜ財布の中身が200円増えたかを説明できるのは第2の方法です。

貸借対照表における利益計算は，上記の第1の方法と同じです。すなわち，「期首において200万円あった純資産が期末で400万円になったから，差額の200万円の利益が計上された」と計算します。

損益計算書における利益計算は，上記の第2の方法と同じです。すなわち，「運賃収入が1,000万円あったが，給料手当が800万円だったので，200万円の利益が計上された」と計算します。200万円儲かった原因を説明できるのは，損益計算書における利益計算の方です。

　現金増加額を計算する方法1…財布の中身を比べる
　　現金増加額＝最後の現金残高400円－最初の現金残高200円＝200円
　現金増加額を計算する方法2…入ってきたお金と出ていったお金の差額で計算する
　　現金増加額＝おじいちゃんからの小遣い収入1,000円－おもちゃの購入代800円＝200円

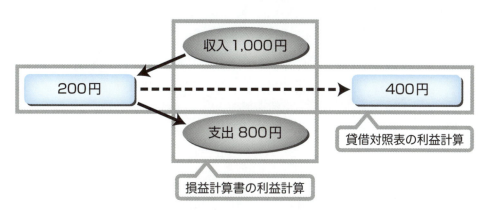

## (4) 5種類の利益

一般的な損益計算書の様式は5ページに示したオンデマンのものを参照してください。見るとわかるように，損益計算書には5種類の利益が表示されています。上から「売上総利益」「営業利益」「経常利益」「税引前当期純利益」「当期純利益」となっています。当然ですが，それぞれの利益の性格は異なっており，その違いがわからなければ損益計算書を読むことができません。

それぞれの利益の内容は次のとおりです。

①　**売上総利益**（＝売上高－売上原価）

　売上総利益とは，商品や製品を販売することによって直接得られた利益を表します。売上総利益は上記のように売上高から売上原価を差し引いて計算されます。ここにおける**売上高**とは，もちろん，商品・製品の販売額のことを指しますが，**売上原価**とは何でしょうか？　これは「**売上**げた商品の仕入**原価**（または**売上**げた製品の製造**原価**）」のことを指しています。この金額は通常仕入高とは異なります。

　次の設例で説明しましょう。

《設例》
　　ある八百屋が1本100円でダイコンを3本仕入れ，そのうち2本を1本130円で販売した。この八百屋の利益はいくらか？

　この設例ではダイコンの仕入高は300円，売上高は260円です。売上高から仕入高を差し引くと，△40円となりますが，この八百屋は損失が発生しているわけではありません。つまり，売上高260円から控除するのは，仕入高の300円ではなく，売上原価の200円（＝＠100円×販売本数2本）で，この八百屋は60円儲かっているのです。

　これを図示すると次のようになります。

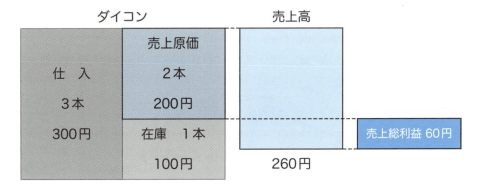

②　**営業利益**（＝売上総利益－販売費及び一般管理費）

　営業利益とは，その企業が本業において稼得した利益のことを指します。財務諸表の世界では「営業」という用語がよく出てきますが，意味合い的には「営業」の「営」の字を「本」に置き直して，「本業」と解釈してください。したがって，この後登場する営業外収益や営業外費用は「本業外収益」「本業外費用」という意味になります。ここにおける「販売費及び一般管理費」とは，本業を遂行するために要した費用のうち，売上原価を除くものを指し，具体的には販売手数料，広告宣伝費，役員報酬，給料手当，旅費交通費などが該当します。

③　**経常利益**（＝営業利益＋営業外収益－営業外費用）

　「経常」という言葉はあまり普段は使わないかもしれませんが，「日常的」「普通」「異常

でない」という意味です。したがって，経常利益はその企業の日常的な活動の結果得た利益を表します。

　上記のように営業外収益は本業外収益で，受取利息や受取配当金などが該当します。財務諸表の事例で採り上げた株式会社オンデマンは，セーターやカーディガンなどのニット製品を製造して販売することが本業で，お金を運用して利息や配当金を得ることは本業外です。だから，受取利息や受取配当金などは営業外収益になりますが，しかし，それらをオンデマンが得るのは「めったにないこと」ではありません。受取利息や受取配当金は日常的に受け取る収益です。このため，これらは営業利益には反映されませんが，経常利益には含まれます。

　一方，営業外費用も本業外費用を指し，支払利息や手形売却損（割引料）などが該当します。オンデマンにとって毛糸の仕入代や従業員に支払う給料は本業の費用になりますが，支払利息や手形売却損（手形割引料のこと）は本業外の費用に該当します。しかし，これらの費用も日常的に発生する費用なので，営業利益には反映されませんが経常利益には反映されます。

④　**税引前当期純利益**（＝経常利益＋特別利益－特別損失）

特別利益・特別損失は，経常的ではない臨時的な損益（例：固定資産売却損益，投資有価証券売却損益）や過年度損益の修正項目（例：前期損益修正損益，固定資産除却損）を指します。税引前当期純利益は，経常利益にそれらの特別損益項目を加減して得られる利益を示し，会計的に法人税等の課税対象となる利益（注）を指します。

（注）　税務上の課税所得とは異なります。

⑤　**当期純利益**（＝税引前当期純利益－法人税等）

法人税等とは，法人税，地方法人税，法人住民税（道府県民税と市町村民税），法人事業税，特別法人事業税の合計額を指し，大企業の場合には30％程度の課税が行われます。当期純利益は，税引後の通期の最終的な利益で，株主配当の源泉となります。

【図表1-12】　5種類の利益

| 売 上 高 | | | | | |
|---|---|---|---|---|---|
| 売上原価 | 売上総利益 | | | | |
| | 販売管理費 | 営業利益 | | | |
| | | 営業外損益 | 経常利益 | | |
| | | | 特別損益 | 税引前当期純利益 | |
| | | | | 法人税等 | 当期純利益 |

## (5) どの利益に注目すべきか

あなたが金融機関の融資担当者だとしたら，その企業の収益性（儲ける力のこと）を判定するための指標として最も優れている利益は上記の5つのうちどれだと思いますか？

もちろん，どの利益にもそれぞれの意味がありますので，どの利益に注目してもよいのですが，たとえば，本業がふるわず，営業利益が3,000万円の赤字になった企業が，最終赤字では資金調達にも影響があると考えて，たまたま保有していた空き地を売却して5,000万円の固定資産売却益を計上し，最終利益（当期純利益）を捻出した場合を考えると，当期純利益が出ているからといって収益性に優れている企業であると判断することには問題があります。

したがって，一般的には，特別利益・特別損失を影響させない経常利益より上の利益で収益性を判定すべきであるということになります。経常利益より上の利益とは，経常利益を含めて3種類ありますが，商品・製品を販売することによって直接得られた売上総利益だけでその企業の収益性を判定することには問題があります。なぜならば，肝心の本業の費用である販売費及び一般管理費を考慮していないからです。

その意味では，収益性の判定指標として「営業利益」と「経常利益」が残ります。さあ，どちらの方が適しているでしょうか？

## (6) アサヒ vs キリン

突然ですが，ここでアサヒビールとキリンビールの財務諸表を比較してみます。ずいぶん前のデータですが，平成15年12月期の両社の個別財務諸表（連結財務諸表ではなく，アサヒビール，キリンビールという会社単体の財務諸表）によれば，両社の営業利益と経常利益は次のようになっていました。

**【図表1-13】 アサヒ vs キリン**

|  | 営業利益 | 経常利益 |
|---|---|---|
| Asahi おいしさを笑顔に | 72,365百万円 | 62,838百万円 |
| KIRIN | 55,911百万円 | 71,935百万円 |

このように，営業利益はアサヒが大きく，経常利益はキリンが大きくなっています。もし，営業利益で企業の収益性を判定するのであれば，アサヒの方がキリンよりも収益性が高い企業ということになり，経常利益で判定するのであれば，キリンの方がアサヒよりも収益性に優れているということになります。

これは，両社の貸借対照表を検討してみればわかります。

**【図表1-14】　アサヒとキリンの貸借対照表**

| アサヒ | | キリン | |
|---|---|---|---|
| 流動資産 30.5% | 負　債 64.1% | 流動資産 25.0% | 負　債 45.4% |
| 固定資産 69.5% | 純資産 35.9% | 固定資産 75.0% | 純　資　産 54.6% |

　このように，アサヒはキリンに比べて純資産の割合が低くなっています。逆にいえば，アサヒはキリンよりも負債による資金調達割合が高くなっています。なぜ，このような状況になったのか考えてみますと，アサヒビールは昭和の終わりの頃，ビールの市場シェアが10％を割り込んでしまいました。戦前の大日本麦酒をサッポロビールと2社に分割してスタートした時のシェアは約35％でしたから，どんどんシェアを下げ続けたことになります。その頃，アサヒビールのラベルには今と違って朝日（旧日本帝国海軍のようなマーク）が張られていました。それを見た一部の人たちからは「朝日ビール」とはいわれず，「夕日ビール」と揶揄されていました。要するに沈む一方という意味です。

　一方，その当時のキリンビールは市場シェアが50％を超え，まさに独占企業といってもよい状況でした。この状況を逆転したのが，昭和の終わりにアサヒビールから発売された「スーパードライ」です。「辛口でキレがある」という新しいジャンルのビールは，派手な宣伝等と相まってあっという間に売上が急拡大しました。その結果，現在ではアサヒはキリンと肩を並べる企業によみがえったのはご存じのとおりです。

　さて，ビールを販売するためには，そのビールの消費地の近くに工場を作らなければなりません。もちろん，消費地から遠いところで生産してもそれを消費地に運搬すればよいのですが，まず，運搬している間に味が落ちますし，運搬コストが多額にかかってしまいます。したがって，スーパードライを販売するためにはどうしても莫大な設備投資を行わなければならず，それまであまり儲かっていなかったアサヒはその資金として負債（借入金）に頼らざるをえなかったのです。この結果，アサヒの支払利息（営業外費用）負担は大きくなり，それが営業利益から控除されるため，経常利益は営業利益と比べて大きく落ち込むという財務体質になりました。

　これに対して，キリンはほとんどが過去の利益の蓄積額からなる多額の純資産があり，設備投資資金を十分賄うことができました。したがって，キリンはアサヒと異なり，有利子負債（銀行借入金のような利息のかかる負債）に頼る必要がなく，支払利息の負担はほとんどないどころか，余剰資金の運用で多額の受取利息や配当金などの営業外収益が得られるため，営業利益よりも経常利益の方が大きくなるという財務体質になりました。つま

り，当時のキリンは本業でも儲かるし，本業外でも儲かるという企業でした。

　このような状況にあって，営業利益だけで収益性を判断するのは，アサヒのような多額の利息負担がある企業を想定すると，少し危険です。したがって，一般的には収益性の判断指標として経常利益が用いられています。

### (7)　練習問題
　それでは，損益計算書を実際に作ってみましょう。

【設例】　次の資料から損益計算書を作成しなさい。なお，作成にあたっては5ページのオンデマンの損益計算書を参考にすること。また，この企業の損益状況についてコメントしなさい。

| | | | | | |
|---|---|---|---|---|---|
| ① | 売　上　高 | 1,000万円 | ② | 売　上　原　価 | 650万円 |
| ③ | 給　料　手　当 | 100万円 | ④ | 旅　費　交　通　費 | 30万円 |
| ⑤ | 支　払　家　賃 | 70万円 | ⑥ | 受　取　利　息 | 20万円 |
| ⑦ | 支　払　利　息 | 140万円 | ⑧ | 固定資産売却益 | 130万円 |
| ⑨ | 火　災　損　失 | 60万円 | ⑩ | 法　人　税　等 | 50万円 |

　上記のうち，③〜⑤は販売費及び一般管理費，⑥は営業外収益，⑦は営業費用，⑧は特別利益，⑨は特別損失です。

（解答例）

### 損益計算書
(単位：万円)

| | | | |
|---|---|---:|---:|
| Ⅰ | 売　上　高 | | 1,000 |
| Ⅱ | 売　上　原　価 | | 650 |
| | 売　上　総　利　益 | | 350 |
| Ⅲ | 販売費及び一般管理費 | | |
| | 給　料　手　当 | 100 | |
| | 旅　費　交　通　費 | 30 | |
| | 支　払　家　賃 | 70 | 200 |
| | 営　業　利　益 | | 150 |
| Ⅳ | 営　業　外　収　益 | | |
| | 受　取　利　息 | | 20 |
| Ⅴ | 営　業　外　費　用 | | |
| | 支　払　利　息 | | 140 |
| | 経　常　利　益 | | 30 |
| Ⅵ | 特　別　利　益 | | |
| | 固　定　資　産　売　却　益 | | 130 |
| Ⅶ | 特　別　損　失 | | |
| | 火　災　損　失 | | 60 |
| | 税引前当期純利益 | | 100 |
| | 法　人　税　等 | | 50 |
| | 当　期　純　利　益 | | 50 |

（損益状況のコメント）

　損益計算書の見方はいろいろあるでしょうが，下から上に向かって見ていくのもひとつの方法です。

### ①　税金負担率

　まず，当期純利益が50万円で，法人税等も50万円，その上の税引前当期純利益は100万円ですから，税引前当期純利益に対する法人税等の割合（税金負担率）は50％です。法人税等は前述のとおり，「法人税」「地方法人税」「法人住民税」「法人事業税」「特別法人事業税」の合計のことで，大企業の場合には約30％の課税が行われるということでした。しかし，このケースでは税金負担率は30％になっていません。おそらく皆さんが実務でご覧になる損益計算書の税金負担率はさまざまになります（次のケース参照）。

| 科　目 | ケース1 | ケース2 | ケース3 |
|---|---|---|---|
| 税引前当期純利益 | 100 | 100 | 100 |
| 法　人　税　等 | 30 | 60 | 20 |
| 当　期　純　利　益 | 70 | 40 | 80 |

なぜこのような違いが出てくるかといえば，実は法人税等がかかる対象が税引前当期純利益ではないからなのです。法人税等の課税対象になるのは「課税所得」といい，次のように税引前当期純利益から導き出されます。

【図表1-15】 利益と所得の違い

| 加算項目 | 税引前当期純利益 | |
|---|---|---|
| 課税所得 | | 減算項目 |

ここにおける「加算項目」とは，損益計算書上は利益には含まれていないが，課税対象にする金額をいい，「減算項目」とは，損益計算書上は利益になっているが，課税対象からは除外する部分を指します。

たとえば，交際費はお客様を接待するための飲食費などが該当しますが，これらは損益計算書上費用として取り扱われます。しかし，お客様を接待するためとはいえ，お酒を飲んでいい思いをするのは一部の人に限られるので，税務上は不公平と見て，そのような費用は原則として収益から控除できず，課税対象になってしまいます。

一方，たとえば受取配当金は，税引後の利益を受け取ったものですが，損益計算書上は当然営業外収益として利益に含まれます。しかし，配当金を支払った会社からはすでに課税所得に対する税金を徴収しているのに，そこから分配された配当金を受け取った会社で再び課税を行ったら，「二重課税」になってしまいます。そのようなことを避けるために，税務上は原則として受取配当金は課税対象から外す取扱いになっています。

たとえば，税引前当期純利益が100で，交際費が100である企業の課税所得は200になり（減算項目は0とします），それに税率30％を掛けて計算された法人税等は60となります。このケースの損益計算書表示は上記の「ケース2」のようになります。

このように，損益計算書上の利益と税務上の課税所得にずれがあるために，税引前当期純利益に対する法人税等の割合（税金負担率）は一定ではありません。この税金負担率が異常な場合には，法人税申告書等を見せてもらい，加算・減算項目の内容を検討する必要があります。

## ② 特別損益の内容

　この会社の損益計算書には，固定資産売却益が130万円計上されています。つまり，この期において土地や建物などの固定資産を売却して利益を出していることがわかります。それでは，この会社の社長はこの期において固定資産売却益が計上できて喜んでいるでしょうか？　答えはNOです。ひょっとしたら社長は泣いているかもしれません。この会社の経常利益は30万円しかなく，そこに何が原因かわかりませんが，火災損失60万円があったため，もし，固定資産売却益がなかったら，この会社は最終赤字（すなわち当期純損失の計上）になってしまうところでした。最終赤字になってしまうと，一般的には株主に配当を行うことができません。また，金融機関に最終赤字の決算書を出すと，今後の資金調達にも影響があります。そこで，この会社の社長は，何とか最終黒字の損益計算書にするために，やむをえず含み益のある固定資産を売却したのです。つまり，固定資産の売却は「決算のやりくり」のために行われたと考えるべきです。

　前述のように，特別損益の内容は「めったにないこと」です。めったにないことがその期において起こったのですから，それは第一に注目しなければならない項目です。


## ③ 売上高経常利益率と売上高営業利益率

　この会社においては，経常利益が30万円計上されており，この金額を売上高1,000万円で割ると，売上高経常利益率3％が計算されます。この会社はどのような事業をやっているかわかりませんが，売上高経常利益率3％というのはあまり高い方ではありません。

　一方，営業利益150万円を売上高で割って計算された売上高営業利益率は15％もあります。これは比較的高い方だと思います。

　このように，営業利益の段階ではけっこう儲かっているのに，経常利益の段階でガクンと落ちてしまうのは，その間の営業外損益に原因があります。損益計算書を見ると，支払利息が140万円計上されていて，これが足を引っ張っていることがわかります。この事例では貸借対照表が示されていませんが，おそらくこの会社は借入金が相当あり，そのために利息負担が多額になっているものと推定されます。

　このように，財務諸表を見ると，いろいろな状況を推定することができます。これは下手な推理小説より面白いと思いませんか？　ましてや，社長の顔や性格をわかっている人がその会社の財務諸表を分析する場合には，面白さが倍増します。ぜひ，興味を持って財務諸表をご覧になってください。

## 4　株主資本等変動計算書

### (1)　株主資本とは

「資本」という用語はよく登場します。資本とは，一番広い意味では「お金」を表します。「資本主義」とは「お金主義」のことです。したがって，株主資本とは，「株主に帰属するお金」のことで，「会社をやめたときに株主に分配される資金」と表現することもできます。厳密にいえばずれる部分もありますが，実務的には，株主資本＝純資産と考えて問題はありません。

さて，前述のように，この株主資本は，大きく分類すれば「資本金」と「利益剰余金」に分かれます。資本金とは株主が出資してくれた資金で，利益剰余金はその後稼ぎ出した利益の蓄積額です。資本金も利益剰余金も増えたり，減ったりします。

資本金は，当たり前ですが，増資（会社設立後の株主による追加出資）によって増加し，減資によって減少します。また，利益剰余金は当期純利益の計上によって増加し，当期純損失の計上や配当（剰余金の配当）によって減少します。

このように，株主資本が1年間でどのように増減したかを示したのが株主資本等変動計算書です。7ページのオンデマンの株主資本等変動計算書では，当期純損失4,209千円が計上されたため，配当は実施しておらず，結果的に株主資本が年間で4,209千円減少したことを示しています。

### (2)　損益計算書・貸借対照表との関連

簡単な事例で株主資本等変動計算書と損益計算書・貸借対照表の関連を示すと，次のようになります。

【図表1-16】　財務諸表の関連

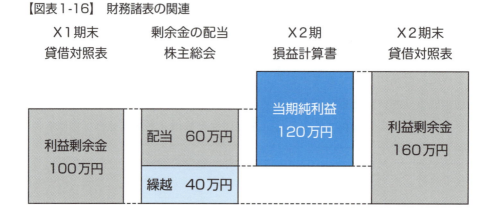

株主資本等変動計算書
（第2期）

| 科　目 | | 繰越利益剰余金 |
|---|---|---|
| 前 期 末 残 高 | | 100万円 |
| 当 期 変 動 額 | | |
| 　　剰余金の配当 | | △60万円 |
| 　　当 期 純 利 益 | | 120万円 |
| 当期変動額合計 | | 60万円 |
| 当 期 末 残 高 | | 160万円 |

# 練習問題

【問題1】 次の設問に簡潔に答えなさい。

(1) 貸借対照表には何が書かれていますか。

(2) 資産はなぜ流動資産と固定資産に分類されているのですか？

(3) 純資産が増加する原因を2つ挙げなさい。

(4) 損益計算書はなぜ作成されるのですか？

(5) なぜ，売上高から仕入高を控除した金額が利益として認識されないのですか？

(6) 一般的に企業の収益性を判断する指標として優れているのはどの利益ですか？


【問題2】 次の①〜⑥に入る金額を答えなさい。なお，この企業では増資や剰余金の配当は行われていない。

(単位：万円)

| 科　　目 | A　社 | B　社 | C　社 |
|---|---|---|---|
| 期 首 純 資 産 | 1,000 | （　③　） | 7,400 |
| 期 末 資 産 | 2,500 | 4,800 | （　⑤　） |
| 期 末 負 債 | 1,200 | （　④　） | 3,800 |
| 期 末 純 資 産 | （　①　） | 1,900 | 7,000 |
| 収　　益 | 3,000 | 3,600 | （　⑥　） |
| 費　　用 | （　②　） | 2,500 | 4,600 |

【問題3】 次の〔資料〕からA運送株式会社の貸借対照表と損益計算書を作成しなさい。

〔資料〕

① A運送株式会社を設立し，現金1,000万円が資本金として振り込まれた。

② B銀行から現金1,000万円を借り入れた（短期借入金（流動負債）に計上）。

③ B銀行の当座預金に現金1,500万円を預け入れた。

④ C不動産株式会社より会社の店舗（建物400万円，土地300万円）を取得し，代金は小切手で支払った。

⑤ D自動車株式会社からトラック（車両運搬具）600万円を購入し，代金は小切手を振り出して支払った。

⑥ 運送収入500万円が当座預金に振り込まれた（運送収入（収益）に計上）。

⑦ ガソリン代（燃料費）100万円を現金で支払った。

⑧ 従業員給料（給料手当）200万円を現金で支払った。

⑨ 借入金利息（支払利息）20万円が当座預金から引き落とされた。

⑩ 店舗の固定資産税（租税公課）30万円を現金で支払った。

# 第 2 章 流動・固定分類基準

―本章で学ぶこと―
1　流動資産と固定資産，流動負債と固定負債を分類する根拠
2　流動・固定分類基準
　(1)　分類基準の体系
　(2)　正常営業循環基準
　(3)　1年基準（ワン・イヤー・ルール）
　(4)　有価証券の分類基準
　(5)　その他基準

## 1　流動資産と固定資産，流動負債と固定負債を分類する根拠

　前章で説明したように，流動資産はすぐ資金回収ができる資産，固定資産はなかなか資金回収ができない資産，流動負債はすぐ資金返済をしなければならない負債，固定負債はゆっくり返済すればよい負債と定義されました。これらの性格付けを示すと，【図表1-5】で示したとおりになります。

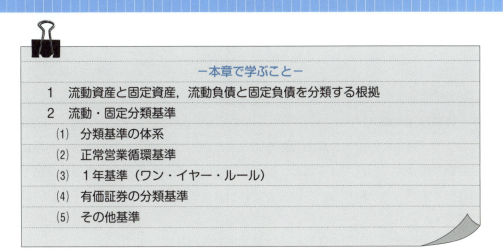

　たとえば，銀行へ行って「すぐ返すから」と説明して借り入れた資金は，上記の流動負債に該当し，危険な資金調達方法と判断されます。その資金を設備投資に充当した場合には，その資金の使いみちは固定資産になり，危険な投資に該当します。このようなケースは，資金の出どころも使いみちも両方とも危険で，いわば「危険と危険の組合せ」が生じていると判断されます。このような企業は，流動負債の返済期限までに固定資産に投資した資金の全額を回収することができず，ほかの資金調達ができなければ，資金繰りが行き詰まってしまう危険性があります。

　「短期の借入金で長期の固定資産投資を行うバカな企業はない」と思う人がいるかもし

れませんが，お金には色がついておらず，短期の資金も長期の資金も1万円札には同じ福沢諭吉が印刷されています。したがって，危険な流動負債で資金を調達し，危険な固定資産投資を行う企業は皆さんの周りに掃いて捨てるほど存在します。このような「危険と危険の組合せ」を見分けるために，資産と負債を流動と固定に分類する必要があるのです。

## 2　流動・固定分類基準

### (1)　分類基準の体系

　上記のように流動・固定の分類が重要なことはわかったものの，その基準が問題になります。流動資産はすぐ回収できる資産，固定資産はゆっくりしか回収できない資産といっても，この「すぐ」と「ゆっくり」はどこで線引きをするかということです。負債についても同様です。

　そこで，企業会計では，次の4種類の分類基準を設定しています。

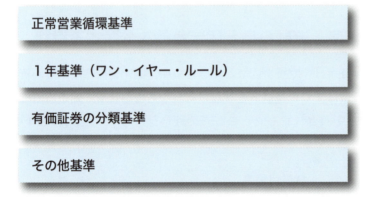

　**正常営業循環基準**とは，まさに正常な営業（＝本業）上の資産・負債に適用される基準です。

　**1年基準**（ワン・イヤー・ルール）は，営業上の資産・負債や有価証券およびその他基準が適用される資産・負債以外に適用される基準で，具体的には預金，貸付金，借入金などがその対象になります。

　有価証券は，換金される時期を判断することが困難な場合が多いのが普通です。そこで，有価証券の場合には，その内容によって流動資産と固定資産に分類しています。これが**有価証券の分類基準**です。

　**その他基準**は，前払費用以外の経過勘定項目（未収収益，前受収益，未払費用）に適用されます。

## (2) 正常営業循環基準

これは正常な営業循環過程にある資産・負債はすべて流動資産または流動負債とするという基準です。正常な営業循環過程とは，資産側で示せば【図表2-1】のようになります。

【図表2-1】 正常営業循環過程

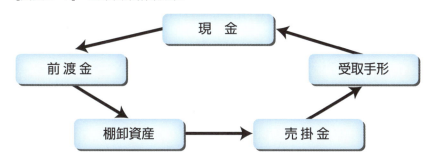

ここにおける「現金」「前渡金」「棚卸資産」「売掛金」「受取手形」は，それが正常なものである限り流動資産とするというのが正常営業循環基準です。

たとえば，あるアパレルの卸売会社がイタリアから商品を仕入れることになり，イタリアのアパレルメーカーに手付金（予約金）を支払いました。この段階で，卸売会社は現金を前渡金として支払ったので，会計処理上は「現金」が「前渡金（または前払金）」という資産に変わります。その後，イタリアから商品が届きました。ここで会計処理上は，前渡金が「商品（棚卸資産）」という資産に変わります。その商品を小売店に掛販売（つけで売ること）しました。この時点で，商品が「売掛金」に変わります。その後，売掛金を手形で回収しました。この時点で，売掛金が「受取手形」という資産に変わります。そして，その受取手形の期日が到来し，現金として回収されました。

この事例で，卸売会社は，現金を前渡金として支払って，最終的に受取手形の期日が到来して現金が回収されるまで，最初現金という姿だった資産がさまざまに姿を変え，最終的に現金に戻りました。この現金が姿を変えて最終的に再び現金として回収されるまでの過程を「**正常営業循環過程**」といい，その期間を「**正常営業循環期間**」といいます。正常営業循環期間は，企業によってその長さが異なります。たとえば，八百屋が最終的に現金を回収するまでの期間は，おそらく1週間程度だと思われますが，不動産販売会社の場合であれば，代金の分割払いもあるでしょうから，2〜3年が普通かもしれません。このようにたとえ現金として回収されるまでの期間が長くなったとしても，それが正常なものである限り流動資産として取り扱うというのが正常営業循環基準です。したがって，不良債権になってしまった売掛金や不渡りになった受取手形など，正常な状態から外れてしまった資産については正常営業循環基準は適用されず，次の1年基準で判断することになります。もっとも，不良債権や不渡手形などは，通常は1年以内で回収されることはまれなので，結果的には固定資産として表示されることが多いと思います。

なお，棚卸資産には，一般的に「商品」「製品」「仕掛品（できかけの製品）」「原材料」などが入りますが，先ほど採り上げた不動産販売会社における棚卸資産は，販売するために保有している土地や建物です。これらは「販売用不動産」といい，不動産販売会社にとっては棚卸資産で，正常なものであれば流動資産として表示されます。

以上は，資産のケースで説明しましたが，負債についても正常営業循環基準が適用されます。具体的には，「前受金」「買掛金」「支払手形」については，それが正常なものである限り流動負債として表示することになります。なお，正常営業循環基準は，営業（本業）上の資産・負債に適用されるのですから，たとえば設備代金支払のために振り出した手形（設備代金支払手形）は，営業外の負債なので正常営業循環基準は適用されず，1年基準によって分類が判定されます。

---

### 流動性配列法

　貸借対照表の科目の配列は，原則として流動性配列法によっています。この流動性配列法とは，現金に近いものから順に配列する方法です。したがって，流動資産の方が固定資産より上に表示されます。

　しかし，銀行業務検定試験等でよく流動資産中の科目の順番が問われることがあります。たとえば，「受取手形と売掛金はどちらを上に表示するか」という問題です。この場合には，先ほどの正常営業循環過程の図表を思い出し，現金として回収されるまでの期間が短い方から上に表示すればよいことになります。したがって，「現金」「受取手形」「売掛金」「棚卸資産」「前渡金」の順になります。

---

### (3)　1年基準（ワン・イヤー・ルール）

この基準は，資産側でいえば，回収されるまでの期間が1年以内であれば流動資産，1年超であれば固定資産として表示し，負債側でいえば，支払うまでの期間が1年以内であれば流動負債，1年超であれば固定負債とするものです。

正常な営業上の資産・負債については，前述の正常営業循環基準が適用されますが，逆にいえば，「正常でないもの」および「営業外」の資産・負債については，原則として1年基準が適用されます（ただし，後述する有価証券とその他基準適用資産・負債を除きます）。

たとえば，ある企業が決算期末日に，3年後に一括返済するという条件で金融機関から1,000万円を借り入れたとしましょう。この借入金は本業の負債ではありませんので，1年基準が適用されます。借り入れた時点（1年目の決算期末）では3年後に返済する借入金ですから，当然固定負債（科目は「長期借入金」）に表示されます。翌年の決算期末でも2年後に返済する借入金なので，固定負債表示です。ところが，もう1年経ち，決算日を迎えると，この借入金は「1年後に返済する借入金」になります。これは1年基準で判断

すれば「1年以内に返済する負債」に該当しますので，流動負債に表示を組み替えなければなりません。この場合の表示科目は「1年以内返済予定の長期借入金」です。

| （表示例） アサヒビール連結財務諸表（抜粋） | | （単位：百万円） |
|---|---|---|
| | 前連結会計年度 | 当連結会計年度 |
| 流　動　負　債 | | |
| 支払手形及び買掛金 | 100,998 | 102,948 |
| 短期借入金 | 115,818 | 60,105 |
| **1年以内返済予定の長期借入金** | **25,402** | **9,154** |
| 1年以内償還予定の社債 | 15,000 | 15,000 |

　これは，分割返済の借入金の場合でも同様です。とにかく，期末日現在で1年以内に返済される予定の借入金等の営業外債務は必ず流動負債に表示しなければなりません。

## (4)　有価証券の分類基準

　企業会計において有価証券とは，「株式」と「債券」を指します。有価証券をいつ換金するかについては，一般的には相場の状況によって変化しますので，有価証券を取得した時点では換金されるまでの期間はわかりません。したがって，原則として1年基準で流動・固定分類を行うことはできないことになります。以前の企業会計の基準では，取得時の所有目的によって判定していたのですが，そのような主観的な基準は後に変更される恐れがあり，現に変更する事例が相次いだため，有価証券の内容によって分類を決定する方法に変更されました（財規15・32，会規74，【図表2-2】参照）。

【図表2-2】　有価証券の分類

| 区　　　分 | | 分　　類 |
|---|---|---|
| 売買目的有価証券（注1） | | 流動資産 |
| 満期保有目的の債券（注2） | 1年以内満期到来 | |
| | 1年超満期到来 | 固定資産 |
| 子会社および関連株式 | | |
| その他有価証券 | | |

（注1）　売買目的有価証券…金融機関，商社などが営業活動の一部として，時価の変動により利益を得ることを目的として保有する有価証券
（注2）　満期保有目的の債券…企業が満期まで所有する意図を持って保有する社債その他の債券

このように，満期保有目的の債券については満期までの期間が事前にわかるため1年基準が適用されますが，それ以外はその有価証券の内容によって分類が決定されます。

なお，子会社および関連会社株式という場合の「子会社」「関連会社」の定義は次のとおりです（財規8）。

【図表2-3】 子会社および関連会社（原則）

原則として，議決権割合で判定します。

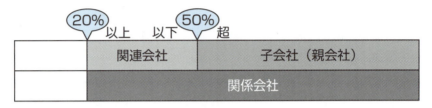

(注) 上記の判定基準に該当しない場合であっても，「支配力基準」または「影響力基準」によって子会社または関連会社とみなされる場合があります。

議決権割合が20％以上50％以下の会社は，持っているほうも持たれているほうも「関連会社」，議決権割合が50％超の会社は，持っているほうを「親会社」，持たれているほうを「子会社」といい，関連会社と子会社・親会社を全部合わせて「関係会社」といいます。

### (5) その他基準

その他基準とは，次の経過勘定項目のうち，前払費用を除く「未収収益」「前受収益」「未払費用」については，常に流動項目とするというものです。

【図表2-4】 経過勘定項目

| BS表示＼相手勘定 | 収　益 | 費　用 | |
|---|---|---|---|
| 資　産 | 未収収益 | 前払費用 | → 1年基準適用 |
| 負　債 | 前受収益 | 未払費用 | → 常に流動項目 |

前払費用だけが1年基準を適用され，その他は常に流動項目に分類されるのは，金額的な重要性によるものです。要するに，前払費用を除く経過勘定項目には，金額的に重要なものはないので，流動項目としておいたほうがわかりやすいということでしょう。

# 📖 練習問題

【問題1】 下記の資産項目を流動性配列法にもとづいて貸借対照表に記載した場合の順序はどうなるか。

> (a) 受取手形　　(b) 投資有価証券　　(c) 販売用不動産
> (d) 現金預金　　(e) ソフトウェア

（銀行業務検定試験財務3級試験問題より）

【問題2】 破産した得意先に対する売上債権を流動資産と固定資産に分類する基準は何か。

（銀行業務検定試験財務3級試験問題より）

【問題3】 ワン・イヤー・ルールが適用されるものは，次のうちどれか。

(1) 1年以内に償還期限が到来する社債

(2) 残存耐用年数が1年未満となった機械装置

(3) 3年の延払条件付プラント輸出にかかる売掛金

(4) 商品の販売に際して受け取った約束手形

(5) 恒常在高として保有している商品

（銀行業務検定試験財務3級試験問題より）

【問題4】 C社（年1回，3月末日決算）は，毎年1月，4月，7月，10月の各末日に20百万円ずつ返済する条件で，X2年8月末に設備資金300百万円の借入を行ったが，業績不振によりX3年7月の返済分から延滞している。この借入金のX4年3月期末における流動負債および固定負債の額の組合せとして，正しいものは次のうちどれか。

|     | 流動負債 | 固定負債 |
|-----|---------|---------|
| (1) | 80百万円 | 100百万円 |
| (2) | 80百万円 | 160百万円 |
| (3) | 80百万円 | 220百万円 |
| (4) | 140百万円 | 100百万円 |
| (5) | 140百万円 | 160百万円 |

（銀行業務検定試験財務3級試験問題より）

# 第3章 金銭債権の評価

―本章で学ぶこと―
1 金銭債権の評価方法
2 回収不能見込額（貸倒引当金）の見積り
3 貸倒引当金の会計処理
4 貸倒引当金の貸借対照表表示

## 1 金銭債権の評価方法

　金銭債権とは，受取手形，売掛金，預金，貸付金など，将来において第三者から金銭を受け取ることができる権利のことをいいます。なお，購入した社債等も金銭債権ですが，一般的には有価証券に含めて取り扱われますので，第5章で採り上げます。
　金銭債権の評価方法のポイントは，次の3点です。

> 金銭債権の評価は**債権金額**によって行う。

> 債権金額と取得原価が異なり，その差額が金利の調整と考えられる場合には**償却原価法**を適用する。

> 債権金額に対する回収不能見込額（**貸倒引当金**）は債権金額から控除する。

### (1) 原則的評価

　たとえば，100万円の商品を掛売した場合の会計処理は

　　（借）売　掛　金　　100万円　　（貸）売　　　　上　　100万円

となりますから，この売掛金の取得原価（＝債権価額）は100万円です。しかし，この売掛金を貸借対照表に表示する場合に，その債権金額のままでよいかどうかが問題になります。仮に，この売掛金は3年後に入金される条件が付いているとすれば，それを一定の割引率で現在価値に直した金額を貸借対照表に表示すべきであるという考え方が成り立ち

ます（将来日本でも適用される予定の国際会計基準（ＩＦＲＳ）では，この考え方が採用されています）。また，この売掛金は直ちに信販会社に97万円で譲渡する予定になっているとすれば，時価は97万円です。時価主義の考え方からは売掛金の貸借対照表価額は97万円とすべきです。

しかし，現在の企業会計では，金銭債権には市場がない場合が多く，客観的な時価を測定することが困難であると考えられるため，原則として時価評価は行わず，債権金額（最終的に回収される金額）で評価が行われます（ＢＳ原則五Ｃ，金融商品基準14・68）。

### (2) 償却原価法

たとえば，3年後に回収される1,000万円の貸付金を第三者から970万円で取得した場合のように，債権金額（1,000万円）と取得原価（970万円）が異なる場合があります。この場合，差額の30万円は債権の売手に対して資金を融通したことによる金利（すなわち受取利息）と考えることができますので，取得原価で貸借対照表に計上し，期間の経過とともに受取利息として認識する会計処理が採用されます。これを償却原価法といいます（会計原則注解【注23】，金融商品基準14・68）。

① 取得時の会計処理（期首に取得したものと仮定する）

（借）長 期 貸 付 金　 9,700千円　 （貸）現 金 預 金　 9,700千円

② 第1期末〜第3期末の会計処理

（借）長 期 貸 付 金　 100千円　 （貸）受 取 利 息　 100千円

③ 資金回収時の会計処理

（借）現 金 預 金　10,000千円　 （貸）長 期 貸 付 金　10,000千円

（注）　これとは別に債務者からの受取利息も計上されます。

なお，上記の会計処理は利息を毎期一定額計上する方法（定額法）ですが，これとは別に「利息法」という方法もあります。利息法とは，債権または債務の約定利子額と金利調整差額との合計額が債権または債務の帳簿価額に対して一定率となるように，複利で各期の損益に配分する方法をいいます。この一定率を「実効利子率」といい，この利子率により利息法で計算していくと，満期には，債権または債務の帳簿価額が額面価額になります。

利息法によって上記の例における毎期末の帳簿価額を算出すると，次のようになります。なお，約定利子率を年2％と仮定します。

【図表3-1】

(単位：千円)

| 年度 | ①<br>調整前簿価 | ②<br>利息配分額 | ③<br>約定利息 | ①+②-③<br>調整後簿価 |
|---|---|---|---|---|
| 1 | 9,700 | 297 | 200 | 9,797 |
| 2 | 9,797 | 300 | 200 | 9,897 |
| 3 | 9,897 | 303 | 200 | 10,000 |
| 計 | − | 900 | 600 | − |

②利息配分額＝調整前簿価×実効利子率

③約定利息＝額面価額×約定利子率

(注)　実効利子率は，次の＠rate関数を利用して算出します。

　　　＠rate　（利払回数，−約定利息（年額），取得価額，−額面金額，０）

　　　（最後の０は年度末利払という意味です）

　償却原価法の適用にあたっては利息法によることを原則としますが，契約上，元利の支払が弁済期限に一括して行われる場合または規則的に行われることになっている場合には，定額法によることもできます。

　なお，このケースとは逆に，取得原価よりも債権金額が少ない場合には徐々に取得原価を減額することになります（この場合も受取利息で調整します）。

　この償却原価法の考え方は，第5章でも登場しますので，覚えておいてください。

## (3)　貸倒引当金

　金銭債権の中に回収不能見込額がある場合には，その金額を貸倒引当金として計上し，債権金額から控除しなければなりません。

　ある企業で次の売掛金があったと仮定します。

〈売掛金〉

| | |
|---|---|
| A商店 | 50万円 |
| B商店 | 40万円 |
| C商店 | 10万円 |
| 計 | 100万円 |

　上記のうち，A商店，B商店の売掛金は順調に回収できると予想されるのですが，C商店の売掛金10万円は，本来の回収期限に回収できず，いわゆる不良債権化しています。現在の予想ではおそらく最終的に回収することは難しいと判断されます。

　さて，このような状況下でこの会社が決算を迎えました。貸借対照表には売掛金の金額を記載しなければなりません。さて，いくらと表示すべきでしょうか？

もし，貸借対照表に「売掛金100万円」と記載すると，ウソを書いたことになります。なぜならば，貸借対照表に記載された100万円は「いつか回収できる金額」を示しているからです。資産の定義は「いつか回収することができるお金の使いみち」でしたよね。

　それならば，「売掛金90万円」と書けばよいかというと，これも正確な表示ではありません。このように記載すると，Ｃ商店の売掛金は法律的にも回収不能が確定してしまったことを表すからです。しかし，Ｃ商店はまだ活動を続けており，法律的に破産等が確定しているわけではありません。決算期末における状況は，「Ｃ商店の売掛金10万円は法律的には存在するが，経済的な価値は０円」なのです。これを明瞭に示す貸借対照表表示は次のようになります。

【図表3-2】　不良債権の貸借対照表表示

貸借対照表

| 売　　掛　　金 | 100万円 | |
|---|---|---|
| うち回収できそうもない金額 | △10万円 | |

　このように記載すれば，「法律上の債権金額」と「回収不能見込額」が両方表示され，引き算をすれば「回収見込額」もわかります。この「うち回収できそうもない金額」にあたるのが**貸倒引当金**です。したがって，貸倒引当金は，通常，貸借対照表の資産側にマイナス（△）表示されます。

　なお，「引当金」とは「準備しているお金」という意味です。つまり，貸倒引当金とは「債権の貸倒れ（回収不能）に備えて準備しているお金」ということになります。「準備しているお金」とは何を指すのでしょうか？　貸倒れに備えてどこかの銀行に預金でもしているという意味でしょうか？

　債権が貸倒れになると，企業は損失を計上します。損失が計上されると，場合によっては配当金の支払や債務の弁済ができなくなる恐れがあります。それに備えて貸倒引当金を貸借対照表に計上すると，次のようになります。なお，前述のように，貸倒引当金は本来貸借対照表の資産側にマイナス表示されるのですが，これをプラス表示すれば貸借対照表の負債側（右側）に記載されることになります。

【図表3-3】 貸倒引当金

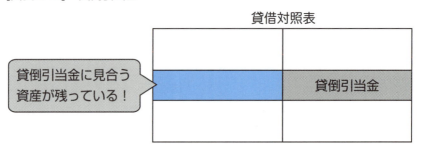

　上記のように，貸借対照表は必ず貸借が一致しますので，右側に貸倒引当金が計上されていれば，それに見合う資産が社内に残っているはずです。もちろん，その資産は現金預金になっているとは限りません。売掛金かもしれないし，建物かもしれません。しかし，いずれにせよ「将来資金を回収できる資産」が社内に残りますので，債権が貸倒れになって，損失が計上され，配当金の支払や債務の弁済ができなくなるような状態になりかけたとしても，この社内に残っている資産からその支払や弁済に充当することができます。だから，貸倒引当金は「貸倒れに備えて準備しているお金」なのです。要するにポイントは貸倒引当金の反対側にある資産です。

　このように考えると，貸倒引当金は企業の期末日時点における不良債権の金額を示していることになります。もちろん，企業が正直に会計処理をすることが前提になりますが……。

## 2　回収不能見込額（貸倒引当金）の見積り

　前述のように，企業は期末日における回収不能見込額を見積もり，それを貸倒引当金として計上し，結果として金銭債権の評価を「回収可能額」にしなければなりません。それでは，この回収不能見込額はどうやって見積もるのでしょうか？

　会計理論上は，「各企業が自らの判断で見積もる」が正解です。不良債権の発生状況は企業によって異なり，一律に見積方法を定めることは困難だからです。しかし，実務的に不良債権の見積りを企業任せにしてしまうと，困ることがあります。困るのは税務署です。つまり，「不良債権→貸倒引当金の計上→費用の計上→利益の減少→課税所得の減少→税金が取れなくなる」と考えると，不良債権を多く見積もる企業はそれに見合う税金を支払わなくてもよくなり，節税をしたい企業は，実際には回収可能な債権まで不良債権として貸倒引当金の設定対象にする可能性があるからです。

　そこで，実務的には，法人税法の取扱いに従って貸倒引当金は計上されます。法人税法上の貸倒引当金繰入限度額（この金額までなら繰入額を税務上の費用（損金）と見てくれる）は，次のように計算されます（法52，令96）。

## (1) 個別評価金銭債権にかかる貸倒引当金

① 会社更生法の規定による更生計画認可の決定，民事再生法の規定による再生計画認可の決定等により5年を超えて賦払い（分割払い）で回収される金額

② 債務超過の状態が相当期間継続し，かつ，その営む事業に好転の見通しがないこと，災害，経済事情の急変により多大の損害が生じたこと等により債権の一部に取立の見込みがないと認められる場合のその金額

③ 債務者が会社更生法の規定による更生手続の申立，民事再生法の規定による再生手続の申立等を行った場合（債権金額×50％）　　　　など

## (2) 一括評価金銭債権にかかる貸倒引当金

一括評価金銭債権とは，金銭債権のうち（1）の個別評価金銭債権を除いたものをいいます。

一括評価金銭債権は，原則として過去の貸倒実績率によって貸倒引当金繰入額を計算しますが，中小法人（期末資本金額が1億円以下の企業）については，次の法定繰入率による繰入が認められています。

---

**法定繰入率による繰入限度額**

$$繰入限度額 = \left( \begin{array}{c} 期末の一括評価 \\ 金銭債権残高 \end{array} - \begin{array}{c} 実質的に債権と \\ みられない金額 \end{array} \right) \times 法定繰入率$$

---

【図表3-4】　法定繰入率

| 事業の種類 | 法定繰入率 |
|---|---|
| 卸・小売業 | 10/1000 |
| 製造業 | 8/1000 |
| 金融保険業 | 3/1000 |
| 割賦小売業 | 13/1000 |
| その他の事業 | 6/1000 |

このように，中小企業においては一括評価債権について法定繰入率による貸倒引当金の計上が認められていますので，たとえば一括評価債権の中に不良債権が1円もない企業でも，税務上は，上記の割合で計算した金額まで貸倒引当金を計上できることになります。

したがって，通常，貸借対照表には必ず貸倒引当金が計上されているはずであり，計上されていない場合には，本来計上できる貸倒引当金を計上しないことにより利益調整を行っている疑いがあります。

なお，平成24年4月1日以後開始事業年度から，法人税法上の貸倒引当金制度の適用を受けられる法人が，銀行，保険会社その他これらに類する法人および中小法人（期末資本金が1億円以下の法人）等に限定されることになりました。

## 3　貸倒引当金の会計処理

　貸倒引当金は回収不能見込額を見積もった金額なので，実際にはそのとおりに貸倒れになるとは限りません。貸倒引当金の残高と実際の貸倒れ額との間に差額が出た場合の会計処理として，差額補充法と洗替え法があります。実務的にはほとんど差額補充法が採用されています。以下，事例で説明します。

《事例》
① 　期末売掛金残高1,000万円のうち30万円が回収不能見込額と見積もられたので，貸倒引当金を同額計上した。なお，この時点での貸倒引当金残高は0であった。
②－1　翌期になり，売掛金25万円が貸倒れになった。
②－2　翌期になり，売掛金35万円が貸倒れになった。
③ 　期末になり，売掛金残高1,200万円のうち36万円が回収不能見込額と見積もられた。

### (1)　差額補充法の会計処理

① 　　　（借）貸倒引当金繰入　　30万円　（貸）貸倒引当金　　30万円
②－1　（借）貸倒引当金　　25万円　（貸）売掛金　　25万円
②－2　（借）貸倒引当金　　30万円　（貸）売掛金　　35万円
　　　　　　　貸倒損失　　5万円
③－1　貸倒引当金残高5万円の場合
　　　　（借）貸倒引当金繰入　　31万円　（貸）貸倒引当金　　31万円
　（注）貸倒引当金繰入額＝36万円－5万円＝31万円
③－2　貸倒引当金残高0の場合
　　　　（借）貸倒引当金繰入　　36万円　（貸）貸倒引当金　　36万円

### (2)　洗替え法の会計処理

①，②－1，②－2の会計処理は（1）と同様。
③－1　貸倒引当金残高5万円の場合
　　　　（借）貸倒引当金　　5万円　（貸）貸倒引当金戻入　　5万円
　　　　　　　貸倒引当金繰入　　36万円　　　貸倒引当金　　36万円

③－2　貸倒引当金残高0の場合

（借）貸倒引当金繰入　　　36万円　（貸）貸 倒 引 当 金　　　36万円

　要するに，洗替え法の場合には，前期に計上した貸倒引当金が期末に残高として残っていたら，いったんそれを取り崩して0にし，改めて当期末の回収不能見込額を貸倒引当金として繰り入れます。差額補充法の場合には，前期末残高と当期末の回収不能見込額の差額を繰り入れます。

　なお，差額補充法の場合であっても，貸倒引当金の前期末残高の方が当期末の回収不能見込額よりも大きい場合には貸倒引当金戻入が計上されますが，この金額は損益計算書上，原則として営業費用または営業外費用から控除するか営業外収益に表示されます（金融商品実務指針125）。

## 4　貸倒引当金の貸借対照表表示

　前述のように，原則として貸倒引当金は貸借対照表の資産の部で金銭債権から控除する形式で表示されますが，例外的に注記によって表示する（個別注記表に記載する）方法も認められます。

　具体的には，以下の4つの表示方法のすべてが認められます。ただし，実務的にはほとんど②の表示方法が採用されています（4ページのオンデマンの貸借対照表を参照してください）。

```
① 受 取 手 形      5,000千円
   貸倒引当金       △100    4,900千円
   売   掛   金    10,000
   貸倒引当金       △200    9,800
```

```
② 受 取 手 形      5,000千円
   売   掛   金    10,000
   ………            …
   貸 倒 引 当 金    △300
```

③ 受 取 手 形 　　4,900千円
　 売 　 掛 　 金 　　9,800

（注）　貸倒引当金　受取手形　100千円
　　　　　　　　　　 売 掛 金 <u>　200</u>
　　　　　　　　　　 計 　　 <u>　300</u>


④ 受 取 手 形 　　4,900千円
　 売 　 掛 　 金 　　9,800

（注）　貸倒引当金　　300千円

# 練習問題

**【問題1】** 金銭債権に関する次の記述のうち，正しいものには○を，誤っているものには×を付し，その理由を簡潔に説明しなさい。

(1) 金銭債権とは，将来金銭をもって弁済を受ける債権をいう。金銭債権は，原則として時価で評価される。

(2) 債権を額面金額よりも低い価額で取得した場合で，この差額の性格が金利の調整と認められるときは，貸借対照表価額の算出にあたって償却原価法が適用される。償却原価法の適用にあたっては，原則的として利息法が適用される。

(3) 法人税法上，債務者が民事再生法の再生手続の申立を行った場合には，その債務者に対する債権の全額について貸倒引当金を設定することができる。

(4) 中小企業の場合には，一括評価金銭債権に対して法定繰入率による貸倒引当金の繰入ができるので，まったく不良債権のない企業でも貸借対照表に貸倒引当金が計上されることがある。

(5) 貸倒引当金の計上方法として差額補充法を採用している場合には，貸倒引当金戻入が認識されることはない。

**【問題2】** 貸倒引当金を計上しなくとも，実際に金銭債権が回収不能となった時点で貸倒損失を計上する会計処理を採用すれば，結果的に損益は同じになるが，なぜ回収不能が確定しないうちに貸倒引当金を計上する必要があるのか，簡潔に説明しなさい。

**【問題3】** 決算期末の売掛金残高が100百万円，これに対する貸倒引当金が2百万円である場合の貸借対照表の表示方法として，正しいものは次のうちどれか。

(単位：百万円)

(1) （借　方）　　　　　　　　（貸　方）
　　 売　掛　金　　100　│　貸倒引当金　　　2

(2) （借　方）　　　　　　　　（貸　方）
　　 売　掛　金　　 98　│　貸倒引当金　　　2

(3) 売　掛　金　　 98

(4) 売　掛　金　　100

　　（注）　貸倒引当金　　　　　2

(5) 売　掛　金　　100
　　 貸倒引当金　　△2　　98

（銀行業務検定試験財務3級試験問題より）

# 第 4 章 割引手形・裏書譲渡手形の会計処理と表示

―本章で学ぶこと―

1 手形とは
2 手形の割引
3 裏書譲渡手形

## 1 手形とは

### (1) 手形の種類

　商品売買代金等の決済手段として，現金振込や小切手の振出以外に，手形も活用されます。手形とは，一定の期日に，一定の場所で，一定の金額を支払うことを記載した証券をいい，**約束手形**と**為替手形**に分類されます。

【図表4-1】約束手形（見本）

【図表4-2】為替手形（見本）

## (2) 手形の会計処理

　手形はその種類にかかわらず、受け取ったときには受取手形勘定（資産）の借方に計上し、その代金を取り立てたときには貸方に計上します。

（取引１）　得意先札幌商店から売掛金100,000円を手形で回収した。

　　（借）受　取　手　形　　100,000円　（貸）売　　掛　　金　　100,000円

（取引２）　上記手形が期日になり、当座預金に入金された。

　　（借）当　座　預　金　　100,000円　（貸）受　取　手　形　　100,000円

　また、約束手形を振り出したときまたは為替手形を引き受けたときには、支払手形勘定（負債）の貸方に計上し、その手形代金が決済されたときには借方に計上します。

（取引３）　仕入先函館商店の買掛金300,000円を約束手形振出により支払った。

　　（借）買　　掛　　金　　300,000円　（貸）支　払　手　形　　300,000円

（取引４）　上記支払手形が期日になり当座預金から引き落とされた。

　　（借）支　払　手　形　　300,000円　（貸）当　座　預　金　　300,000円

　為替手形の場合には、「振出人」「引受人（支払人）」「受取人」の三者が登場します。振出人は為替手形を振り出した人で、自ら引受人に対して債権があり、それを支払ってもらう代わりに自ら債務を負っている受取人に対して支払を行ってもらうよう依頼した書面が為替手形です。

（取引５）　青森商店は秋田商店に対する買掛金400,000円を支払うために同店宛の為替手形を振り出し、山形商店の引受を得て秋田商店に引き渡した。

　（青森商店）（借）買掛金－秋田　　　400,000円　（貸）売掛金－山形　　400,000円
　（秋田商店）（借）受取手形－山形　　400,000円　（貸）売掛金－青森　　400,000円
　（山形商店）（借）買掛金－青森　　　400,000円　（貸）支払手形－秋田　400,000円

【図表4-3】為替手形のしくみ

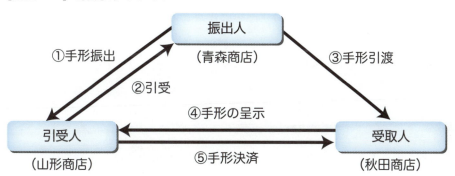

## 2 手形の割引

### (1) 手形割引のしくみ

　手形は，支払期日にならなければ代金の支払を受けることができません。しかし，何らかの都合で支払期日前に資金が必要になったときは，金融機関に手形を譲渡して換金することができます。これを**手形の割引**といいます。

【図表4-4】手形割引のしくみ

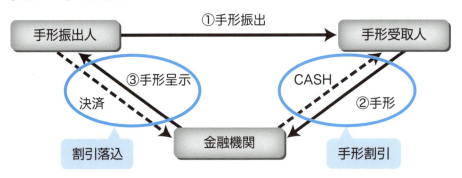

　たとえば，得意先から1,000万円の手形を3枚受け取った企業が，どうしても資金が支払期日前に必要なため，このうち2枚（額面2,000万円）の手形を金融機関で割り引いてもらったときに受け取ることができる現金預金は2,000万円ではありません。金融機関は，この手形を額面よりも安く買い取り，たとえば1,980万円を支払います。このように，金融機関は企業に対して額面金額（2,000万円）を割り引いた金額（1,980万円）しか支払いませんので，この行為を手形の割引といいます。金融機関は，この手形の支払期日まで手形を保有し，期日が近づいた段階でこれを取立に出して額面2,000万円を受け取ります。このことを**割引落込**といいます。結果的に金融機関は1,980万円で買い取った手形を2,000万円で売却して差額の20万円を儲けたことになり，これが金融機関の重要な収益源のひとつである**割引料**になります。

　この割引料は次のように計算します。

> 割引料＝手形額面金額×割引率×割引日数／365日

　金融機関にとって手形の割引は，手形を担保に資金を融資する「手形担保融資」にほかなりません。したがって，融資先の信用に応じて割引率が異なり，信用の高い相手先の割引率は低く，信用の低い相手先の割引率は高くなります。また，割引日数とは手形を割り引いてから支払期日までの日数のことを指し，この日数が多くなるほど割引料は高くなります。

## (2) 割引手形の貸借対照表表示

たとえば，先ほどの事例のように得意先から手形を3,000万円受け取り，そのうち2,000万円を割り引いた時点で決算日を迎えた場合の貸借対照表表示を示すと，次のようになります。

【図表4-5】割引手形の貸借対照表表示

貸借対照表 （単位：円）

| 受 取 手 形 | 10,000,000 | |
|---|---|---|

（個別注記表）
受取手形割引高　　20,000,000円

このように，貸借対照表の資産に表示されるのは手持ちの手形で，割り引いている手形は個別注記表に注記されます。手形の割引を金融機関に対する手形の売却と考えるならば，割り引いてしまった手形はすでに売却済みなので，企業にとっては無関係のはずですが，なぜ注記が必要になるかといえば，それが**偶発債務**だからです。偶発債務とは「ひょっとしたら負担しなければならなくなるかもしれない債務」をいい，割引手形も該当します。たとえば，上記の2,000万円の手形は金融機関で割り引いたので，金融機関は支払期日まで保有し，期日前に取立に出します。これが無事金融機関に入金されれば問題はないのですが，場合によっては手形振出人がこの手形金額を決済できない事態すなわち手形の不渡りが生じる可能性があります。この手形の不渡りが生じると，金融機関は直ちに手形の割引人に連絡し，その支払を求める権利があります。逆にいえば，手形を割り引いた企業はいつ何時「割り引いた手形の額面金額相当額を払え！」といわれるかもしれないのです（これを**手形遡及義務**といいます）。この情報は企業の財務諸表を見る人にとってはきわめて重要なため，必ず注記を行うというルールになっています（会規103五）。

なお，偶発債務には割引手形以外に**保証債務**があります。たとえば，ある企業が他企業の銀行借入金の保証を行ったとき，債務者が無事にその借入金を返済すれば，その企業には何の迷惑もかかりませんが，債務者が何らかの事情でその債務の弁済ができなくなった場合には，保証人である企業が代わりにその債務を弁済しなければならなくなります。これも偶発債務として必ず注記しなければなりません。

具体的に見てみましょう。オンデマンのX4年3月期末の貸借対照表を見ると，受取手形の残高は67,142千円となっており，さらに，個別注記表には受取手形割引高が17,641千円と注記されています。これは「オンデマンは84,783千円（＝67,142千円＋17,641千円）の手形を受け取ったが，そのうち17,641千円を割り引いており，期末現在の手持ち受取手形が67,142千円ある」という状態を表しています。

### (3) 手形割引の会計処理

前述のように，手形を割り引いた場合にはその企業に偶発債務が発生し，その残高を貸借対照表に注記する必要がありますので，会計処理上もそれを常に把握しなければなりません。そこで，割引手形の会計処理方法には2通りあります。前出の事例（2,000万円の手形を割り引き，割引料20万円を支払って手取金額が1,980万円となった）を用いて会計処理を示します。

#### ① 評価勘定法

これは「割引手形勘定」という評価勘定（資産でも負債でもなく，最終的には受取手形と相殺される勘定）を用いる方法です。

1) 手形割引時

（借）現 金 預 金　1,980万円　（貸）割 引 手 形　2,000万円
　　　手 形 売 却 損　　20万円

（注）手形を割り引いたときの割引料は「手形売却損」という費用に計上します。

2) 割引落込時

（借）割 引 手 形　2,000万円　（貸）受 取 手 形　2,000万円

#### ② 対照勘定法

対照勘定法とは，手形の割引を行ったときに受取手形勘定を直接減額するとともに，貸借一対の対照勘定を用いて偶発債務を備忘記録する方法です。

1) 手形割引時

（借）現 金 預 金　1,980万円　（貸）受 取 手 形　2,000万円
　　　手 形 売 却 損　　20万円
　　　手形割引義務見返　2,000万円　　　　手 形 割 引 義 務　2,000万円

2) 割引落込時

（借）手 形 割 引 義 務　2,000万円　（貸）手形割引義務見返　2,000万円

一般的には，ほとんど評価勘定法が用いられています。

## 3　裏書譲渡手形

### (1)　裏書譲渡手形のしくみ

　受け取った手形は，支払期日前に支払手段として他人に譲渡することができます。手形を譲渡するときには，手形の裏面に必要事項を記入して渡しますので，これを**手形の裏書譲渡**といいます。

【図表4-6】手形裏面

| 標記金額を下記被裏書人またはその指図人へお支払いください |
|---|
| 　　令和×年8月31日　　　　　　　　　　　　　拒絶証書不要 |
| 　住所　東京都調布市小島町1-1 |
| 　　　　　　株式会社坪谷商店 |
| 　　　　　　　　代表取締役　　坪谷　敏郎　　㊞ |
| （目的） |
| 被裏書人　原野物産株式会社　殿 |
| 標記金額を下記被裏書人またはその指図人へお支払いください |
| 　　令和×年9月5日　　　　　　　　　　　　　拒絶証書不要 |
| 　住所　東京都千代田区水道橋1-1 |
| 　　　　　　原野物産株式会社 |
| 　　　　　　　　代表取締役　　原野　辰徳　　㊞ |
| （目的） |
| 被裏書人　星野産業株式会社　殿 |
| 標記金額を下記被裏書人またはその指図人へお支払いください |
| 　　令和×年9月18日　　　　　　　　　　　　　拒絶証書不要 |
| 　住所　宮城県仙台市青葉区楽天町1-1 |
| 　　　　　　星野産業株式会社 |
| 　　　　　　　　代表取締役　　星野　仙人　　㊞ |
| （目的） |
| 被裏書人　株式会社まゆみ　殿 |
| 標記金額を下記被裏書人またはその指図人へお支払いください |
| 　　令和　年　月　日　　　　　　　　　　　　拒絶証書不要 |
| 　住所 |
| 　　　　　　　　　　　　　　　　　　　　　　㊞ |
| （目的） |
| 被裏書人　　　　　　　　　殿 |
| 標記金額を受け取りました |
| 　　令和　年　月　日 |
| 　住所 |

【図表4-7】手形の裏書譲渡のしくみ

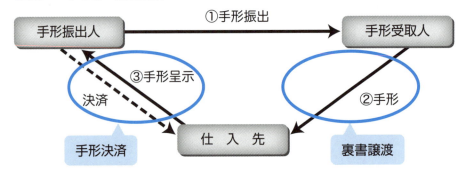

### (2) 裏書譲渡手形の貸借対照表表示

手形を裏書譲渡した場合も，割引手形と同様に，手形振出人がその手形を決済できなければ，手形受取人（裏書譲渡人）が仕入先にその手形額面金額を支払わなければならないという手形遡及義務が発生しますので，偶発債務として個別注記表に注記を行う必要があります（会規103五）。

### (3) 裏書譲渡手形の会計処理

手形の裏書譲渡の会計処理方法も，割引手形と同様に，次の2通りがあります。買掛金1,000万円を支払うために手形を裏書譲渡したケースで仕訳を示します。

① **評価勘定法**
1) 裏書譲渡時
   （借）買　　掛　　金　1,000万円　（貸）裏書譲渡手形　1,000万円
2) 手形決済時
   （借）裏書譲渡手形　1,000万円　（貸）受　取　手　形　1,000万円

② **対照勘定法**
1) 裏書譲渡時
   （借）買　　掛　　金　1,000万円　（貸）受　取　手　形　1,000万円
   　　　手形裏書義務見返　1,000万円　　　　手形裏書義務　1,000万円
2) 手形決済時
   （借）手形裏書義務　1,000万円　（貸）手形裏書義務見返　1,000万円

# 練習問題

【問題1】 下記の資料から，A社が期末に保有している手持受取手形の額を答えなさい。

```
                （単位：千円）
貸借対照表より
  受取手形        6,400
個別注記表より
  割引手形        1,800
  裏書譲渡手形       500
```

（銀行業務検定試験財務3級試験問題より）

【問題2】 次の取引における①福島商店，②郡山商店，③相馬商店の仕訳をそれぞれ示しなさい。

（取引）福島商店は郡山商店の買掛金300,000円を支払うため，同店宛の為替手形を振り出し，相馬商店の引受を得て郡山商店に引き渡した。

【問題3】 次の取引の仕訳を（1）評価勘定法と（2）対照勘定法によって示しなさい。

① 額面1,000万円の手形を銀行で割り引き，割引料5万円を差し引かれて，995万円が当座預金に入金された。

② 上記の手形が期日になり決済されたという報告を受けた。

【問題4】 手形が不渡りになったときの会計処理を簡潔に説明しなさい。

# 第5章 有価証券

―本章で学ぶこと―
1　有価証券の区分と分類
2　有価証券の評価基準
3　有価証券の評価方法

## 1　有価証券の区分と分類

### (1)　有価証券とは

　有価証券とは「価値のある証券」のことですから，たとえば，鉄道の未使用切符，巨人・阪神戦のチケットなども厳密には有価証券に分類されますが，実務的には金融商品取引法が定義している有価証券等を指し（金商2），具体的には株式等の出資証券と債券が該当します。したがって，合名・合資会社に対する出資証券も会計上は有価証券として取り扱います。

### (2)　有価証券の区分・分類

　第2章で示したように，有価証券は次のように区分・分類されます。

【図表5-1】有価証券の区分・分類

| 区　分 | | 分　類 |
|---|---|---|
| 売買目的有価証券（注1） | | 流動資産 |
| 満期保有目的の債券（注2） | 1年以内満期到来 | |
| | 1年超満期到来 | 固定資産 |
| 子会社および関連会社株式 | | |
| その他有価証券 | | |

（注1）売買目的有価証券…金融機関，商社などが営業活動の一部として，時価の変動により利益を得ることを目的として保有する有価証券
（注2）満期保有目的の債券…企業が満期まで所有する意図を持って保有する社債その他の債券

## 2　有価証券の評価基準

### （1）　原価基準か時価基準か

　たとえば，ある企業が証券会社から勧められて，上場株式を1,000万円で購入したと仮定します。この銘柄は上場していますから，毎日その株価が変動します。期末の段階で，その時価が1,500万円となっていたとして，貸借対照表の有価証券勘定（厳密には投資有価証券勘定）に計上すべき金額は，取得原価の1,000万円でしょうか？　それとも，期末における時価の1,500万円でしょうか？

　前者の取得原価で評価する方法を**原価基準**，時価で評価する方法を**時価基準**といい，どちらが正しいのかずっと論争が繰り広げられてきました。

### （2）　原価基準の根拠

　現在，日本および世界の会計基準においては，原則として時価基準が採用されており，原価基準は例外となりました。やはり，資産は「回収可能なお金の使いみち」ですから，将来いくら資金が回収できるかという情報の方が，いくら使ったのかという過去情報よりも重要であるという判断に至ったのでしょう。

　ところが，日本は最初から時価基準を採用していたわけではありません。平成11年に金融商品会計基準が整備されるまで，ずっと原価基準が原則でした。それでは，なぜ過去において原価基準を採用してきたか，また，それをなぜ時価基準に変更したかを説明しましょう。

　先ほどの取得原価1,000万円，時価1,500万円の有価証券を事例として採り上げます。

　もし，企業が時価基準を採っていた場合には，取得原価1,000万円だった有価証券が1,500万円に値上がりしたので，次の会計処理を行うはずです。

　　　（借）有　価　証　券　　　500万円　　（貸）有価証券評価益　　　500万円

　要するに，値上がり分だけ得をしたので，それを有価証券評価益という収益に計上する処理を行いました。

　ところが，この収益を計上するといろいろ影響が出てきます。たとえば，有価証券評価益500万円以外に収益・費用がないとすれば，この企業の利益も500万円になります。企業には「利益が出たらカネをよこせ！」という輩が2種類います。税務署と株主です。税務署は「500万円も儲かったならその3割の150万円税金を払え！」といいます。また，株主は「税引後の利益350万円（＝500万円－150万円）から半分くらいは配当金を支払え！」というかもしれません。そうなると，この会社は有価証券評価益500万円を計上したことにより，税金150万円と配当金175万円，合わせて325万円の支払が必要になります。さて，この企業はこれらを支払うことができるでしょうか？

　この企業が株式を売却して1,500万円の収入があったら，税金と配当金を支払うことは

できます。しかし，実際には株式を持っているだけです。その株式の時価が上がったので，税金と配当金を支払えといわれても，払うことはできません。だから，今まで日本における有価証券の評価基準は原価基準が採用されてきたのです。原価基準の場合には，有価証券を売却したときに「有価証券売却益」が計上され，その金額が利益に結びついて税金や配当金を払うことになっても，企業には有価証券売却収入がありますから，それらを十分支払うことができます。

　このように考えると，原価基準から時価基準に移行するためには「工夫」が必要だったのです。そして，この工夫があったからこそ，現在，日本の会計基準では有価証券の評価に時価基準を適用できるようになったのです。

### (3)　有価証券の評価基準

　その工夫を説明する前に，現在の有価証券の評価基準についてまとめておきましょう。次の【図表5-2】を見てください。

【図表5-2】　有価証券の評価基準

| 市場性 | 有価証券の種類 | 貸借対照表価額 | 評価差額の処理 |
|---|---|---|---|
| 有 | 売買目的有価証券 | 時価 | 損益計算書 |
| | 満期保有目的の債券 | 償却原価法（原価）（注） | － |
| | 子会社および関連会社株式 | 原価 | － |
| | その他有価証券 | 時価 | 貸借対照表（純資産） |
| 無 | － | 原価 | |

（注）　償却原価法…取得原価と債券金額との差額を弁済期に至るまで毎期一定の方法で貸借対照表価額に加減する方法（69ページ参照）

### ①　市場性のない有価証券

　上の表の見方について説明すると，まず，「市場性」とは，その有価証券が上場（店頭登録も含む）しているかどうかということです。市場性のない有価証券は売買する市場がありませんから，時価もありません。したがって，いくら時価基準が原則になったからといっても，時価がない有価証券に時価基準を適用することはできませんので，貸借対照表には原則として原価が表示されます。

### ②　売買目的有価証券

　前述のように，売買目的有価証券とは，金融機関や商社などが営業活動（本業活動）の一部として，時価の変動により利益を得ることを目的に保有する有価証券のことをいいます。要するに，有価証券運用の専門担当者がいて，毎日相場とにらめっこをして「売った」「買った」とやっているような企業が保有している有価証券のことをいいます。した

がって，通常の企業には売買目的有価証券は存在しません。「証券会社に勧められて時価が上がったら売ることを目的に購入した株式」は一見売買目的有価証券に該当しそうですが，【図表5-2】の分類では「その他有価証券」となります。

売買目的有価証券には，いわゆる「純粋時価基準」が適用されます。純粋時価基準というのは，貸借対照表に表示されるのは時価，損益計算書上の会計処理は，「評価が上がったら有価証券評価益，評価が下がったら有価証券評価損」とする方法です。【図表5-2】で評価差額の欄が「損益計算書」となっているのはこの意味です。しかし，時価基準を適用して仮に有価証券評価益が計上されると，場合によっては税金や配当金を支払わなければならないという問題が出てくるのは，前述のとおりです。ただ，よく考えてみればわかりますが，売買目的有価証券はしょっちゅう売買を繰り返していますので，有価証券評価益が計上されて税金や配当金を支払わなければならなくなったとしても，すぐに得られる有価証券売却収入から支払うことができます。このため，売買目的有価証券は純粋時価基準が採用されているのです。

### ③ 満期保有目的の債券

債券にはいろいろな種類があります。国債や地方債あるいは一般企業が出すものというように千差万別なのですが，おおざっぱに考えれば，債券は社会的信用能力のある者の発行する借用証書の一種と見ることができます。債券はすべて償還期限（資金の返済期限）があり，それまで債券を保有していれば，利息とともに券面金額（額面金額）を受け取ることができます（これを債券の償還といいます）。

債券は有価証券なので，償還前に他人に譲渡することができます。債券にも上場しているものとそうでないものがあり，上場している債券については，株式と同様に新聞などで時価を確認することができます。

満期保有目的の債券とは，市場性があって途中で換金することも可能だが，あえて途中で譲渡することを選択せず，満期（償還期限）まで保有し，償還金額を受け取ることを目的としている債券をいいます。

時価基準における「時価」とは「売ったら手取りがいくらか」という「正味実現可能価額」を指しますが，満期保有目的の債券は最初から売るつもりがありませんので，時価基準を適用する意味がありません。したがって，満期保有目的の債券は取得原価で評価することになります。ただし，債券を債券金額よりも低い価額または高い価額で取得した場合において，取得原価と債券金額との差額の性格が金利の調整と認められるときには，償却原価法によって評価しなければなりません（金融商品基準16）。

償却原価法を具体例で説明します。

（事例）

・期首において満期保有目的の債券（券面額1,000万円）を970万円で取得した。

・その償還期限は3年後の期末日である。

・途中で受け取る利息の会計処理は省略する。


1）　原価基準の会計処理

〈取得時〉

　　（借）投 資 有 価 証 券　　970万円　　（貸）現 金 預 金　　970万円

〈償還時〉

　　（借）現 金 預 金　1,000万円　　（貸）投 資 有 価 証 券　　970万円
　　　　　　　　　　　　　　　　　　　　　　有価証券償還益　　30万円

2）　償却原価法の会計処理（定額法による）

〈取得時〉

　　（借）投 資 有 価 証 券　　970万円　　（貸）現 金 預 金　　970万円

〈第1期決算〉

　　（借）投 資 有 価 証 券　　10万円　　（貸）受 取 利 息　　10万円

〈第2期決算〉

　　（借）投 資 有 価 証 券　　10万円　　（貸）受 取 利 息　　10万円

〈償還時〉

　　（借）現 金 預 金　1,000万円　　（貸）投 資 有 価 証 券　　990万円
　　　　　　　　　　　　　　　　　　　　　　受 取 利 息　　10万円

　このように，原価基準の場合には3年目の償還時に券面額と取得原価との差額30万円の有価証券償還益が計上されるのに対し，償却原価法の場合には，毎期10万円ずつ受取利息が計上されます（【図表5-3】参照）。

　この債券の償還差益30万円は，結局この債券を3年間保有していたことによる収益ですので，いわば期間の経過とともに発生すると考えることができます。したがって，この場合には，原価基準のように3年目だけの収益としてぽんと計上される方法は適用されず，償却原価法が適用されます。

　なお，前述のとおり，償却原価法には「利息法」と「定額法」がありますが，利息法の方が原則です（【図表3-1】（50ページ）参照）。

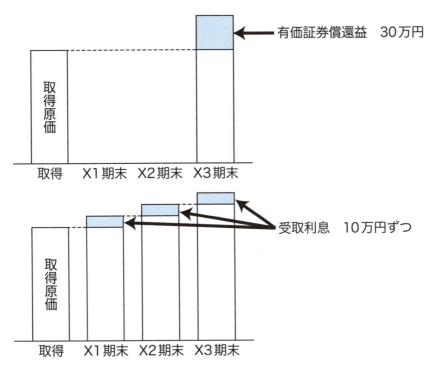

【図表5-3】 原価基準と償却原価法

### ④ 子会社・関連会社株式

子会社・関連会社株式は，通常売却を目的として保有されません。原則として子会社・関連会社を利用してグループ全体として活動するからです。したがって，子会社・関連会社株式については，いくら上場して時価が付いていたとしても，途中で売却することはありえませんので，原価基準が適用されます。

なお，子会社・関連会社の定義については【図表2-3】（46ページ）を参照してください。

### ⑤ その他有価証券

通常，企業が資金の運用を目的として取得した有価証券は，この「その他有価証券」に該当します。【図表5-2】を見ればわかるように，市場性のあるその他有価証券については，貸借対照表価額が時価となっていますから，時価基準の適用対象になっていることがわかります。ところが，評価差額の処理の欄を見ると，「貸借対照表（純資産）」となっています。これは同じく時価基準が適用される売買目的有価証券の場合と異なります。これが前述した「工夫」なのです。

たとえば，1,000万円で取得した有価証券の時価が1,500万円に値上がりした場合，純粋時価基準を適用して，

　（借）有　価　証　券　　500万円　（貸）有価証券評価益　　500万円

と会計処理すれば，この有価証券評価益に対して課税が行われ，税金の支払や場合によっては配当金の支払が必要になります。しかし，その他有価証券の場合には，直ちに有価証券を売却するとは限りませんから，これらを支払うことができません。したがって，貸方科目を「有価証券評価益」とするわけにはいかないのです。それでもその他有価証券については時価基準を適用して貸借対照表には期末の時価を示すようにしたい……。さあ困りました。

　そこで思いついたのが，貸方科目を「その他有価証券評価差額金」という純資産科目にするというものです。その他有価証券評価差額金は，有価証券の評価が上がったときに，それは儲かったのではなく，世間が出資してくれたと考えて採用された科目です。出資（増資）によって純資産が増加したとしても，それは儲かったわけではありませんので，税金の課税対象にはなりませんし，当然配当金の対象にもなりません。うまいことを考えついたものです。なお，実際には，後述する税効果会計の適用を行う場合には，有価証券の値上がり益がそのままその他有価証券評価差額金になるわけではありませんが，とりあえず，この段階では税効果会計は無視しましょう。

　さて，その他有価証券の評価が上がった場合に，その他有価証券評価差額金という純資産科目で処理するということはわかりましたが，評価が下がった場合にはどうするのでしょうか？　もちろん，上がっても下がってもその他有価証券評価差額金で処理する方法（これを**全部純資産直入法**といいます）が一般的なのですが，よく考えてみると，その他有価証券評価差額金処理するのは，評価益を計上すると税金や配当金の問題が出るからでした。評価が下がった場合には，税金や配当金を支払うことはありません。だとしたら，有価証券評価損を計上してもよいではないかという考え方も出てきます。このように考えて，評価が上がったら「その他有価証券評価差額金」処理，評価が下がったら「投資有価証券評価損」処理とする方法（これを**部分純資産直入法**といいます）も認められています。

【全部純資産直入法の会計処理】
　①　評価が上がったとき

（借）投資有価証券　　500万円　　（貸）その他有価証券評価差額金　　500万円

　②　評価が下がったとき

（借）その他有価証券評価差額金　　500万円　　（貸）投資有価証券　　500万円

【部分純資産直入法の会計処理】
　①　評価が上がったとき

（借）投資有価証券　　500万円　　（貸）その他有価証券評価差額金　　500万円

② 評価が下がったとき

(借) 投 資 有 価 証 券 評 価 損　　500万円　　(貸) 投資有価証券　　500万円

　なお，その他有価証券の評価替えにあたっては，洗替え法（有価証券の毎期末の時価と取得原価とを比較する方法）が採用されます。

【洗替え法】（全部純資産直入法）
　①　取得原価：1,000万円
　②　第1期の時価：1,500万円
　③　第2期の時価：1,300万円
《第1期末の会計処理》

　　　(借) 投 資 有 価 証 券　　500万円　　(貸) その他有価証券評価差額金　　500万円

《第2期首の会計処理》

　　　(借) その他有価証券評価差額金　　500万円　　(借) 投 資 有 価 証 券　　500万円

《第2期末の会計処理》

　　　(借) 投 資 有 価 証 券　　300万円　　(貸) その他有価証券評価差額金　　300万円

## (4)　有価証券の減損処理

　このように，有価証券の評価基準は，原則として時価基準が適用されるものの，満期保有目的の債券と子会社・関連会社株式について時価基準は適用されず，その他有価証券について時価基準は適用されるものの，全部純資産直入法の場合には評価差額について損益計算書上の有価証券評価損益として処理する方法は採用されません。ところが，これらの有価証券について，時価が取得原価に比べて著しく下落した場合には，取得原価そのものの切下げを行う必要があります。これを有価証券の減損処理といいます。

### ①　市場価格のある有価証券

　満期保有目的の債券，子会社・関連会社株式およびその他有価証券で，市場価格のあるものについて時価が著しく下落した場合には，回復すると認められる場合を除き，時価をもって貸借対照表価額とし，評価差額は当期の損失として処理しなければなりません（金融商品会計20）。なお，有価証券の時価が50％程度以上下落した場合には，著しく下落

したときに該当し，この場合には，合理的な反証がない限り，時価が取得原価まで回復するとは認められないため，減損処理を行わなければなりません（金融商品指針91）。

### ② 市場価格のない有価証券

市場価格のない有価証券については，発行会社の財政状態の悪化により実質価額が著しく低下したとき（やはり取得原価に比べて50％以上の下落を指します）は，相当の減額をし，評価差額は当期の損失として処理しなければなりません（金融商品会計21）。

なお，有価証券の減損処理の場合には，減損処理を行った後の時価または実質価額を翌期首の取得原価とします（これを**切放し法**といいます）。要するに減損処理によって取得原価が変わったと考えます。

## (5) 法人税法上の評価基準

今まで説明してきたのは有価証券の会計上の評価基準についてでした。ところが，この基準が法人税法上もそのまま適用されるかというと，そうとは限らないのです。法人税法上は，有価証券を売買目的有価証券と売買目的外有価証券に区分し，売買目的有価証券には時価基準，売買目的外有価証券には原価基準の適用が行われます（法61の3）。ただし，満期保有目的の債券については償却原価法が適用されます（令119の14・139の2①）。したがって，会計上のその他有価証券について時価基準を適用した場合には，会計上と法人税法上で評価基準が異なってしまうことになります。このような面倒な差異が生じるのであれば，最初から会計と法人税の基準を統一すればよさそうなものですが，会計は「適正な期間損益計算」を目的とし，法人税は「公平な課税」を目的としていますので，どうしてもこのような差異が出てきます。これは有価証券に限らず，さまざまなところで出てきますから，覚悟しておいてください。法人税は「**債務確定主義**」が適用され，保有しているだけの有価証券の時価による評価は，売買目的有価証券以外は認めていないのです。

したがって，その他有価証券の評価に部分純資産直入法を適用し，投資有価証券評価損を計上している場合には，その費用は法人税法上認められないことになります。このような場合には，後述しますが，法人税の課税所得の申告調整が必要になります。

このような事情のため，その他有価証券の評価基準としては，大企業では会計基準通り時価基準が採用され，申告調整が行われますが，中小企業等においては最初から法人税法に合わせて原価基準が採用されているケースがほとんどです。したがって，中小企業等の貸借対照表に表示されている（投資）有価証券金額は，原則として原価を示しており，時価との乖離（すなわち含み損失または含み益）が生じている可能性があります。

# 3 有価証券の評価方法

## (1) 評価方法とは

　ある銘柄の株式を1,000株，1株1,000円，合計100万円で購入し，さらに同じ銘柄の株式を1,000株，1株1,200円，合計120万円で買い増ししました。その後その株式の価格が上昇したので，半分の1,000株を1株1,300円，合計130万円で売却しました。それでは，この株式の売却によっていくら儲かったでしょうか？

　この計算を行うためには，売れた株式が最初に買った1株1,000円の株式なのか，2回目に買った1株1,200円の株式なのかを特定しなければなりません。もし，最初に買った株式を売却したのであれば，儲けは30万円（＝130万円－100万円）ですし，2回目に買った株式を売却したのであれば，儲けは10万円（＝130万円－120万円）になります。経営者の気分でどれを売ったことにしてもよいということになれば，企業の利益はいくらでも調整ができます。これでは適正な期間損益計算ができませんので，企業会計はその払出原価（この場合には払い出した有価証券の取得原価）を客観的に決定する方法を何種類か決め，その中からひとつを選んで継続適用することを定めています。これが**評価方法**です。要するに，評価方法とは払出原価を算定するための受払方法を指します。

## (2) 評価方法の種類

　前述のように，評価方法は数種類あります。経営者は，このうち自らの企業にとって最も適切な方法を選択する必要があります。

### ① 個別法

　先ほどの株式の売買事例で説明すれば，株券の番号を記録しておき，売却した株式がいつ購入したものかをきちんと紐付きで管理して払出原価を計算する方法です。同じ銘柄の同じ種類の株式であれば価値は同じなので，個別法で払出原価を計算する必要はあまりありませんが，宝石や土地等一律に価格を決定できないものを売却する場合の評価方法として適用されます。

### ② 先入先出法

　先に購入したものから先に払い出すと考える方法です。先ほどの事例でいえば1,000円で購入した株式を売却したと考えます。

### ③ 後入先出法

　後で購入したものから先に払い出すと考える方法です。先ほどの事例では1,200円で購入した株式を売却したと考えます。後で購入したものを先に出すということは実務的に考

えられないと思う人もいるかもしれませんが，穴に原材料（たとえば石灰石）を入れ，それを上からとって使用するケースは，まさに後入先出法です。

### ④　総平均法

購入した株式の総加重平均単価をもって払出単価とする方法です。先ほどの事例でいえば，次のように払出価額を計算します。

$$払出単価＝\frac{1回目の購入価額100万円＋2回目の購入価額120万円}{1回目の購入株数1,000株＋2回目の購入株数1,000株}＝@1,100円$$

払出原価＝@1,100円×1,000株＝110万円

### ⑤　移動平均法

移動平均法とは，払出のつどその直前の加重平均単価をもって払出原価を計算する方法です。先ほどの事例では総平均法との区別が付かないので，次の事例で紹介します。

（事例）

購入①　単価1,000円　株数1,000株　購入価額100万円

購入②　単価1,150円　株数2,000株　購入価額230万円

売却①　単価1,300円　株数1,000株　売却価額130万円

購入③　単価1,400円　株数3,000株　購入価額420万円

売却②　単価1,500円　株数3,000株　売却価額450万円

この事例では払出が2回あります（売却①と売却②）。そのつどその直前の加重平均単価をもって払出単価とします。

$$払出単価①＝\frac{1回目の購入価額100万円＋2回目の購入価額230万円}{1回目の購入株数1,000株＋2回目の購入株数2,000株}＝@1,100円$$

払出原価①＝@1,100円×1,000株＝110万円

売却損益①＝130万円－110万円＝20万円

この段階で手許に株式が2,000株（これを在庫株数とします），評価単価1,100円，評価額220万円が残っています（これを在庫価額とします）。

$$払出単価②＝\frac{在庫価額220万円＋3回目の購入価額420万円}{在庫株数2,000株＋3回目の購入株数3,000株}＝@1,280円$$

払出原価②＝@1,280円×3,000株＝384万円

売却損益②＝450万円－384万円＝66万円

売却損益合計＝20万円＋66万円＝86万円

移動平均法は，このように払出のつど払出原価を計算しなければならないので，やや面倒なのですが，現在はどんなに小さい企業でもパソコンで計算しますから，よく採用されている評価方法です。

なお，これらの評価方法は，有価証券だけではなく，次章の棚卸資産の払出原価を計算するときにも用いられます。

### (3) 法人税法上の評価方法

これらの評価方法は，会計上はどの方法を選択してもよいのですが，法人税法上は総平均法と移動平均法しか認めていません。法人税法上，その他の方法が認められていないのは，有価証券は値動きが激しくなることがあり，たとえば先入先出法と後入先出法とではその売却損益が極端に相違することになるためです。

なお，法人税法上は，有価証券を取得した事業年度の確定申告書提出期限までに「有価証券の評価方法の届出書」を所轄税務署に提出することになっています。提出がない場合には，移動平均法によって有価証券売却損益が計算されたとみなされます（**法定評価方法**）。

### (4) 有価証券台帳

このように，有価証券の売却損益を算定するために，その払出原価を把握する必要がありますので，通常企業は次のような**有価証券台帳**を作成しています。

**【図表5-4】 有価証券台帳**

有価証券台帳

（総平均法）　　　　　　　　　　　　　A株式会社普通株式

| 月日 | | 摘 要 | 受入高 | | | 払出高 | | | 残 高 | | |
|---|---|---|---|---|---|---|---|---|---|---|---|
| | | | 数量 | 単価 | 金 額 | 数量 | 単価 | 金 額 | 数量 | 単価 | 金 額 |
| 1 | 1 | 購　入 | 1,000 | 1,000 | 1,000,000 | | | | 1,000 | 1,250 | 1,250,000 |
| 3 | 3 | 購　入 | 2,000 | 1,150 | 2,300,000 | | | | 3,000 | 1,250 | 3,750,000 |
| 5 | 5 | 売　却 | | | | 1,000 | 1,250 | 1,250,000 | 2,000 | 1,250 | 2,500,000 |
| 7 | 7 | 購　入 | 3,000 | 1,400 | 4,200,000 | | | | 5,000 | 1,250 | 6,250,000 |
| 9 | 9 | 売　却 | | | | 3,000 | 1,250 | 3,750,000 | 2,000 | 1,250 | 2,500,000 |
| 12 | 31 | 次期繰越 | | | | 2,000 | 1,250 | 2,500,000 | | | |
| | | | 6,000 | 1,250 | 7,500,000 | 6,000 | 1,250 | 7,500,000 | | | |
| 1 | 1 | 前期繰越 | 2,000 | 1,250 | 2,500,000 | | | | 2,000 | 1,250 | 2,500,000 |

（注）　総平均法の場合には，通常，事業年度が終了し，受け入れた有価証券（期首繰越がある場合には含めます）の加重平均単価（上記の例では1,250円）が確定するまで，払出原価は計算できません。

有価証券台帳

（移動平均法）　　　　　　　　　　　A株式会社普通株式

| 月日 | | 摘 要 | 受入高 | | | 払出高 | | | 残 高 | | |
|---|---|---|---|---|---|---|---|---|---|---|---|
| | | | 数量 | 単価 | 金 額 | 数量 | 単価 | 金 額 | 数量 | 単価 | 金 額 |
| 1 | 1 | 購　入 | 1,000 | 1,000 | 1,000,000 | | | | 1,000 | 1,000 | 1,000,000 |
| 3 | 3 | 購　入 | 2,000 | 1,150 | 2,300,000 | | | | 3,000 | 1,100 | 3,300,000 |
| 5 | 5 | 売　却 | | | | 1,000 | 1,100 | 1,100,000 | 2,000 | 1,100 | 2,200,000 |
| 7 | 7 | 購　入 | 3,000 | 1,400 | 4,200,000 | | | | 5,000 | 1,280 | 6,400,000 |
| 9 | 9 | 売　却 | | | | 3,000 | 1,280 | 3,840,000 | 2,000 | 1,280 | 2,560,000 |
| 12 | 31 | 次期繰越 | | | | 2,000 | 1,280 | 2,560,000 | | | |
| | | | 6,000 | | 7,500,000 | 6,000 | | 7,500,000 | | | |
| 1 | 1 | 前期繰越 | 2,000 | 1,280 | 2,560,000 | | | | 2,000 | 1,280 | 2,560,000 |

# 練習問題

【問題1】 市場価格のある有価証券の評価に関する記述について，誤っているものは次の
うちどれか。

(1) 関連会社株式は，取得原価で評価する。

(2) その他有価証券は，時価で評価する。

(3) 子会社株式は，取得原価で評価する。

(4) 売買目的有価証券は，時価で評価する。

(5) 満期保有目的の債券は，時価または償却原価で評価する。

(銀行業務検定試験財務3級試験問題より)

【問題2】 下記の資料から算出した有価証券の期末評価額はいくらか。

(金額単位：円)

| 銘　柄 | 種　類 | 株数（株） | 取得単価 | 市場単価 |
|---|---|---|---|---|
| A 社 株 式 | 売買目的有価証券 | 3,500 | 800 | 550 |
| B 社 株 式 | 子会社株式 | 1,700 | 1,200 | 1,000 |
| C 社 株 式 | その他有価証券 | 800 | 380 | なし |
| D 社 株 式 | その他有価証券 | 1,200 | 740 | 600 |

(銀行業務検定試験財務3級試験問題より)

【問題3】

(1) A社が当期においてB社株式を1株1,000円で1,000株購入し，その後株価が上昇
したので，1株1,200円で1,000株売却した。この後，当期においてA社はB社株式
の売買を一切行わなかった。また，A社が当期において売買した有価証券はB社株式
のみである。

その後作成されたA社の損益計算書では「投資有価証券売却損10万円」となって
いた。1株1,000円で購入した株式を1株1,200円で売却したのだから，当然投資有
価証券売却益が計上されるはずだが，なぜ有価証券売却損が計上されたのか。原因を
述べよ。

(2) C社は当期において初めて有価証券取引を開始し，D社株式を1株1,000円で
1,000株購入した。その後株価が上昇したので，1株1,200円で1,000株売却した。
この後，当期においてC社はD社株式を一切売っていない。また，C社が当期におい
て売買した有価証券はD社株式のみである。

その後作成された損益計算書では「投資有価証券売却損10万円」となっていた。

1株1,000円で購入した株式を1株1,200円で売却したのだから，当然投資有価証券売却益が計上されるはずだが，なぜ有価証券売却損が計上されたのか。原因を述べよ。

# 第6章 棚卸資産

―本章で学ぶこと―
1 棚卸資産の範囲
2 棚卸資産の評価基準
3 棚卸資産の評価方法
4 棚卸減耗損と商品評価損

## 1　棚卸資産の範囲

　通常，棚卸資産といえば，商品や製品を指しますが，正確にその範囲を定義すれば，次のようになります（棚卸資産基準28）。
　① 通常の営業過程において販売するために保有する財貨または用役（**商品，製品**）
　② 販売を目的として現に製造中の財貨または用役（**仕掛品，半製品**）
　③ 販売目的の財貨または用役を生産するために短期間に消費されるべき財貨（**原材料，貯蔵品**）
　④ 販売活動および一般管理活動において短期間に消費されるべき財貨（**事務用消耗品，包装用品**）

　「製品」と「商品」は普段あまり使い分けていないと思いますが，財務諸表では厳密に区分しています。製品とは，製造業において原材料に加工を加え完成したものを指し，商品とは他から仕入れ，何ら加工を加えることなくそのまま販売されるものを指します。
　また，「仕掛品」「半製品」は「できかけの製品」のことをいいます。厳密にいえば，仕掛品とは，その状態では販売できないできかけの製品，半製品はその状態でも販売できるできかけの製品をいいます。タイヤの付いていない自動車は仕掛品，清酒製造工程でできる「どぶろく（濁り酒）」は半製品です。
　「貯蔵品」とは，製造用に購入した未使用の消耗性資産のことを指し，一般的には燃料や消耗工具，除却した有形固定資産で処分価値のあるものなどが該当します。
　これらをなぜ棚卸資産というかといえば，「棚卸」の対象になる資産であるためです。棚卸とは「数えること」を指します。よくコンビニなどに行くと，店員が在庫を数えているシーンを見ることがあると思いますが，あれは棚卸作業を行っているのです。数えることをなぜ棚卸というのかといえば，棚から卸して数えるからだと思います。
　以上の定義からすれば，次の資産はいずれも棚卸資産となります。

① 不動産販売業者が販売する目的で保有する土地・建物（販売用不動産）

② 建設業者が建設中の工事（未成工事支出金）

## 2　棚卸資産の評価基準

### (1)　正味売却価額法

通常の販売目的で保有する棚卸資産は，取得原価をもって貸借対照表価額とし，期末における正味売却価額が取得原価よりも下落している場合には，その正味売却価額で評価します。この場合の取得原価と正味売却価額との差額は当期の費用（商品評価損など）として処理します（棚卸資産基準7）。正味売却価額法は，棚卸資産の1品目ごとに取得原価と正味売却価額を比較する方法，適当なグループごとに比較する方法，全品目を一括して比較する方法の中から選択することができます。

【図表6-1】　正味売却価額法

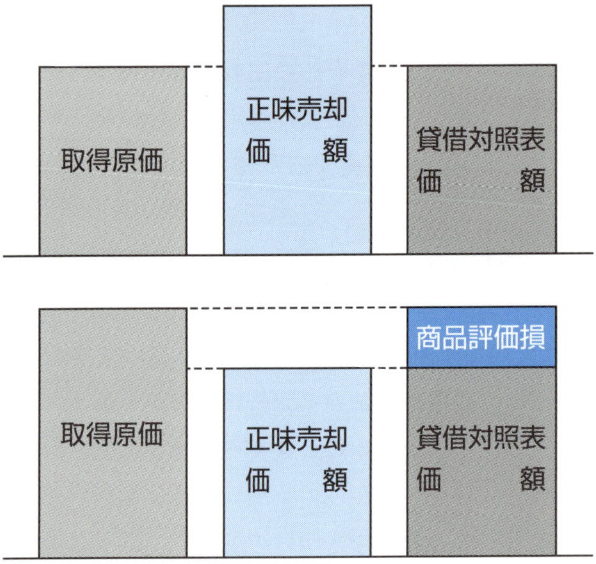

取得原価　　正味売却価額　　貸借対照表価額

取得原価　　正味売却価額　　商品評価損　　貸借対照表価額

### (2)　正味売却価額とは

正味売却価額とは，売価から見積追加製造原価および見積販売直接経費を控除したものをいいます（棚卸資産基準5）。要するに，棚卸資産を販売することによって受け取ることができる手取金額を指します。

## (3)　正味売却価額法に代わる方法

① 　営業循環過程から外れた滞留または処分見込み等の棚卸資産について，合理的に算定された価額によって評価することが困難な場合には，正味売却価額法に代えて，その状況に応じて次の方法により処理します（棚卸資産基準9）。

1)　帳簿価額を処分見込価額（ゼロまたは備忘価額を含む）まで切り下げる方法

2)　一定の回転期間を超える場合，規則的に帳簿価額を切り下げる方法

② 　製造業における原材料のように再調達原価（付随費用を含む購入に要する金額）の方が把握しやすく，正味売却価額がその再調達原価に歩調を合わせて動くと想定される場合には，再調達原価によって評価することができます（棚卸資産基準10）。

## (4)　洗替え法と切放し法

前述のように，有価証券の評価においては，常に取得原価と期末の時価を比較する洗替え法が適用されます。洗替え法の場合には，前期に計上した簿価切下額を当期に戻し入れる処理がとられます。

しかし，棚卸資産の場合には，洗替え法と切放し法（前期に切り下げた簿価を新しい取得原価とみなす方法）のいずれかの方法を棚卸資産の種類ごとに選択することができます。

# 3　棚卸資産の評価方法

## (1)　ダイコンの売却益はいくらか

棚卸資産の場合も，有価証券と同じように，同一種類の棚卸資産を異なる単価で仕入れることが一般的です。仕入れたものを同じ期にすべて販売すれば，売上原価＝仕入原価なので計算は簡単なのですが，仕入れたものの一部が販売された場合には，いくらで仕入れたものを販売したのかという評価方法の問題が生じます。

具体例で考えてみましょう。

ある八百屋が同じ期の中で次の取引を行いました。

（取引1）ダイコンを1本100円で仕入れた。

（取引2）ダイコンを1本120円で仕入れた。

（取引3）ダイコンを1本130円で販売した。

（取引4）ダイコンを1本140円で仕入れた。

（取引5）ダイコンを1本130円で販売した。

この事例を絵で示すと，【図表6-2】のようになります。

【図表6-2】 棚卸資産の評価方法①

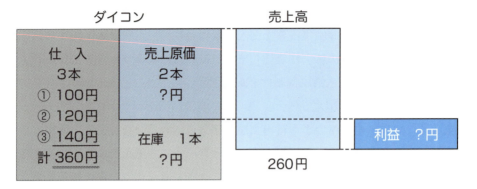

　売上高は@130円×2本＝260円ですが，売上原価（売上げた商品の仕入原価）がわからないとダイコンの売却益を計算することができません。売上原価を計算するためには，どのダイコンがお客様の手に渡ったのかを特定しなければなりません。もちろん，実際のダイコンの受払を売上原価計算に反映させること（以前有価証券のところで学習した「個別法」にあたります）は，理論的には可能です。仕入れたダイコンに仕入価格を書いておいて売れるたびに記録をしておけば，どのダイコンが売れたかを把握できるからです。しかし，通常，八百屋が1年間に販売するダイコンは数え切れないほどの量になり，そのように個別にダイコンの仕入価格を管理することは実際には不可能です。しかし，繰り返しますが，いくらで仕入れたダイコンがお客様に販売されたかを特定しないと，売上原価を算定できません。

　そこで，実際にどのダイコンが販売されたかとは関係なく，売上原価を算定するためにダイコンの受払を仮定する方法が考えられました。これが**棚卸資産の評価方法**です。

　棚卸資産の評価方法には，有価証券のところで説明したように，次のような方法が考えられます。

　① 先入先出法
　② 後入先出法
　③ 総平均法
　④ 移動平均法

　これらの方法によってこの事例の売上原価および在庫金額を計算すると，【図表6-3】のようになります。

【図表6-3】 棚卸資産の評価方法②

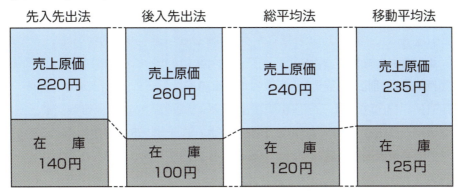

　この図表でわかってもらいたいことが2つあります。1つは，どの方法によってもすべてのダイコンが販売されれば売上原価は360円で，すべてのダイコンが売れ残れば在庫金額は360円になるということです。つまり，どの方法を採っても売上原価と在庫の合計金額は360円です。

　2つめは，一部が売れ一部が売れ残ると，評価方法によってダイコンの売却損益が異なるということです。この事例の場合には，先入先出法が最も売上原価（220円）が小さくなり，売却益は40円（＝260円－220円）と，最も大きくなります。また，後入先出法の場合には，売上原価（260円）が最も大きくなり，売却益は0円（＝260円－260円）になります。このことは，評価方法を変更することによって利益を調整することができることを表しています。したがって，企業はいったん採用した評価方法をみだりに変更してはなりません。

### (2) 売価還元法

　スーパーマーケットやコンビニエンスストアのように，多品種の商品を取り扱っている業種においては，一種類ごとの単位原価をもって期末在庫評価額を算出することはきわめて困難です。しかし，このような業種にあっても期末在庫の売価は把握できますので，在庫の種類ごとに次の算式によって原価率を求め，期末在庫の売価合計額に原価率をかけて期末評価額を求める方法が採られています。これが**売価還元法**です。

原価率＝（期首商品原価＋当期商品仕入高）／（当期商品売上高＋期末商品売価）

```
（事例）
・売上高            28,000千円
・仕入高            22,400千円
・期首商品棚卸高（原価）   3,925千円
・期末商品棚卸高（売価）   5,750千円
```

① 原価率＝（3,925千円＋22,400千円）／（28,000千円＋5,750千円）＝78%

② 期末商品棚卸高＝5,750千円×78%＝4,485千円

### （3） 最終仕入原価法

最後に仕入れた商品の仕入単価で期末在庫を評価する方法です。たとえば，期末在庫が10個あった場合，そのうちの2個が最終仕入であれば，その仕入単価で10個全部の評価を行いますので，必ずしも取得原価主義に則した評価結果になるとは限りません。したがって，上場企業等においては，棚卸資産に重要性がない場合を除き，最終仕入原価法の採用は認められていません。

しかし，法人税法上は最終仕入原価法を認めており，なおかつ，棚卸資産の評価方法の届出がない場合には，最終仕入原価法によって売上原価を計算したものとみなすことになっています（**法定評価方法**）。このため，多くの中小企業においては最終仕入原価法が採用されています。

### （4） 後入先出法の取扱い

後入先出法については，売上原価が直近の仕入価格によって計算されるため，期間損益計算上は優れていると見ることもできますが，実際のモノの流れとは異なることが多い点と期末在庫評価額が時価と乖離してしまう可能性があるため，現在では会計上も税務上も適用することができなくなりました。

### （5） 商品有高帳

企業は，通常在庫の数量および金額を**商品有高帳**によって管理しています。

商品有高帳とは，商品の増減と残高を記録するための補助簿（補助元帳）です。商品有高帳は，商品の種類別に口座を設け，その受入れ，引渡しおよび残高について数量，単価，金額を記入します。

商品有高帳は次の機能を持っています。

① 常に商品種類別の在庫数量（手許有高）が明らかとなるため，適切な在庫管理の遂行に役立つ。

② 受入れ・引渡しについての金額を記帳することにより，仕入原価と払出価額を明ら

かにし，期末商品棚卸高と売上原価の計算に役立つ。

ただし，商品有高帳の手許有高は帳簿上の有高であるため，現品を調査する実地棚卸を定期的に行い，実際有高と照合しなければなりません。

【図表6-4】 商品有高帳

商品有高帳
品名 ×××

(移動平均法)　　　　　　　　　　　　　　　　　　　　　　　　　　　　　　(単位：個、円)

| 日付 | | 摘要 | 受入高 | | | 引渡高 | | | 残高 | | |
|---|---|---|---|---|---|---|---|---|---|---|---|
| | | | 数量 | 単価 | 金額 | 数量 | 単価 | 金額 | 数量 | 単価 | 金額 |
| 3 | 1 | 前月繰越 | 30 | 500 | 15,000 | | | | 30 | 500 | 15,000 |
| | 10 | 仕入 | 40 | 520 | 20,800 | | | | 70 | 511 | 35,800 |
| | 20 | 売上 | | | | 30 | 511 | 15,343 | 40 | 511 | 20,457 |
| | 25 | 仕入 | 20 | 550 | 11,000 | | | | 60 | 524 | 31,457 |
| | 30 | 売上 | | | | 40 | 524 | 20,971 | 20 | 524 | 10,486 |
| | 31 | 次月繰越 | | | | 20 | 524 | 10,486 | | | |
| | | | 90 | | 46,800 | 90 | | 46,800 | | | |
| 4 | 1 | 前月繰越 | 20 | 524 | 10,486 | | | | 20 | 524 | 10,486 |

## 4　棚卸減耗損と商品評価損

期末に在庫を数えてみると（これを**実地棚卸**といいます），実際数量と帳簿数量（商品有高帳の期末在庫数量）が一致しないことがあります。通常は実際数量の方が帳簿数量より少ないことが多く，これによって企業が被った損失を**棚卸減耗損**（または**棚卸減耗費**）といいます。

また，期末の正味売却価額が帳簿単価（商品有高帳の期末在庫単価）を下回ることもあります。この場合の損失を**商品評価損**といいます。

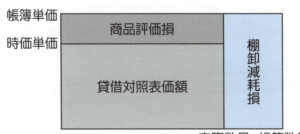

【図表6-5】 棚卸減耗損と商品評価損

棚卸減耗損も商品評価損もともにその発生原因を分析し，貸借対照表価額の修正を行う場合には，その内容によって次のように会計処理を行います。

## 【図表6-6】 損益計算書表示（棚卸資産会計基準）

| 科　目 | 原価性 | 製造原価 | 売上原価の内訳 | 販管費 | 営業外費用 | 特別損失 |
|---|---|---|---|---|---|---|
| 棚卸減耗損 | あり | ○ | ○ | ○ | | |
| | なし | | | | ○ | ○ |
| 商品評価損 | － | ○ | ○ | | | ○（注） |

（注） 商品評価損は、臨時の事象に起因し、かつ、多額である場合に限り特別損失に計上されます。

---

（事例）
・期首商品棚卸高　　　　　　　4,500千円
・当期商品仕入高　　　　　　270,000千円
・商品の期末棚卸高
　　帳簿棚卸高　　150個（単価：35千円）
　　実地棚卸高　　140個
　　（内訳）良　品　　120個
　　　　　　（単価：30千円（正味売却価額））
　　　　　品質低下品　20個
　　　　　　（単価：10千円（正味売却価額））
なお，この棚卸資産は通常の販売目的で保有している。
棚卸減耗損は売上原価に算入し，商品評価損は売上原価の内訳科目として処理する。

---

（銀行業務検定試験財務3級試験問題より）

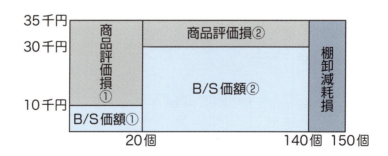

商品評価損①＝(35千円－10千円)× 20個＝　500千円

商品評価損②＝(35千円－30千円)×120個＝　600千円

合計　1,100千円

棚卸減耗損＝35千円×(150個－140個)＝　350千円

（損益計算書の表示－売上原価）

（単位：千円）

売　上　原　価

| | | |
|---|---|---|
| 期首商品棚卸高 | 4,500 | |
| 当期商品仕入高 | 270,000 | |
| 計 | 274,500 | |
| 期末商品棚卸高 | 4,900 （注） | |
| 差　引 | 269,600 | |
| 商 品 評 価 損 | 1,100 | 270,700 |

（注）　期末商品棚卸高＝B/S価額①200千円＋B/S価額②3,600千円＋商品評価損1,100千円

　　　　　　＝4,900千円

仕　　入

| 期首商品棚卸高 4,500 | 棚卸減耗損，商品評価損を除いた売上原価 269,250 | 差引 269,600 | 売上原価 270,700 |
|---|---|---|---|
| 当期商品仕入高 270,000 | 棚卸減耗損　350 | | |
| | 期末商品棚卸高 4,900 / 商品評価損 1,100 / B/S価額 3,800 | | |

　この棚卸資産は「通常の販売目的」で保有しているので，棚卸減耗損には原価性があると判断されます。上記のように棚卸減耗損に原価性がある場合には，売上原価または販売費及び一般管理費として処理しますが，この事例では売上原価に含めています。

　一方，商品評価損は「売上原価の内訳科目」として処理しなさいという指示なので，期末商品棚卸高に商品評価損を含めたところで計算した売上原価（269,600千円）をいったん表示し，そこに改めて商品評価損1,100千円を加えて，売上原価270,700千円を示します。

# 練習問題

【問題1】 下記の資料にもとづき，①〜③の方法によって，期末商品の貸借対照表価額を求めなさい。

| 品　目 | 数　量 | 取得原価 | 正味売却価額 |
|---|---|---|---|
| P 1 | 200個 | 2,000円 | 2,200円 |
| P 2 | 160個 | 2,400円 | 2,300円 |
| Q | 180個 | 4,400円 | 4,000円 |

(注)　上記の金額はいずれも単価を示している。

① 　品目単位で比較する

② 　グループ単位で比較する

③ 　全品目の合計で比較する

【問題2】 下記の資料から棚卸資産の額を求めなさい。

```
                    （単位：百万円）

原材料    5   仕掛品        3

商  品   15   販売用不動産   20

備  品    1   製  品       12

前渡金    2   半製品       10
```

(銀行業務検定試験財務3級試験問題より)

【問題3】 下記の資料にもとづき，①先入先出法と②移動平均法によって商品有高帳を作成しなさい（帳簿の締切も行うこと）。

　　　4/ 1　前期繰越　100個　@200円　20,000円

　　　　6　仕　　入　300個　@240円　72,000円

　　　13　売　　上　200個　@300円　60,000円（売価）

　　　19　仕　　入　100個　@200円　20,000円

　　　28　売　　上　200個　@300円　60,000円（売価）

商品有高帳

(先入先出法) 　　　　　品名　×××　　　　　　　　(単位：個, 円)

| | | | 受入高 | | | 引渡高 | | | 残　高 | | |
|---|---|---|---|---|---|---|---|---|---|---|---|
| | | | 数量 | 単価 | 金　額 | 数量 | 単価 | 金　額 | 数量 | 単価 | 金　額 |
| 4 | 1 | 前期繰越 | 100 | 200 | 20,000 | | | | 100 | 200 | 20,000 |
| | | | | | | | | | | | |
| | | | | | | | | | | | |
| | | | | | | | | | | | |
| | | | | | | | | | | | |
| | | | | | | | | | | | |
| | | | | | | | | | | | |
| | | | | | | | | | | | |

商品有高帳

(移動平均法) 　　　　　品名　×××　　　　　　　　(単位：個, 円)

| | | | 受入高 | | | 引渡高 | | | 残　高 | | |
|---|---|---|---|---|---|---|---|---|---|---|---|
| | | | 数量 | 単価 | 金　額 | 数量 | 単価 | 金　額 | 数量 | 単価 | 金　額 |
| 4 | 1 | 前期繰越 | 100 | 200 | 20,000 | | | | 100 | 200 | 20,000 |
| | | | | | | | | | | | |
| | | | | | | | | | | | |
| | | | | | | | | | | | |
| | | | | | | | | | | | |
| | | | | | | | | | | | |
| | | | | | | | | | | | |
| | | | | | | | | | | | |

【問題4】　下記の資料から売価還元法による期末商品棚卸高（原価）を計算しなさい。なお，百万円未満は切り捨てのこと。

```
              (単位：百万円)
売上高              4,600
仕入高              3,500
期首商品棚卸高（原価）   775
期末商品棚卸高（売価） 1,100
```

(銀行業務検定試験財務3級試験問題より)

【問題5】 以下の資料にもとづき，総平均法による場合の棚卸減耗損および商品評価損を計算しなさい。

| 摘　　要 | 数　　量 | 単　　価 |
|---|---|---|
| 期首商品棚卸高 | 900個 | 2,200円 |
| 当期商品仕入高 | 8,100個 | 2,000円 |
| 当期商品売上数量 | 8,400個 | |
| 期末商品実地棚卸高 | 560個 | |
| 正味売却価額 | | 1,900円 |

# 第7章 固定資産

―本章で学ぶこと―
1 固定資産の分類
2 減価償却
3 減価償却資産に関する税務上の取扱い
4 資産除去債務
5 リースの取扱い
6 無形固定資産
7 投資その他の資産

## 1 固定資産の分類

　前述のように，固定資産とは「回収するまでに時間を要するお金の使いみち」です。回収するまでに時間を要しない資産は流動資産ですが，この流動資産と固定資産の分類基準には「正常営業循環基準」「1年基準」「有価証券の分類基準」「その他基準」がありました。
　これらの基準で固定資産に分類された資産は，さらに次のように区分されます。

【図表7-1】 固定資産の分類

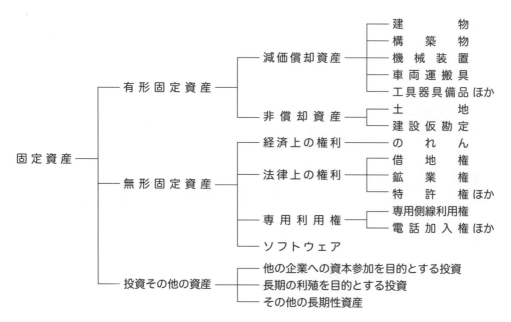

このように，固定資産はまず「有形固定資産」「無形固定資産」「投資その他の資産」の3種類に分類されます（会計原則ＢＳ第三・四Ｂ）。

有形固定資産は，まさに「形のある」固定資産で，土地や建物などが該当します。無形固定資産は，「形のない」固定資産で，主に法律上の権利が該当します。さらに投資その他の資産は，長期に資金を運用している投資先を指し，その投下資金を回収するまでに1年超を要します。

有形固定資産はさらに，次項で説明する減価償却の対象になるかどうかで，「減価償却資産」と「非償却資産」に分かれます。減価償却資産は，通常「建物」「構築物」「機械装置」「車両運搬具」「工具器具備品」などがあり，この順番で上から記載されます。科目の文字数が建物－2文字，構築物－3文字，機械装置－4文字，車両運搬具－5文字，工具器具備品－6文字と1つずつ増えるので覚えやすいと思います。もちろん，これ以外にも「航空機」や「船舶」なども減価償却資産に該当します。減価償却については次項で詳しく説明しますが，要するに「使用に伴って価値が減る」資産が減価償却の対象になります。

これに対して非償却資産は減価償却の対象になりませんから，価値が減りません。「土地」については，海の底にでも沈まない限り，その使用価値が減らないことは理解できると思いますが，【図表7-1】にある「建設仮勘定」とは何でしょう。これは「できかけの建物や機械装置」のことを指します。たとえば，建設会社に工場の建設を依頼し，着手金として500万円の支払をした場合には，建設仮勘定に計上します。その後その工場が完成した時点で，建設仮勘定から建物勘定や機械装置勘定に振り替えられます。つまり，建設仮勘定はまだ使用されていない有形固定資産を示しています。前述のように，減価償却は資産を使用することによって認識が始まりますので，建設仮勘定は非償却資産に分類されるのです。

無形固定資産と投資その他の資産の分類・内容については，項を変えて説明します。

## 2　減価償却

### (1)　減価償却の意義

減価償却を定義すると，次のようになります。

減価償却とは
　適正な期間損益計算を行うために，固定資産の取得原価をその使用可能期間にわたって費用として配分する手続

このように定義すると難しく感じますが，内容はきわめて単純です。次の運送会社の事例で説明しましょう。

（事例）

　ある運送会社がトラックを1,000万円で取得した。このトラックは年間500万円の運送収入をもたらし，5年間使用することができる。すなわち，5年間で合計2,500万円の運送収入を計上することができる。

　実際にトラックを使用するためには，トラックの取得原価以外に人件費，燃料費，税金，保険料などさまざまな費用がかかるが，話を簡単にするためにこれらが一切かからないものとする。

　この運送会社の5年間の損益計算書を作成しなさい。


　損益計算書には収益と費用を記載し，差額としての利益も表示されます。収益は簡単です。毎期500万円で，合計2,500万円となります。問題は費用です。トラックを購入したときにはお金を使ったので，その会計処理は「資産の計上」となります。しかし，長い目で見れば，最初に1,000万円で取得したトラックも5年経ってしまえば，価値が0になります。1,000万円の価値があるトラックが最後に価値0になることが「損」か「得」かを考えれば，当然「損」です。損ということは，最終的には「費用」になります。それでは，費用に計上するのはいつでしょうか？

　一番わかりやすいのは現金主義です。すなわち，最初にトラックを取得して1,000万円の支出をしたときに費用に計上する方法です。この処理に従って，各期の損益計算書を作成してみると，次のようになります。


【図表7-2】　減価償却の意義①

（単位：万円）

| 科　　目 | 第1期 | 第2期 | 第3期 | 第4期 | 第5期 | 合　計 |
|---|---|---|---|---|---|---|
| 収　　益 | 500 | 500 | 500 | 500 | 500 | 2,500 |
| 費　　用 | 1,000 | 0 | 0 | 0 | 0 | 1,000 |
| 利　　益 | △500 | 500 | 500 | 500 | 500 | 1,500 |


　このように，第1期は収益が500万円，費用が1,000万円となって，500万円の赤字になってしまいますが，第2期からは費用は0になり，利益が収益と同額の500万円計上され，5年間の合計で1,500万円の利益が計上されます。

　もしこの会社が上場しているとして，この会社の第1期目の損益計算書を見て，この会社の株式を購入してみたいと思う人はいるでしょうか？　はっきりいってこの損益計算書では売上高と同額の赤字が計上されていますから，それでも株式を買うという人はお人好しです。しかし，この会社は本当にダメ会社かといえば，違います。5年間の合計で見ると，収益合計2,500万円に対して，利益が1,500万円も計上されていて，売上高利益率が

なんと60％という超優良企業です。

　第1期目の損益計算書を見るとダメ会社で，合計で見ると超優良企業になるのは，何が問題かということは小学生でもわかります。つまり，収益は5年にわたって計上されているのに，費用を1年目のみに一括して計上しているからこのような結果になったのです。「収益が5年にわたって計上されているのであれば，費用だって5年にわたって計上すればよいではないか」と誰でも思いますよね？　その方が正しい利益が計上されるはずです。

　それでは，費用を5年に分けて計上したときの損益計算書を作成してみましょう。5年に分ける方法は後述するようにいろいろあるのですが，一番単純な均等に割る方法で計算してみましょう。

【図表7-3】　減価償却の意義②

（単位：万円）

| 科　目 | 第1期 | 第2期 | 第3期 | 第4期 | 第5期 | 合　計 |
|---|---|---|---|---|---|---|
| 収　益 | 500 | 500 | 500 | 500 | 500 | 2,500 |
| 費　用 | 200 | 200 | 200 | 200 | 200 | 1,000 |
| 利　益 | 300 | 300 | 300 | 300 | 300 | 1,500 |

　このように計算すれば，第1期目からきちんと利益が計上されていることがわかります。

　いま，何をやったかといえば，トラックの取得原価1,000万円をその使用可能期間5年にわたって，各期の費用として配分し，その結果各期の利益が適正になったのです。この費用配分手続を減価償却といいます。

## （2）　減価償却の方法

　前述したように，減価償却の方法は1種類ではありません。定額法，定率法，生産高比例法，級数法などさまざまな方法があるのですが，一般的に用いられているのは，定額法と定率法です。

　**定額法**は，先ほどの事例で用いたように，取得原価をその使用可能期間（これを**耐用年数**といいます）で割って，毎期の減価償却費が同額になる方法をいいます。正確にいえば，固定資産はその耐用年数が過ぎたからといって価値がまったく0になるわけではなく，いくらかの**残存価額**が残ります。したがって，取得原価から残存価額を差し引いた金額を耐用年数で割って減価償却費を計算する方法が定額法です。

定額法

$$減価償却費＝\frac{取得原価－残存価額}{耐用年数}$$

また，定率法は，未償却残高（＝取得原価－減価償却累計額）に償却率をかけて減価償却費を計算する方法で，未償却残高は徐々に減少しますから，減価償却費も時の経過によって減少します。

> 定率法
> 　減価償却費＝未償却残高×償却率
> 　未償却残高＝取得原価－減価償却累計額

いずれの減価償却費も月割り計算によって算定し，月未満の端数は切り上げます。したがって，3月決算の企業が3月31日に固定資産を取得した場合は，年間の減価償却費×1/12を計上することになります。

なお，上記の耐用年数，残存価額などは誰がどうやって決定するかといえば，理論的には企業が自ら見積もるべきです。しかし，実務的には税法（法人税法または所得税法）の規定に従うことになります。耐用年数は税法で定めている「法定耐用年数表」を見て決定します。

### ① 旧定額法と定額法

税法上は，平成19年3月31日までに取得した資産に対して旧定額法が，平成19年4月1日以後に取得した資産に対しては定額法が適用されます。

旧定額法は，上記の定額法による減価償却費の計算において，残存価額を「取得原価×10%」とし，定額法は残存価額を0とする方法です。

取得原価1,000,000円，耐用年数5年の固定資産の減価償却費を比較すると，次のようになります。

（単位：円）

| 償却方法 | 第1期 | 第2期 | 第3期 | 第4期 | 第5期 | 合　計 |
|---|---|---|---|---|---|---|
| 旧定額法 | 180,000 | 180,000 | 180,000 | 180,000 | 180,000 | 900,000 |
| 定　額　法 | 200,000 | 200,000 | 200,000 | 200,000 | 199,999 | 999,999 |

このように，定額法の方が旧定額法と比べて残存価額の分だけ減価償却費を多く計上できます。定額法で，第5期の減価償却費がそれまでより1円少なくなっているのは，耐用年数経過後もその資産を使用している場合，帳簿価額を1円残すためです（これを備忘価額といいます）。ただし，旧定額法の場合でも，その資産を耐用年数経過後も使用していれば，その後の年度で最終的には備忘価額1円まで償却できます。

## ② 旧定率法と定率法

定率法の場合も，定額法と同様に，平成19年3月31日までに取得した資産に対して**旧定率法**が，平成19年4月1日以後に取得した資産に対しては定率法が適用されます。

こちらは償却率をどのように計算するかによって方法が分かれます。

旧定率法の場合には，その償却率で償却を行うと，最終的に取得原価×10％が未償却残高として残る割合を逆算しています。

また，定率法の場合には，定額法の償却率（＝1／耐用年数）を2.0倍して計算されます。償却率は，新旧ともに「減価償却資産に関する省令」に定められていますが，たとえば耐用年数5年の場合には旧定率法＝0.369，定率法＝0.400（＝1/5×2.0）となります。

上記と同様に，取得原価1,000,000円，耐用年数5年の固定資産の減価償却費を比較すると，次のようになります。

（単位：円）

| 償却方法 | 第1期 | 第2期 | 第3期 | 第4期 | 第5期 | 合　計 |
|---|---|---|---|---|---|---|
| 旧定率法 | 369,000 | 232,839 | 146,921 | 92,708 | 58,498 | 899,966 |
| 定　率　法 | 400,000 | 240,000 | 144,000 | 108,000 | 107,999 | 999,999 |

こちらは減価償却費をどのように計算したか説明しないとわからないと思いますので，以下に示します。

| 年　度 | 旧定率法（償却率0.369） | | | 定率法（償却率0.400） | | |
|---|---|---|---|---|---|---|
| | 減価償却費 | 減価累計額 | 未償却残高 | 減価償却費 | 減価累計額 | 未償却残高 |
| 第1期 | 369,000 | 369,000 | 631,000 | 400,000 | 400,000 | 600,000 |
| 第2期 | 232,839 | 601,839 | 398,161 | 240,000 | 640,000 | 360,000 |
| 第3期 | 146,921 | 748,760 | 251,240 | 144,000 | 784,000 | 216,000 |
| 第4期 | 92,708 | 841,468 | 158,532 | 108,000 | 892,000 | 108,000 |
| 第5期 | 58,498 | 899,966 | 100,034 | 107,999 | 999,999 | 1 |
| 合計 | 899,966 | - | - | 999,999 | - | - |

旧定率法の場合は，常に未償却残高×0.369で減価償却費が計算され，最終的には取得原価の10％にあたる100,034円（34円の端数あり）が残ります。定率法の場合には，第1期から第3期までは未償却残高に0.400をかけて計算しますが，第4期と第5期は第3期末の未償却残高を2で割って108,000円ずつ（第5期は備忘価額1円を残すため107,999円）計上します。これは，税法上の「保証率」と「改定償却率」で決まるのですが，詳しい説明は省略します。なお，旧定率法の場合も，旧定額法の場合と同様に，その資産を耐用年数経過後も使用していれば，その後の年度で最終的には備忘価額1円まで償却できます。

定額法と定率法の減価償却費を比較すると【図表7-4】のようになります。

【図表7-4】 定額法と定率法

(単位：円)

| 期 | 定額法 | 定率法 | 差　額 |
|---|---|---|---|
| 第1期 | 200,000 | 400,000 | 200,000 |
| 第2期 | 200,000 | 240,000 | 40,000 |
| 第3期 | 200,000 | 144,000 | △56,000 |
| 第4期 | 200,000 | 108,000 | △92,000 |
| 第5期 | 199,999 | 107,999 | △92,000 |
| 合　計 | 999,999 | 999,999 | 0 |

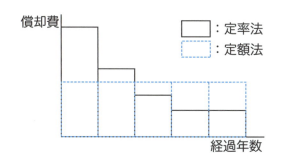

この図で理解してもらいたい点は次の2つです。
① 定額法でも定率法でも減価償却費の合計額（減価償却累計額）は同じ。
② 第1期の減価償却費は定率法が定額法の2倍もある。

### (3) 定額法と定率法はどっちが得か

　減価償却方法は，原則として，資産の種類ごと場所ごとに企業が選択することができます。ただし，建物，建物付属設備および構築物については定率法を選択することができません。減価償却資産を新たに取得した場合には，所轄の税務署に「減価償却資産の償却方法の届出書」をその資産を取得した事業年度の申告期限までに提出します。この提出がないときは，法人の場合には，建物，建物付属設備および構築物を除き定率法を選択したものとみなされます（**法定償却方法**）。個人の場合にはすべての償却資産について定額法を選択したものとみなされます。

　前述のように，定額法も定率法も最終的には減価償却累計額が同額になりますから，どちらの方法を選択しても利益に与える合計の影響額は同じです。したがって，利益に課税される税金やそれをもとに支払われる配当金に与える影響額も同一です。

　しかし，定率法の方が定額法と比べて最初の頃の計上額が大きくなるということは，最初の頃の利益が小さくなり，税金や配当金も少なくなって，企業の手取資金が大きくなります。「今年もらう100万円と5年後にもらう100万円はどちらの方の価値が高いか？」と考えればわかると思いますが，もちろん最初の頃の手取りが大きくなった方が企業に

とって有利です。

　簡単な事例で定額法と定率法の場合の企業のキャッシュ・フロー（増加資金）を比較してみましょう。

（事例）

　売　上　高：1,000,000円（すべて現金売上高）

　給料手当：　200,000円

　減価償却費：定額法200,000円，定率法400,000円　これら以外に費用はない。

　法人税等：税引前当期純利益×30％

　配　当　金：当期純利益×50％

　① 定額法の場合

| 売上高　1,000,000円 |||||
|---|---|---|---|---|
| 給料手当 200,000円 | 減価償却費 200,000円 | 税引前当期純利益　600,000円 ||
| ^ | ^ | 当期純利益　420,000円 | 法人税等　180,000円 |
| | キャッシュ・フロー 410,000円 || 配当金 210,000円 |

　収入から支出を引けば，増加した資金（キャッシュ・フロー）が計算されます。定額法の場合には，上記のようにキャッシュ・フローは410,000円となります。ポイントは減価償却費が「支出を伴わない費用（非資金費用）」である点です。

　② 定率法の場合

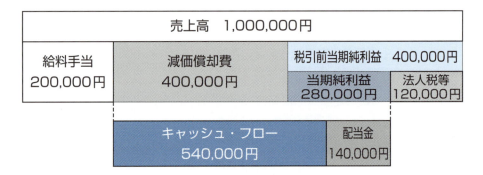

　このように，定率法の場合キャッシュ・フローは540,000円となり，定額法の場合と比べて130,000円多くなっています。これは，減価償却費の差額200,000円に対する税金（200,000円×30％＝60,000円）と配当金（200,000円×（1－30％）×50％＝70,000

円）の減少額の合計です。

　繰り返しますが，これは第1期における減価償却方法の違いによる手取金額を比較したものであり，5期間合計すれば両方法の差はなくなります。しかし，最初の段階で手取金額が大きくなる定率法の場合には，その資金を本業に注ぎ込むことによって早めにその資金を利用して利益を得ることができますから，儲かっている企業は間違いなく定率法の方を選択するはずです。

### (4)　減価償却の会計処理

　減価償却費を計上するときの会計処理方法としては，「直接法」と「間接法」があり，それぞれ次のように仕訳を行います。

| 《直接法》（借）減 価 償 却 費 ×× （貸）固 定 資 産 ×× |
| 《間接法》（借）減 価 償 却 費 ×× （貸）減価償却累計額 ×× |

　直接法は，減価償却費計上と同時にその対象となった固定資産の帳簿価額を減額する方法です。したがって，貸借対照表に表示される固定資産の金額は「未償却残高」を示すことになります。

　一方，間接法の場合には，減価償却費を計上しても固定資産の帳簿価額は減額せず，資産の控除項目としての減価償却累計額勘定に加算されます。

　一般的には財務諸表表示との関係があり，ほとんどの企業で間接法が採用されています。
（事例）

　取得原価1,000,000円のトラック（車両運搬具，耐用年数5年）を定額法で4年償却を行い，第4期の期末を迎えた（未償却残高＝1,000,000円－200,000円×4＝200,000円）。

①　直接法の場合の貸借対照表表示

貸借対照表

| 車 両 運 搬 具 | 200,000円 | |

②　間接法の場合の貸借対照表表示

貸借対照表

| 車 両 運 搬 具 | 1,000,000円 | |
| 減価償却累計額 | △ 800,000円 | 200,000円 |

または

<u>貸借対照表</u>

| 車 両 運 搬 具 | 200,000円 |
|---|---|

（注）　有形固定資産減価償却累計額　800,000円

　このように，直接法の場合には未償却残高しか示されませんが，間接法の場合には，「取得原価」「減価償却累計額」「未償却残高」がすべて示されます（注記方式の場合には帳簿残高＋減価償却累計額＝取得原価の足し算が必要）。

　たとえば，上記の企業が優良な運送会社だと仮定しましょう。銀行としては融資をさせてもらいたいのですが，優良な企業のためなかなか融資のチャンスがありません。しかし，どのような優良な運送会社であっても，資金調達が必要になる時期があります。それは設備投資のときです。トラックが古くなって買換えをしなければならなくなれば，設備資金を借りてトラックを購入するかもしれません。したがって，銀行としてはその運送会社のトラックが新しいのか古いのかを推定し，古くなっていれば，融資の営業に行きたいところです。ところが，直接法を採用している場合には，貸借対照表に未償却残高200,000円としか記載されていないので，そのトラックが新しいのか古いのかを判定することは不可能です。一方，間接法を採用している場合には，取得原価が1,000,000円で，減価償却累計額が800,000円なので，取得価額の80％も減価償却が進んでおり，トラックは相当古くなっていることが推定できます。

　このように，貸借対照表に減価償却累計額を示すことによって，固定資産の償却がどの程度進んでいるかを把握することが可能になりますので，財務諸表には必ず減価償却累計額を示さなければなりません。したがって，ほとんどの企業が間接法によって会計処理を行っています。

　なお，間接法による貸借対照表表示の方法としては，次の4つの方法からいずれかを選択することができます。ただし，上場企業は①を，それ以外は④の方法によることが一般的です（4ページ・8ページのオンデマンの表示例参照のこと）。

| ① | 建　　　　　物 | 30,000千円 | |
|---|---|---|---|
| | 減価償却累計額 | <u>9,400</u> | 20,600千円 |
| | 機 械 装 置 | 40,000 | |
| | 減価償却累計額 | <u>23,500</u> | 16,500 |

② 建　　　　物　　　30,000千円
　機　械　装　置　　　40,000
　減価償却累計額　　△32,900

③ 建　　　　物　　　20,600千円
　機　械　装　置　　　16,500

　（注）　有形固定資産減価償却累計額
　　　　　建　　　物　　　9,400千円
　　　　　機械装置　　　23,500
　　　　　合計　　　　　32,900

④ 建　　　　物　　　20,600千円
　機　械　装　置　　　16,500

　（注）　有形固定資産減価償却累計額　　32,900千円

## 3　減価償却資産に関する税務上の取扱い

　前述のように，減価償却資産に関しては税法の規定が実務的な処理方法の基準になっていますので，主なものについて説明します。

### （1）　少額の減価償却資産

　次の減価償却資産は，これを事業の用に供した時点で，その取得原価全額を損金経理（費用処理）することができます（令133）。

　① 使用可能期間が1年未満であるもの

　② 取得原価が10万円未満であるもの

　なお，現在は，青色申告法人である中小事業者等（資本金が1億円以下の会社）が，30万円未満の減価償却資産を取得する場合には，その取得原価を事業の用に供した日を含む事業年度において損金経理することができます（ただし，上限が年間300万円）。

### (2) 一括償却資産の損金算入

減価償却資産で取得原価が20万円未満であるものを事業の用に供した場合に，その全部または特定の一部を一括したもの（一括償却資産）について，次の算式により計算した損金算入限度額を損金経理することができます（令130の2）。

$$\text{損金算入限度額} = \text{一括償却資産の取得原価合計額} \times \frac{\text{当期の事業年度の月数}}{36}$$

### (3) 資本的支出と修繕費の区分

たとえば，企業の壁が壊れたので修理したとしたら，その修理にかかった費用は「修繕費」として費用処理されます。しかし，その壁の修理のついでに，従来になかった防水機能を持った壁材を用いて壁を塗り直したとしたら，その支出額は全額修繕費処理でよいでしょうか？ もし，その支出によって従来と比べて建物の価値が増えたり，耐用年数が増加したとしたら，固定資産（建物）として資産計上すべきです。

しかし，その判断はきわめて曖昧で区分しづらいため，税法ではその判断の基準を設けています（令132，法基通7-8-1～5）。

【図表7-5】 資本的支出と修繕費の区分

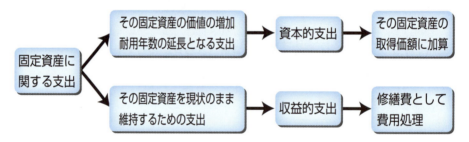

【図表7-6】 法人税法における資本的支出と修繕費の区分

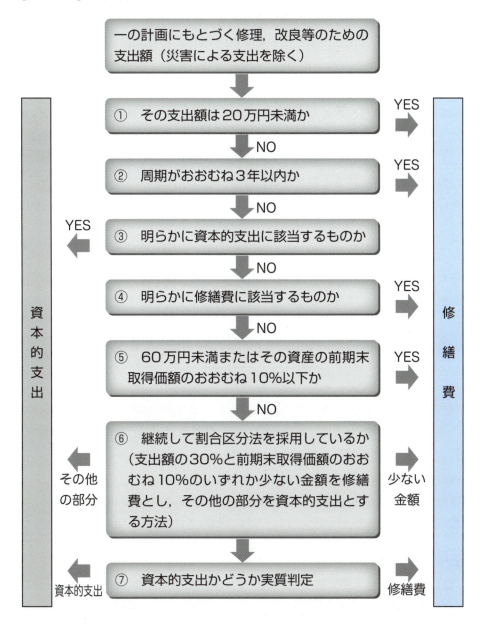

## 4 資産除去債務

### (1) 資産除去債務計上の根拠

たとえば，工場建物にアスベストが使用されている場合には，一定の要件のもと石綿障害予防規則でアスベスト建材の除去等が義務づけられています。この場合，企業が将来負担する除去等に要する費用をいつ計上するかが問題になります。適正な期間損益計算の観点から考えれば，その費用はその建物を使用している期間に配分すべきであるということ

になります。そこで，その費用を事前に見積もり，現在価値に置き直して債務に計上するとともに，同額を有形固定資産の取得原価に計上して，減価償却を通じて各期の費用に配分するという考え方が採用されました（平成20年3月，資産除去基準）。

### (2) 資産除去債務とは

資産除去基準によれば，**資産除去債務**は「有形固定資産の取得，建設，開発または通常の使用によって生じ，当該有形固定資産の除去に関して法令または契約で要求される法律上の義務およびそれに準じるもの」と定義されています。つまり，建物を解体する場合や土地を改良する場合等に法令上生じる義務にかかる費用，または，契約条件等により土壌汚染の浄化費用（その調査費用も含む）や原状回復費用等が資産除去債務として挙げられます。

したがって，前述のように建物の建材にアスベストが使用されていたり，土地がPCBで汚染されている場合の撤去処分費用や土壌汚染に関する調査対策費用等は資産除去債務として，事前に負債計上する必要があります。

### (3) 会計処理

> （事例）
> 　機械装置Aを10,000,000円で取得したが，5年後に撤去する義務を負っており，そのために必要な費用は1,000,000円と見積もられた。資産除去債務を現在価値に置き直すための割引率を5％とする。
> 　機械装置の減価償却は耐用年数5年の定額法により行う。
> 　また，実際に資産を除去した際の費用は1,100,000円であった。

① 資産取得時

（借）機 械 装 置　10,000,000円　（貸）現 金 預 金　10,000,000円
　　　機 械 装 置　　　783,526　　　　　資産除去債務　　　783,526

＊資産除去債務＝1,000,000円／$1.05^5$＝783,526円

② 第1期末

（借）減 価 償 却 費　2,000,000円　（貸）減価償却累計額　2,000,000円
　　　支 払 利 息　　　　39,176　　　　　資産除去債務　　　　39,176
　　　減 価 償 却 費　　156,705　　　　　減価償却累計額　　　156,705

＊減価償却費（本体）＝10,000,000円／5＝2,000,000円

＊支払利息＝783,526円×5％＝39,176円

＊減価償却費（資産除去債務対応分）＝783,526円／5＝156,705円

③ 資産除去時

（借）減価償却累計額　10,783,526円　（貸）機　械　装　置　10,783,526円
　　　資産除去債務　　 1,000,000　　　　　現　金　預　金　　1,100,000
　　　固定資産除却損　　 100,000

# 5　リースの取扱い

## (1)　リース取引の本質

　たとえば，ある企業がコピー機をリースで導入したとしましょう。その企業はリース会社に毎月リース料を支払い，その代わりにそのコピー機をリース期間にわたって自由に使用することができます。ただし，通常のリースの場合にはリース期間中はそのリースを解約することができないか，あるいは解約すると残存リース期間にかかるリース料を支払わなければなりません。

　従来の会計処理では，リース料を支払うつど「リース料」あるいは「支払賃借料」として費用処理することが一般的でした。したがって，銀行から資金を借りてコピー機を取得する場合には，固定資産（備品）に計上し，減価償却の対象になるにもかかわらず，リースで導入した場合には，貸借対照表の資産への計上はなく，ただ単に毎月費用が計上されるだけでした。しかし，よく考えてみれば，借入金でコピー機を取得しようが，リースで導入しようが，そのコピー機をリース期間または使用可能期間にわたって使用できるという効用は同じです。そもそもこの場合のリースは，途中解約ができないので，いわゆる「レンタル」とは異なります。見方を変えれば，企業はリース会社からコピー機を取得するための資金を借り入れ，リース料という名目でその借入金の元本と利息を支払っていると考えることができます。すなわち，リースで資産を導入した場合であっても，銀行から借入金で取得した場合と同様，リース会社からの債務（リース債務）によって固定資産を取得したと見る方が本質的です。

## (2)　リース取引の分類

　この考え方に従って，企業会計基準委員会から「リース取引に関する会計基準」が公表されました。

　ただし，リース基準によって売買取引とみなされるリース取引は，次図のファイナンス・リース取引に限られます。

【図表7-7】 リース取引の分類

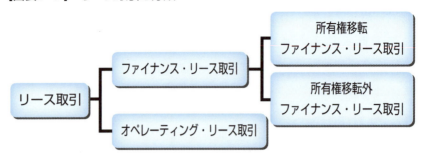

上記の分類で、まず、ファイナンス・リース取引かオペレーティング・リース取引かの判定基準は次の2つです。

① 現在価値基準

解約不能のリース期間中のリース料総額の現在価値が、そのリース物件を借手が現金で購入するものと仮定した場合の合理的見積金額（見積現金購入価額）のおおむね**90％以上**であること

② 経済的耐用年数基準

解約不能のリース期間が、そのリース物件の経済的耐用年数のおおむね**75％以上**であること

上記の①または②に該当すればファイナンス・リース取引とみなされます。オペレーティング・リース取引に該当する場合は、従来通り賃貸借取引とみなして、支払リース料を費用計上します(注)。

（注）国際会計基準（IFRS）では、少額リースまたは短期リースを除き、オペレーティング・リース取引の場合も売買処理（リース資産とリース債務の両建処理）を行います。

ファイナンス・リース取引に該当すれば、前述のように売買取引とみなして会計処理をするのですが、同じ売買処理であっても「**所有権移転ファイナンス・リース取引**」と「**所有権移転外ファイナンス・リース取引**」とで、会計処理が異なります。基本的には、どちらもリース導入時にリース債務を負債に計上し、同額を固定資産（リース資産）に計上するまでは同じなのですが、相違点は次のとおりです。

① リース債務にかかる利息を各期の費用として計上する方法

所有権移転ファイナンス・リース取引の場合には、「利息法」しか認められませんが、所有権移転外ファイナンス・リース取引の場合には、定額法などの簡便法が認められます。

② リース資産の減価償却方法

所有権移転ファイナンス・リース取引の場合には、自己所有の他の固定資産と同様の減価償却方法（経済的耐用年数による）によって償却を行いますが、所有権移転外ファイナンス・リース取引の場合には、原則として**リース期間定額法**で償却を行います。

所有権移転ファイナンス・リース取引か所有権移転外ファイナンス・リース取引かの区

分は，次の基準で行います。

次の①〜③のいずれかに該当すれば，所有権移転ファイナンス・リース取引となります。

① 所有権移転条項

　リース契約上，リース期間終了後またはリース期間の中途で，リース物件の所有権が借手に移転することとされている。

② 割安購入選択権

　リース契約上，借手に対して，リース期間終了後またはリース期間の中途で，名目的価格またはその行使時点の価額に比して著しく有利な価額で買い取る権利が与えられており，その行使が確実に予想される。

③ 特別仕様

　リース物件が借手の用途等に合わせて特別の仕様により製作または建設されたものであって，そのリース物件の返還後，貸手が第三者に再びリースまたは売却することが困難であるため，その使用可能期間を通じて借手によってのみ使用されることが明らかである。

## (3) 会計処理

```
（事例１） 所有権移転ファイナンス・リース取引の場合
　・リース期間：５年
　・借手の見積現金購入価額：4,800,000円
　・リース料月額：100,000円，リース料総額：6,000,000円
　・リース物件（機械装置）の経済的耐用年数：８年
　・借手の他の自己所有資産の減価償却方法：定額法
　・このリース取引は所有権移転ファイナンス・リース取引に該当する。
　・期首においてリース資産を導入している。
```

① リース資産導入時

　　（借）リース資産　4,800,000円　（貸）リース債務　4,800,000円

② 第１回リース料支払時（利息法による）

　　（借）リース債務　　63,383円　（貸）現金預金　　100,000円
　　　　　支払利息　　36,617円　（注）

　（注）　元本4,800,000円，元利均等返済額100,000円の場合の利息を計算（住宅ローンの場合と同様）

③ 第１期末（減価償却費の計上）

　　（借）減価償却費　600,000円　（貸）減価償却累計額　600,000円

　　＊減価償却費＝4,800,000円／８年＝600,000円

（事例２）　所有権移転外ファイナンス・リース取引の場合
- リース期間：５年
- 借手の見積現金購入価額：4,800,000円
- リース料月額：100,000円，リース料総額：6,000,000円
- リース物件（機械装置）の経済的耐用年数：８年
- 借手の他の自己所有資産の減価償却方法：定額法
- このリース取引は所有権移転外ファイナンス・リース取引に該当する。
- 期首においてリース資産を導入している。

① リース資産導入時

（借）リ ー ス 資 産　4,800,000円　（貸）リ ー ス 債 務　4,800,000円

② 第１回リース料支払時（定額法による）

（借）リ ー ス 債 務　　80,000円　（貸）現 金 預 金　100,000円
　　　支 払 利 息　　20,000円

＊リース債務減少額＝4,800,000円／60回＝80,000円

＊支払利息計上額＝（6,000,000円－4,800,000円）／60回＝20,000円

③ 第１期末（減価償却費の計上－リース期間定額法）

（借）減 価 償 却 費　　960,000円　（貸）減価償却累計額　960,000円

＊減価償却費＝4,800,000円／５年＝960,000円

### (4)　貸借対照表の表示

ファイナンス・リース取引がある場合の貸借対照表の表示は次のように行います。

① リース資産

　原則として、有形固定資産、無形固定資産の別に、一括してリース資産として表示します。ただし、有形固定資産または無形固定資産に属する各科目に含めることもできます（リース取引に関する会計基準16）。

② リース債務

　貸借対照表日１年以内に支払の期限が到来するものは流動負債に属するものとし、貸借対照表日後１年を超えて支払の期限が到来するものは固定負債に属するものとします（リース取引に関する会計基準17）。

## 6　無形固定資産

### (1)　無形固定資産の内容

無形固定資産とは，形はないが，企業の収益獲得に貢献する資産で，経済上の権利，法律上の権利などがこれに含まれます。その主要なものを挙げると次のとおりです。

① 経済上の権利…のれん

② 法律上の権利…特許権，借地権，商標権，実用新案権，鉱業権，漁業権

③ 有形物の専用権…専用側線利用権，電気ガス供給施設利用権，電話加入権

④ ソフトウェア

## (2) のれんの意義

のれんは，会計上企業を全体として評価した場合の企業価値と，その企業が保有する個別資産の合計額との差額（超過収益力）として認識されます。

たとえば，A社が次の貸借対照表で示される財政状態のB社を吸収合併することになったと仮定しましょう。説明の便宜上，貸借対照表の資産・負債の帳簿価額は時価と一致しているものとします。

B社貸借対照表

| 資 産 合 計 | 300百万円 | 負 債 合 計 | 200百万円 |
|---|---|---|---|
| | | 純 資 産 合 計 | 100百万円 |
| 合 計 | 300百万円 | 合 計 | 300百万円 |

A社がB社を吸収合併するためには，B社株主に対してA社株式を交付しなければなりません。つまり，合併とは，見方を変えれば被合併会社の株主と合併会社との間の株式交換なのです。それでは，A社はB社株主に対してA社株式をいくら分交付しなければならないのでしょうか？ これを決めるのが合併比率です。合併比率はB社株式1株に対してA社株式を何株交付するかという「交換比率」にあたります。上記の貸借対照表によればB社の純資産は100百万円ありますので，A社株式を100百万円分交付する方法が考えられます。この交付額はB社の資産を300百万円とみなして計算されました。しかし，確かにB社の個別資産は300百万円かもしれませんが，B社の有するネームバリューや販売ノウハウなど，個別資産には反映されない超過収益力を考慮して，B社全体の企業価値を350百万円と見ないとB社株主が合併に応じないかもしれません。この場合には株式交付額が150百万円になりますが，プラスアルファされた50百万円がまさにのれんにあたります。こののれんは，企業を合併・買収する際のプレミアム部分ということができます。

のれんには，このような企業買収や合併の際に計上される「買入れのれん」と，企業自身の内部的な努力によって創造される「自己創設のれん」がありますが，現在の会計原則では，自己創設のれんの資産計上は認められず，買入れのれんのみが資産性を与えられています（会計原則注解25）。

なお，買入れのれんであっても，企業価値評価額が個別資産の合計額を下回ることも考えられます。つまり，のれんがマイナスになるケースです（これを「負ののれん」といいます）。負ののれんについては，原則としてその全額を利益に計上します。

## (3)　無形固定資産の償却

　無形固定資産については，借地権や電話加入権のように償却を要しないものもありますが，多くの無形固定資産は有形固定資産と同じように，取得原価を有効期間にわたって費用配分するために償却が行われ，取得原価から償却累計額を差し引いた残額が貸借対照表に表示されます。ただし，無形固定資産の償却は，有形固定資産の場合と比べると，次の点が異なります（ＢＳ原則四（一）Ｂ）。

① 　残存価額＝0
② 　原則として定額法が適用される。
③ 　貸借対照表の表示は，取得原価から減価償却累計額を差し引いた残額を計上するだけで，減価償却累計額の注記は不要。

　なお，のれんについては，現在の会計原則に従えば，のれん価値が持続すると思われる期間（20年以内）にわたり規則的に償却し，各期の償却額は販売費及び一般管理費として計上します（連結財表原則第四・三）。ただし，この取扱いは連結財務諸表上のもので，通常の実務（個別財務諸表）においては，税法の規定に従うことになります。税法では5年間の均等償却と定められており（令48①），ほとんどの企業がこの規定に従って会計処理を行っています。

　日本が将来適用することを予定している国際会計基準（ＩＦＲＳ）では，のれんの償却は認められておらず，後述する減損会計の適用対象になります。

## (4)　ソフトウェアの会計処理

　**ソフトウェア**とは，次のものをいいます（研究開発指針6）。

① 　コンピュータに一定の仕事を行わせるためのプログラム
② 　システム仕様書，フローチャート等の関連文書

　購入したソフトウェアの取得原価については，そのソフトウェアの導入にあたって必要な設定作業および自社の使用に合わせるために行う付随的な修正作業等の費用を含めて，原則として無形固定資産に計上されます（研究開発指針14）。

　また，ソフトウェアを制作している企業におけるソフトウェア制作費については，次のように会計処理が行われます。

① 　受注制作の場合
　　請負工事の会計処理に準じた処理（工事完成基準または工事進行基準）を行う。
　　（注）　請負工事の会計処理については後述します。
② 　市場販売目的の場合（研究開発指針8）
　　製品マスターの完成までの制作費等は研究開発費として費用処理する。完成後の機能の改良・強化にかかる制作費は無形固定資産に計上する。
③ 　自社利用の場合（同11）

将来の収益の獲得または費用の削減が確実であると認められる場合に限り，無形固定資産に計上する。

　無形固定資産に計上したソフトウェアの減価償却については，次のように取り扱われます（同18〜21）。

① 　市場販売目的のソフトウェア

　　見込販売数量または見込販売収益にもとづく償却方法

② 　自社利用目的のソフトウェア

　　耐用年数5年の定額法（耐用年数を5年超とする場合には，合理的な根拠が必要）

## 7　投資その他の資産

　**投資その他の資産**は，【図表7-1】に示したように，①他の企業への資本参加を目的とする投資，②長期の利殖を目的とする投資，③その他長期性資産に分類されます。それぞれの主な科目は以下に示すとおりです。

① 　他の企業への資本参加を目的とする投資

　1)　子会社株式，関連会社株式

　2)　子会社出資金，関連会社出資金

　3)　子会社長期貸付金，関連会社長期貸付金

　(注)　子会社，関連会社の定義については【図表2-3】(46ページ)を参照してください。

② 　長期の利殖を目的とする投資

　1)　満期保有目的債券

　2)　その他有価証券

　3)　長期性預金

　4)　投資不動産

③ 　その他の長期性資産

　1)　差入保証金，敷金

　2)　長期前払費用

　3)　更生債権，破産債権

　4)　保険積立金

　5)　繰延税金資産

　ここにおける「長期」とは，その資金の回収（費用への振替）が行われるまでに1年超かかるものを指します。

　繰延税金資産については，第16章「税効果会計」で説明します。

# 練習問題

【問題1】 下記の固定資産を，①有形固定資産，②無形固定資産，③投資その他の資産に分類しなさい。

---
機械装置，特許権，長期貸付金，長期前払費用，建設仮勘定，電話加入権
のれん，航空機，子会社株式，更生債権，車両運搬具，専用側線利用権
---

【問題2】 下記の固定資産について，①定額法，②定率法を適用した場合のX3年3月末日現在の帳簿価額（未償却残高）はいくらか。なお，減価償却費の計算にあたっては，円未満の金額を切り捨てること。

---
取得原価：1,500,000円，決算日：3月末日（年1回）
取 得 日：X1年4月1日，耐用年数：6年
償 却 率：定額法…0.167，定率法…0.333
---

(銀行業務検定試験財務3級試験問題より)

【問題3】 有形固定資産の資本的支出，収益的支出（修繕費）に関する記述について，誤っているものは次のうちどれか。
　(1) 有形固定資産にかかる支出により，耐用年数が延長した場合，もしくは価値が増加した場合は，資本的支出となる。
　(2) 資本的支出をした場合は，その額を貸借対照表上の純資産の部に算入する。
　(3) 資本的支出により耐用年数が延長した場合の減価償却費の計算方法には，当初の耐用年数による方法と，延長後の残存対象年数による方法とがある。
　(4) 有形固定資産にかかる支出のうち，原状回復のための支出は，収益的支出となる。
　(5) 収益的支出をした場合は，その支出は支出した期の費用として処理する。

(銀行業務検定試験財務3級試験問題より)

【問題4】 資産除去債務に関する記述について，誤っているものは次のうちどれか。
　(1) 資産除去債務とは，有形固定資産の取得や通常の使用等によって生じ，その有形固定資産の除去に関して法令や契約で要求される法律上の義務などをいう。
　(2) 有形固定資産の除去とは，売却や廃棄などにより，有形固定資産を用役提供から除

外することをいう。

(3) 資産除去債務は，原則として，有形固定資産の取得，建設，開発または通常の使用によって発生したときに負債として計上する。

(4) 資産除去債務の額は，該当する有形固定資産の取得原価と同額を貸借対照表の固定負債に計上する。

(5) 資産除去債務に対応する除去費用は，資産除去債務を負債として計上したときに，当該負債の計上額と同額を，関連する有形固定資産の帳簿価額に加える。

(銀行業務検定試験財務3級試験問題より)

【問題5】 A社（借手）は期首に，B社（貸手）から機械をリースする契約を締結した。下記のA社の資料から算出した，X2年3月期に支払ったリース債務の総額を計算しなさい。なお，千円未満を四捨五入のこと。

```
当該機械の貸手の現金購入価額        100,000千円
解約不能のリース期間               5年
リース開始日                    X1年4月1日
年間リース料                    24,000千円
リース料総額                    120,000千円
リース料支払日                   毎年3月31日
貸手の計算利子率                  年6.4%
なお，この取引は所有権移転ファイナンス・リース取引と判定されている。
```

(銀行業務検定試験財務3級試験問題より)

【問題6】 下記の資料から算出した固定資産の部の無形固定資産の額はいくらか（単位：百万円）。

```
ソフトウェア　65　　のれん　82　　ゴルフ会員権　49
特許権　18　　長期前払費用　10　　破産債権　73
```

(銀行業務検定試験財務3級試験問題より)

# 第 8 章 減損会計

―本章で学ぶこと―
1 減損会計とは
2 減損処理の基本的なしくみ
3 財務諸表の表示と注記

## 1 減損会計とは

　繰り返しになりますが，資産とは「回収可能性のあるお金の使いみち」を指します。したがって，お金を使ったものの回収可能性がなくなってしまえば，資産として貸借対照表に計上する意味がなくなります。**減損会計**は，固定資産にこの考え方をあてはめたもので，資産の収益性の低下によって投資額の回収が見込めなくなった場合，その減損分だけ固定資産の評価下げを行うものです。

　減損処理を行うためには，固定資産の回収可能価額を求めなければなりません。この回収可能価額と固定資産の帳簿価額を比較し，回収可能価額が帳簿価額を下回っていれば，その下回った金額が減損損失として特別損失に計上されます。

【図表8-1】 減損会計

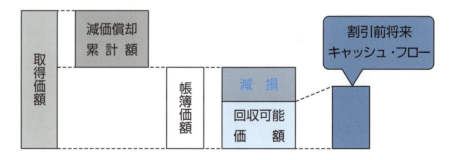

　この図における**回収可能価額**とは，次の2種類のうち金額が大きい方を指します。
① 売却による回収額である正味売却価額（資産または資産グループの時価から処分費用見込額を控除して算定される金額）
② 使用による回収額である使用価値（資産または資産グループの継続的使用と使用後の処分によって生じると見込まれる将来キャッシュ・フローの現在価値）

## 2　減損処理の基本的なしくみ

### (1) 減損処理までの流れ

さて，この「将来キャッシュ・フローの現在価値」を求めるのは大変です。貸している土地を例に挙げると，今後その貸地から得られる地代収入を推定し，さらに将来売却した場合の収入も計算して，それらを適当な割引率で除して現在価値を求めなければなりません。国際会計基準（IFRS）では，減損の兆候が見られる資産または資産グループについては，すべてこの将来キャッシュ・フローの現在価値を求め，回収可能価額を算定して，帳簿価額と比較しなければならないのですが，現在の日本基準（減損会計基準）においては，その手数を考慮して，まず，割引前の将来キャッシュ・フローと売却収入の合計額を求め，帳簿価額と比較して帳簿価額よりも下回っていたら，それらについてのみ回収可能価額を算定して減損損失を求める方式を採用しています。

【図表8-2】　減損処理までの流れ

資産グループに減損の兆候が見られる(注)

帳簿価額＞資産グループの割引前将来キャッシュ・フローの総額

「帳簿価額－回収可能価額」を減損損失として処理

減損損失をその資産グループに属する各資産に配分し，各資産の帳簿価額を減額する

(注)　資産グループ＝キャッシュを生み出す最小の単位でグルーピングします。

### (2) 減損の兆候

減損会計では，上記のように，まず減損損失を認識するかどうかの判定を行う必要があります。その判定は対象資産のすべてについて行うのではなく，資産または資産グループに減損が生じている可能性を示す事象（**減損の兆候**）がある場合に，その資産または資産グループについて判定を行います。

減損の兆候としては，たとえば次の事象が考えられます。

① その資産または資産グループが使用されている営業活動から生じる損益またはキャッシュ・フローが継続してマイナスになっているか，あるいは継続してマイナスになる見込みであること

② その資産または資産グループが使用されている範囲または方法について，回収可能性を著しく低下させる変化が生じたか，あるいは生じる見込みであること

③ その資産または資産グループが使用されている事業に関連して，経営環境が著しく悪化したか，あるいは悪化する見込みであること

④ その資産または資産グループの市場価格が著しく低下したこと

## (3) 減損損失の認識

このようにして減損の兆候がある資産または資産グループが判明した場合，次にその資産または資産グループについて減損損失を認識するかどうかの判定が行われます。この判定は，資産または資産グループから得られる「割引前将来キャッシュ・フローの総額」と帳簿価額を比較することによって行い，前者が後者を下回る場合に減損損失を認識します。なお，割引前将来キャッシュ・フローの総額を見積もる期間は，資産の経済的残存使用年数または資産グループ中の主要な資産の経済的残存使用年数と20年のいずれか短い方となります。

## (4) 減損損失の測定

減損損失を認識すべきであると判定された資産または資産グループについては，帳簿価額を回収可能価額まで減額し，その減少額を減損損失として当期の損失（特別損失）とします。

---

（事例）

次の場合の減損損失を求め，その会計処理を示しなさい。

① 機械装置の帳簿価額：31,000千円

② 今後3年間のキャッシュ・インフロー（年額）：10,000千円（年末に入金）

③ 使用後の処分収入：0

④ 減損の兆候：あり

⑤ 割引率：5.0%

（注） この資産は，現時点で売却するよりも使用し続けた方が有利と仮定する。

---

① 割引前将来キャッシュ・フローの総額

10,000千円×3＋処分収入0＝30,000千円＜帳簿価額31,000千円

→ 減損処理が必要。

② 将来キャッシュ・フローの現在価値

1年目：10,000千円／1.05　＝　9,524千円

2年目：10,000千円／1.05$^2$　＝　9,070千円

3年目：10,000千円／1.05$^3$　＝　8,638千円

　　　　　　　　合計　　27,232千円

③ 減損損失金額

31,000千円－27,232千円＝3,768千円

④ 会計処理

（借）減損損失（特別損失）3,768千円　（貸）機 械 装 置 3,768千円

### (5)　減損処理後の会計処理

① 減価償却の取扱い

　減損処理を行った資産については，減損損失を控除した帳簿価額にもとづいて減価償却を行います。

② 減損損失の戻入れ

　減損処理を行った資産の回収可能価額が増額された場合であっても，減損損失の戻入れは行いません。ただし，ＩＦＲＳでは戻入れが行われます。

## 3　財務諸表の表示と注記

### (1)　貸借対照表の表示

　減損処理を行った場合の貸借対照表の表示は，減損処理前の帳簿価額から減損損失を直接控除する「直接控除形式」によることが原則です。ただし，減損損失累計額を固定資産の取得原価から間接控除する「独立間接控除形式」や減損損失累計額を減価償却累計額に合算して取得原価から間接控除する「合算間接控除形式」も認められています。

```
（事例）
① 機械装置取得原価：10,000千円
② 減価償却累計額：3,000千円
③ 減損損失計上額：2,000千円（今までの減損損失計上額はない）
```

① 直接控除形式

貸借対照表

| 機 械 装 置 | 5,000千円 | |
|---|---|---|

② 独立間接控除形式

貸借対照表

| 機 械 装 置 | 10,000千円 | |
|---|---|---|
| 減価償却累計額 | △3,000千円 | |
| 減損損失累計額 | △2,000千円 | 5,000千円 |

③ 合算間接控除形式

貸借対照表

| 機 械 装 置 | 10,000千円 | |
|---|---|---|
| 減価償却累計額 | △5,000千円 | 5,000千円 |

## (2) 損益計算書の表示

前述のとおり，減損損失は原則として特別損失表示となります。

## (3) 注 記

重要な減損損失を計上した場合には，次の項目を注記する必要があります。

① 減損損失を認識した資産
② 減損損失の認識に至った経緯
③ 減損損失の金額
④ 資産のグルーピングの方法
⑤ 回収可能価額の算定方法　等

# 練習問題

【問題1】 「固定資産の減損に係る会計基準」に関する下記の文章の空欄に適当な語句を入れなさい。

減損会計の対象となる資産について，減損の兆候があると認められる場合（ イ ）が（ ロ ）よりも低いときは，減損損失を認識する。
減損損失の額は（ ロ ）と（ ハ ）の差額として計算する。

（銀行業務検定試験財務3級試験問題より）

【問題2】 減損会計に関する次の記述のうち，正しいものは次のうちどれか。

(1) 資産の市場価格の低下により帳簿価額が過大となった場合には，減損損失を認識しなければならない。

(2) 帳簿価額が正味売却価額を上回った場合には，常に減損損失を認識しなければならない。

(3) 減損処理を行った資産の減価償却は，減損損失控除後の帳簿価額にもとづいて行う。その収益性が回復したときでも，減損損失の戻入れは行わない。

(4) 減損損失を認識すべきかどうかの判定は，減損の兆候の有無にかかわらず，すべての固定資産について，その貸借対照表日における状況を検討して行われる。

# 第9章 繰延資産

―本章で学ぶこと―
1 繰延資産の意義
2 会社法上の繰延資産
3 法人税法上の繰延資産

## 1 繰延資産の意義

　繰延資産とは，すでに代価を支払い，または支払義務が確定し，これに対する役務の提供を受けたにもかかわらず，その効果が将来にわたって発現する費用を指します（会計原則注解15）。たとえば，会社を設立するときに，登録免許税，司法書士手数料，株券印刷代，社印・消耗品制作費用等さまざまな経費がかかります。これらを一般的には「創立費」といいますが，ある会社を設立するときに創立費が500万円かかったと仮定しましょう。この会社は設立後5年間で閉鎖する予定です（そのような会社はあまりないと思いますが，説明の都合上このように仮定します）。それでは，この創立費はいつの費用にしたらよいでしょうか？　減価償却のところで説明したように，創立費をかけたおかげで5年にわたって収益を計上できる会社が設立されたのにもかかわらず，支出時に費用として一時に処理してしまえば，収益と費用が期間対応しなくなります。

　したがって，適正な期間損益計算の立場からは，減価償却資産と同様に，支出時に500万円を資産として計上し，その支出の効果が及ぶ期間（事例では5年）にわたって償却を行う必要があります。

---

（事例）
・創立費5,000,000円を期首において支出し，会社が設立された。
・その効果が及ぶ期間は5年と推定される。

---

① 支出時
　（借）創立費（繰延資産）　5,000,000円　（貸）現　金　預　金　5,000,000円
② 第1期決算時
　（借）創　立　費　償　却　1,000,000円　（貸）創　　立　　費　1,000,000円

＊創立費償却費＝5,000,000円／5年＝1,000,000円

このように，適正な期間損益計算の立場から，将来の費用として配分するために計上された資産を繰延資産と呼びます。

## 2　会社法上の繰延資産

旧商法では，旧商法施行規則において繰延資産として計上することができる項目を7種類限定列挙していました。しかし，会社法では，会社計算規則において繰延資産として計上することが適当と認められるものを繰延資産として計上するとしか記載されていません（会規74③五）。また，旧商法で定められていた繰延資産ごとの具体的な償却方法も会社法では定められていません。

このことは，会社法では具体的に繰延資産の内容と償却方法を定めることはせず，今後は会計基準を斟酌する方向になったと考えられます（会規3）。具体的には，平成18年6月に企業会計基準委員会から「繰延資産の会計処理に関する当面の取扱い」が公表されており，当面はこの取扱いによることになります。

### (1)　繰延資産の範囲と取扱い

① **株式交付費**（新株の発行または自己株式の処分にかかる費用）

原則として，支出時に費用処理（営業外費用）します。ただし，企業規模の拡大のために行う資金調達などの財務活動にかかる株式交付費については，繰延資産に計上することができ，この場合には株式交付のときから3年以内のその効果の及ぶ期間にわたって定額法により償却します。

② **社債発行費等**（社債や新株予約権の発行にかかる費用）

原則として，支出時に費用処理（営業外費用）します。ただし，繰延資産に計上することができ，この場合には社債の償還までの期間にわたり利息法により償却します。新株予約権の発行にかかる費用についても，資金調達などの財務活動に関するものについては，繰延資産に計上することができ，この場合には3年以内のその効果が及ぶ期間にわたって定額法により償却します。

③ **創立費**（会社の負担に帰すべき設立費用）

原則として，支出時に費用処理（営業外費用）します。ただし，繰延資産に計上することができ，この場合には会社の成立の時から5年以内のその効果の及ぶ期間にわたって定額法により償却します。また，一定の要件を満たせば，資本金または資本準備金から控除することができます。

④ **開業費**（会社成立後営業開始時までに支出した営業準備のための費用）

原則として，支出時に費用処理（営業外費用）します。ただし，繰延資産に計上することができ，この場合には開業の時から5年以内のその効果の及ぶ期間にわたって定額法により償却します。

⑤ **開発費**（新技術または新経営組織の採用，資源の開発，市場の開拓等のために支出した費用，生産能率の向上または生産計画の変更等により，設備の大規模な配置替えを行った場合等の費用）

原則として，支出時に費用処理（営業外費用）します。ただし，繰延資産に計上することができ，この場合には支出の時から5年以内のその効果の及ぶ期間にわたって定額法その他の合理的な方法により規則的に償却します。

## (2) 繰延資産はダメ資産

前述のように，繰延資産は適正な期間損益計算の立場から将来の費用として配分するために資産に計上するものなので，上記の取扱いにある「支出時に費用処理（営業外費用）する」ことは，会計理論的には間違った処理ともいえます。確かに，企業が取得したトラックの取得原価を「支出時に費用処理」したら間違いです。取得時に固定資産に計上し，その使用可能期間にわたって減価償却を通じて費用として配分する必要があることはいうまでもありません。

トラックの場合には，取得時に資産に計上して減価償却を行うことが原則なのに，繰延資産の場合には，なぜ支出時に費用処理することが原則なのでしょうか？　これは次の貸借対照表を比較してもらえばわかると思います。

| A社貸借対照表（単位：万円） | | B社貸借対照表（単位：万円） | |
|---|---|---|---|
| 車両運搬具　1,000 | 資　本　金　1,000 | 創　立　費　1,000 | 資　本　金　1,000 |

A社は資産として車両運搬具が，B社は創立費（繰延資産）が計上されています。そして，両社とも資本金が1,000万円です。それでは，会社を清算したときに株主に財産を分配できるのはどちらでしょうか？　A社の場合，車両運搬具の資産計上額は必ずしもその時価を示しているわけではなく，ましてや会社を清算するときには足下を見られるでしょうから，貸借対照表計上額の1,000万円で売却することはできないかもしれませんが，なにがしかの金額で車両運搬具を売却し，それを株主に分配することができます。ところが，B社の資産に計上されている創立費は，すでに支出してしまった費用であり，これを換金化することはできません。第1章で，資産は「お金の使いみち」と説明し，資産は必ずしも財産とは一致しないと申し上げました。この財産的価値のない資産にあたるのが繰延資産です。

会社法は株主ならびに債権者の利益擁護を第一の目的にしていますので，いくら会計理論的に必要だからといって，財産的価値のない資産を貸借対照表に計上することは好ましくないのです。だから，原則として「支出時に費用処理」なのですが，それでも会計理論を無視するわけにはいかないので，「どうしても繰延資産に計上したければしてもよい」という曖昧な表現になっているのです。

　ちなみに，税法上も会社法の考え方をもとに，繰延資産については，支出時に費用処理することを原則としていますが，やはり会計理論を考慮して，最終的には資産に計上した場合には随時適当に償却してもよいことになっています（令64①一）。

　もし，あなたが儲かっている企業の社長で，創立費や開発費等を繰延資産計上してもよいし，支出時に費用計上してもよいといわれたらどちらを選びますか？　儲かっている企業であれば，できるだけ節税をしたいので，可能な限り費用を多く計上したいはずです。その方が課税所得（利益）が少なくなるからです。したがって，儲かっている企業は創立費や開発費等を繰延資産には計上せず，支出時に費用処理します。もし，貸借対照表に繰延資産として創立費や開発費等が計上されている企業があれば，それらを一時の費用として処理すると赤字になる（あるいは利益が小さくなる）ため，やむをえず繰延資産に計上したと推定されます。「繰延資産はダメ資産」といわれているゆえんです。

## 3　法人税法上の繰延資産

　以上の説明は，会社法上の繰延資産（実際には「繰延資産の会計処理に関する当面の取扱い」上の繰延資産）についてでした。しかし，実は繰延資産と呼ばれているものがこれら以外に存在します。それは法人税法上の繰延資産のうち会社法上の繰延資産を除いた部分です。

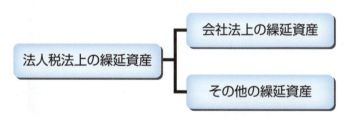

【図表9】　法人税法の繰延資産

　上記のその他の繰延資産には，次のものが該当します（令14①六）。
① 　自己が便益を受ける公共的施設または共同的施設の設置または改良のための費用（例：協会の会館建設のための負担金）
② 　資産を賃借しまたは使用するための費用（例：権利金）

③　役務の提供を受けるための費用（例：ノウハウ設定の頭金）

④　広告宣伝用資産の贈与のための費用（例：看板，ネオンサイン等の贈与費用）

⑤　その他自己が便益を受けるための費用（例：職業運動選手との契約金）

　これらについては，随時償却は認められず，資産に計上した後，法定された償却期間にわたって定額法によって償却が行われます。なお，会計上これらについては繰延資産ではなく，長期前払費用（投資その他の資産）に計上されます。

# 練習問題

【問題1】 繰延資産に関する記述について，誤っているものは次のうちどれか。
(1) 創立費は，定款作成費や設立登記の登録免許税など会社設立に要した費用をいう。
(2) 開業費は，会社成立後営業開始までに支払われた開業準備のための費用をいう。
(3) 株式交付費は，株式の交付等のため直接支出した費用をいう。
(4) 社債発行費等とは，社債を発行した際における額面金額と払込金額の差額をいう。
(5) 開発費とは，新技術などの採用，資源開発，市場の開拓等に支出した費用をいう。

(銀行業務検定試験財務3級試験問題より)


【問題2】 繰延資産の償却可能期間として，誤っているものは次のうちどれか。
(1) 社債発行費等…社債の償還までの期間
(2) 開発費…5年以内
(3) 開業費…5年以内
(4) 創立費…5年以内
(5) 株式交付費…5年以内

(銀行業務検定試験財務3級試験問題より)

# 第10章 負債の内容

―本章で学ぶこと―
1　負債の分類
2　主な負債の内容（負債性引当金を除く）

## 1　負債の分類

　第1章で**負債**を「後で支払わなければならないお金の出どころ」と説明しました。具体的には，銀行からの借入金や仕入先に対する買掛金がそれにあたります。ただ，借入金や買掛金は，相手先も支払金額もその支払時期も確定している**確定債務**ですが，負債に分類されるのは確定債務だけとは限りません。たとえば，未払費用や前受収益のような経過勘定項目は法律上の債務ではありませんが，負債に分類されます。また，従業員が退職したときに退職金を支給する規程がある企業においては，従業員が退職するという条件を満たしたときに退職金を支払う債務が生じます（このような債務を**条件付債務**といいます）。この場合には，その債務を概算で見積もり，負債に計上する必要があります。これが退職給付引当金です。

【図表10-1】　負債の分類

負債 ｛ 確定債務…支払手形，買掛金，借入金，預り金，前受金，未払金，社債など
　　　 会計的負債
　　　　（債務ではないが，将来資産が減少しまたは役務を提供する必要があるもの）
　　　　｛ ①　経過負債…未払費用，前受収益
　　　　　 ②　負債性引当金…賞与引当金，退職給付引当金，修繕引当金など

　負債についても，資産と同様に「正常営業循環基準」や「1年基準」により流動負債と固定負債に分類されます。

## 2　主な負債の内容（負債性引当金を除く）

### (1)　支払手形

　約束手形を振り出した場合または為替手形を引き受けた場合には，企業は手形上の債務を負担することになり，通常はその振出額（または引受額）が**支払手形**勘定に計上されます。しかし，厳密にいえば，支払手形勘定に計上されるのは営業取引に関連して手形が振り出された場合であり，たとえば設備代金を支払うために手形を振り出した場合には「**設備代金支払手形**」，資金を借り入れるために手形を振り出した場合には「**手形借入金**」というように，営業外の目的で手形を振り出した場合には異なる勘定科目を用います。

　なお，支払手形は営業取引によって生じた負債であるため，正常営業循環基準によって流動・固定分類が行われますが，設備代金支払手形は営業外取引によって生じた負債なので，１年基準によって流動・固定分類が行われます。

### (2)　買掛金・未払金

　**買掛金**とは，仕入先との通常の取引によって生じた手形債務以外の債務をいい，**未払金**とは，企業の主たる営業活動以外の取引によって生じた手形債務以外の債務をいいます。通常，未払法人税等，未払消費税等，未払配当金のように，未払金のうちその金額が比較的大きいものについては，その内容がわかる科目で別表示されます。

　買掛金は営業上の負債なので，正常なものであれば常に流動負債に分類されますが，未払金は１年基準によって流動・固定分類が行われます。

### (3)　未払費用・前受収益

　**未払費用**とは，一定の契約に従い，継続して役務の提供を受ける場合，すでに提供されて役務に対して未だその対価の支払が終わらないものをいいます。

　**前受収益**とは，一定の契約に従い，継続して役務の提供を行う場合，未だ提供していない役務に対し支払を受けた対価をいいます。

　未払費用および前受収益は，通常，適正な期間損益計算のために，決算修正において計上される負債であり，それが支払われるかまたは収益となるまで経過的に負債として計上されるものであるため，**経過負債**ともいいます。

　経過負債はすべて流動負債に分類されます（第２章参照）。

### (4)　前受金・預り金・仮受金

　**前受金**とは，将来引き渡すべき商品や製品や提供すべきサービスの対価の前受分をいい，通常は企業の主たる営業活動によって生じたものなので，流動負債に分類されます。

　**預り金**には，営業上の保証金預り高，従業員給与に対する源泉所得税や社会保険料等の

預り高，社内預金の預り高などさまざまなものが考えられます。

　仮受金は，資金が入金になったものの，その内容や会計処理が不明である場合にとりあえず計上した負債科目です。


（事例）
　①　取引先のA商店から当座預金に300千円が振り込まれたが，その内容がわからず先方に問い合わせたものの，臨時休業のため不明であった。

　（借）当 座 預 金　300,000円　（貸）仮　　受　　金　300,000円

　②　翌日になりA商店に問い合わせたところ，昨日の入金額は売掛金の回収額であることが判明した。

　（借）仮　　受　　金　300,000円　（貸）売　　掛　　金　300,000円

なお，仮受金は本来一時的に計上される負債なので，原則として，決算時の貸借対照表に計上されることはありません。


## （5）社　債

　社債とは，企業が社債券という有価証券を発行して資金を調達することによって生じる債務をいいます。

　社債には，普通社債のほか，新株予約権付社債があります。普通社債は，額面金額（償還される金額），償還期限，利率（クーポン），発行価格などが定められ，社債を購入した者（社債権者）は，定期的に利息を受け取ることができます。また，償還時には額面金額が支払われます。普通社債の中には金融商品取引所に上場しているものもあり，そのような社債については，償還前に換金することもできます。

　新株予約権付社債は，転換社債（一定の条件によって株式に転換することができる社債）と新株引受権付社債（会社が増資を行うときに株式を引き受ける権利が付いている社債）に区分されます。

　社債の発行方法は，その発行価格により「額面発行（発行価格＝額面金額）」「割引発行（発行価格＜額面金額）」「打歩発行（発行価格＞額面金額）」に分かれますが，日本においては割引発行が一般的です。割引発行の場合には，社債発行によって入金される金額と将来償還する金額との間に差額が生じます。この差額については，従来，社債発行差金として繰延資産処理されていましたが，現在は発行時に入金額を社債として負債計上し，差額を償却原価法により，徐々に社債金額に加算して，最終的には券面額に一致するように会計処理を行います。

　また，既述のように，社債発行費は原則として支出時に費用処理されますが，繰延資産に計上することも可能です。

**【図表10-2】負債の分類**

| 摘　要 | 資　産 | 負　債 |
|---|---|---|
| 営業取引で発生 | 売　掛　金 | 買　掛　金 |
| 手形取引で発生 | 受　取　手　形 | 支　払　手　形 |
| 営業外取引で発生 | 未　収　入　金 | 未　払　金 |
| 経過勘定項目 | 未収収益，前払費用 | 前受収益，未払費用 |
| 財務取引で発生 | 貸　付　金 | 借入金，社債 |
| 売上または仕入代金に充当 | 前　渡　金 | 前　受　金 |
| 勘定や金額が未確定 | 仮　払　金 | 仮　受　金 |
| その他 | 立　替　金 | 預　り　金 |

（事例）

① 当社は4月1日に次の要領で発行した社債の全額払込みを受け，当座預金に入金した。

・社債額面総額：100,000千円

・発行価格：97円（額面100円当たり）

・利　　率：年5％

・償還期間：5年

・利　払　い：3月末と9月末の年2回

・社債発行費用：4,200千円（費用処理する）

　（借）当　座　預　金　　97,000千円　（貸）社　　　　　債　　97,000千円

　　　　社　債　発　行　費　　4,200千円　　　　当　座　預　金　　4,200千円

② 9月30日に社債利息を当座預金から支払った（源泉所得税等は0と仮定）。

　（借）社　債　利　息　　2,500千円　（貸）当　座　預　金　　2,500千円＊

　　＊　額面総額100,000千円×5％×6月／12月＝2,500千円

③ 翌年3月31日決算を迎えた。なお，償却原価法は定額法によって計算する。

　（借）社　債　利　息　　2,500千円　（貸）当　座　預　金　　2,500千円

　　　　社　債　利　息　　　600千円　　　　社　　　　　債　　　600千円＊

　　＊　（額面総額100,000千円－発行価額97,000千円）×1年／5年＝600千円

## (6)　借入金

**借入金**は，1年基準に従って流動・固定分類が行われます。したがって，返済期限が貸借対照表日の翌日から起算して1年を超えるものは「長期借入金」という科目で固定負債に表示され，1年以内のものは「短期借入金」または「1年以内返済予定長期借入金」という科目で流動負債に表示されます。

# 📖 練習問題

**【問題1】** 下記の資料から流動負債の額を算出しなさい。

(単位：百万円)

未払費用　30　　前受金　10　　買掛金　60　　受取手形　80　　仮払金　5

退職給付引当金　50　　1年以内返済予定長期借入金　100

(銀行業務検定試験財務3級試験問題より)

**【問題2】** 下記の資料から固定負債の額を算出しなさい。

(単位：百万円)

| | |
|---|---|
| 商品仕入にかかる買掛金 | 3,000 |
| (うち1年以内支払期日到来額 | 2,000) |
| 長期借入金 | 20,000 |
| (うち1年以内支払期日到来額 | 4,000) |
| 備品購入にかかる未払金 | 2,500 |
| (うち1年以内支払期日到来額 | 1,000) |
| 役員退職慰労引当金 | 5,000 |
| 社　債 | 12,000 |
| (うち1年以内償還期日到来額 | 6,000) |

(銀行業務検定試験財務3級試験問題より)

# 第11章 引当金

―本章で学ぶこと―
1 引当金の意義
2 引当金の計上基準
3 負債性引当金の会計処理
4 退職給付引当金
5 税法上の取扱い

## 1 引当金の意義

**引当金**として財務諸表によく登場するのは，第3章で採り上げた貸倒引当金や賞与引当金，退職給付引当金などです。この「引当金」とはどのような意味かといえば，「準備しているお金」です。すなわち，貸倒引当金は債権の貸倒れに備えて準備しているお金，賞与引当金はボーナスの支給に備えて準備しているお金，退職給付引当金は退職金や退職年金の支給に備えて準備しているお金，という意味になります。第3章で説明したように，準備しているお金といってもその資金をどこかの銀行に預金しているわけではありません。たとえば，貸倒引当金は貸借対照表の資産側（借方）にマイナス表示されますが，プラス表示すると，貸借対照表の負債・純資産側（貸方）に表示されます。

【図表3-3】 貸倒引当金（前出）

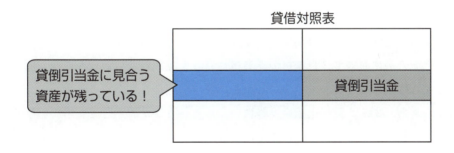

貸借対照表は資産合計額と負債・純資産合計額が必ず一致しますから，この貸方に計上された貸倒引当金に見合う資産が必ず社内に残っていることになります。それは預金になっているとは限りません。売掛金かもしれないし，土地かもしれません。しかし，債権

の貸倒れに備えてなにがしかの財産があるということは間違いありません。このように，引当金とは将来の特定の支出に備えて準備しているお金のことを指します。

貸倒引当金は，原則として資産から控除する形で示され，債権の回収可能額を評価するために用いられることから**評価性引当金**といいます。一方，賞与引当金や退職給付引当金は貸借対照表の負債の部に計上されますので，**負債性引当金**と呼ばれます。

それでは，なぜ引当金を計上しなければならないのでしょうか？　結論からいえば，適正な期間損益計算を行うためです。たとえば，賞与引当金を例に挙げて考えてみましょう。

ある企業の賞与支給規程によれば，6月上旬支給の夏季賞与の支給対象期間は毎年10月～翌年3月，12月上旬支給の冬季賞与の支給対象期間は4月～9月になっています。この企業が3月決算だとすると，3月末日の決算日現在では，夏季賞与の支給対象期間（10月～翌年3月）は経過していますが，まだその賞与は支払われていません。

【図表11-1】賞与引当金

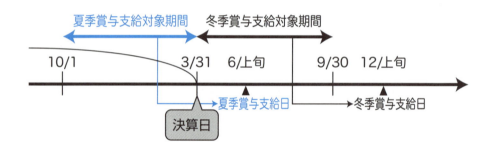

6月上旬に支払う夏季賞与を，もし支払った6月の段階で費用に計上すると，賞与を支給する原因が発生した3月までの事業年度にはまったく費用が計上されないことになってしまいます。しかし，後述する発生主義の考え方からは，企業が賞与を支給しなければならない原因が発生した時点で費用を計上すべきです。なぜならば，賞与を支給した時点で費用計上をする現金主義の場合には，適正に収益と費用を対応させることができず，その結果として適正な期間損益計算ができなくなってしまうからです。

なお，上記の例において3月末日で従業員に賞与を支払わなければならない原因が発生しているならば，それを賞与未払金に計上し，賞与引当金としなくともよいのではないかという考え方もあります。賞与未払金は誰にいくら支払うかが確定しているいわゆる確定債務です。もちろん，3月末日の段階でそのように支払義務が確定しているのであれば，未払金計上でよいのですが，一般的には，この時点で夏季賞与の個人別支給額が確定していることはまれで，賞与支給規程に従った査定や賞与支給日に在籍しているかどうかなどを確認した結果，支給日直前に個々の支給額が確定します。したがって，3月末日では賞与支給額は確定債務にはなっておらず，その金額をある程度見積もって概算で負債に計上し

なければなりません。引当金には「概算計上した未払費用」という意味もあります。つまり，賞与引当金は「適正な期間損益計算を行うために概算計上した未払賞与」ということになります。

　負債性引当金には，賞与引当金以外に，後述する退職給付引当金や製品保証引当金（製品の修理等による損失に備える引当金），工事補償引当金（完成引き渡した工事の補償に備える引当金）などがあります。

## 2　引当金の計上基準

　このように，引当金は期間損益計算を正確にするために計上されるもので，次の条件をすべて満たした場合に計上されます（会計原則注解18）。

> ①　将来の特定の費用または損失であること
> ②　その発生が当期以前の事象に起因していること
> ③　発生の可能性が高いこと
> ④　金額を合理的に見積もることができること

　先ほどの賞与引当金の例をあてはめてみれば，
①　6月上旬には夏季賞与という費用を負担する。
②　夏季賞与を支給する原因は10月～翌年3月の賞与支給対象期間において発生している。
③　賞与支給規程で賞与を支払うことが定められている。
④　賞与支給規程からその支給額を見積もることができる。
となり，適正な期間損益計算のために賞与引当金は計上しなければならないことになります。逆に，保証債務引当金は，③・④の要件を満たさない限り計上してはなりません。

## 3　負債性引当金の会計処理

　これも賞与引当金を例に挙げて会計処理を示すと，次のようになります。

> ①　当期における賞与負担額を100百万円と見積もった。
> （借）賞与引当金繰入　　100百万円　　（貸）賞　与　引　当　金　　100百万円

② 翌期になり賞与120百万円を支払った。

（借）賞 与 引 当 金　　100百万円　（貸）現 金 預 金　　120百万円
賞　　　　与　　 20百万円

①の賞与引当金繰入は，製造業の場合，工場従業員分は製造原価，その他の社員分は販売費及び一般管理費として取り扱われます。賞与引当金は，通常1年以内に支払われるので流動負債に表示されます。

②のように，費用の支払額と引当金計上額は一致するとは限りません。見積りの違いが生じることもありますし，賞与引当金の場合には，支給対象期間と決算日の関係で，引当金計上の対象になる期間が支給対象期間とずれることもあるからです。

## 4　退職給付引当金

### (1)　確定給付型年金制度と確定拠出型年金制度

退職年金制度には，大きく分けると確定給付型年金制度と確定拠出型年金制度があります。確定給付型年金制度は，一定年齢以上の退職給付金額（受取年金）が，勤続年数や給与金額を基準にあらかじめ定められている制度で，その退職給付金額に備えて掛金を積み立てていくしくみになっています。したがって，仮に年金資産の運用成績が当初の予想を下回り，年金資産の積立不足額が生じた場合には，それを企業が負担することになります。このように，確定給付型年金制度においては，年金資産の運用リスクは企業側にあり，企業が将来負担しなければならない退職給付債務が発生しますし，それがその時点における年金資産でカバーできない場合には，企業が追加負担をしなければならなくなります。

一方，確定拠出型年金制度では，一定の基準によって計算された掛金を負担すれば，その後の企業側の負担は一切なく，退職給付金額は拠出した掛金とその後の運用成績によって決定されます。すなわち，確定拠出型年金制度のもとにおいては，年金資産の運用リスクは従業員側にあります。したがって，確定拠出型年金制度を採用している企業においては，退職給付債務は発生しません。

### (2)　退職給付引当金

確定給付型年金制度を採用している企業においては，前述のように，現在積み立てている年金資産で従業員等の退職給付債務を賄えなくなる可能性があります。この不足額は，前述の引当金の計上要件を満たしていると考えられ，退職給付引当金が計上されます。

退職給付引当金は，【図表11-2】に示したように，次のステップで計算されます。

【図表11-2】 退職給付引当金

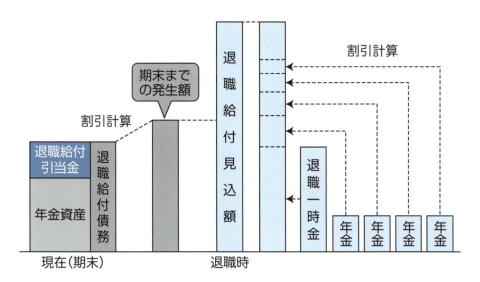

① 従業員等が退職したときの退職一時金や年金額を賄うためのファンド（退職給付見込額）を求める。
② ①の退職給付見込額のうち，当期末までの発生額を求める。
③ ②を現在価値に換算して，退職給付債務を求める。
④ ③と年金資産の差額を退職給付引当金とする（注）。

（注） 本来は，過去勤務債務，数理計算上の差異，会計基準変更時差異の調整も必要になります。

### (3) 退職給付費用

　退職給付引当金は，掛金を拠出し，年金資産が増加すれば年金資産と退職給付債務との差額は減少しますから，退職給付引当金も減少します。企業が掛金を拠出したときの会計処理は次のとおりです。

　　（借）退職給付引当金　××　　（貸）現　金　預　金　××

　一方，実際に従業員が勤務するにつれて退職給付債務は増加しますので，会計処理上は退職給付引当金を増加させます。このときの退職給付引当金繰入額にあたる金額を**退職給付費用**といいます。会計処理は次のとおりです。

　　（借）退 職 給 付 費 用　××　　（貸）退職給付引当金　××

　退職給付費用は，実際にはアクチュアリーなどの専門家によって計算されたデータにもとづいて把握しますが，その構成要素は次のようになります。

① **勤 務 費 用**…退職給付債務のうち当期に発生したと認められる額
② **利 息 費 用**…退職給付会計では退職給付債務を割引現在価値によって計算するた

め，計算の年度によってその額が変化します。その事業年度ごとに行われる割引計算の調整のために利息費用が計上されます。

利息費用＝期首退職給付債務×割引率

③ **期待運用収益**…年金資産の運用による収益の予想額。退職給付費用から減額されます。

(注) これら以外に，「過去勤務債務」「数理計算上の差異」「会計基準変更時差異」の調整が行われます。

---

この結果，次の算式が成立します。

退職給付費用 ＝ 勤務費用 ＋ 利息費用 － 期待運用収益

期末退職給付引当金残高 ＝ 期首退職給付引当金残高 ＋ 退職給付費用 － 年金掛金拠出額 － 退職一時金支給額

---

## 5 税法上の取扱い

法人税法上損金（税法上の費用のこと）の額に算入すべき金額は，それが発生し確定したときの損金として処理するのが原則です（法22③）。この原則に従えば，たとえ将来発生することが予測される費用であっても，実際に確定したときの損金として処理され，費用または損失の見越し計上は認められないことになります。したがって，今まで説明してきた引当金はその金額がまだ確定していないので，原則として法人税法上その繰入額は損金として認められません。

ただし，次の引当金については，法人税法上「別段の定め」を設けて，その繰入額の損金算入を認めています。

① 貸倒引当金（法52）

② 返品調整引当金（法53）(注)

このように，法人税法上，引当金繰入額の損金算入が認められているのはわずかであり，賞与引当金や退職給付引当金の繰入額は認められていません。

会計上費用計上したものを法人税法上損金算入できない場合には，法人税額計算上「**申告調整**」を行う必要があります。申告調整については，後述します。

(注) 返品調整引当金については，令和3年4月1日以後開始する事業年度から，「収益認識に関する会計基準」の適用に伴い廃止されます。ただし，その後10年間は経過措置によって徐々に縮小するものの存続します。

# 練習問題

**【問題1】** 引当金の要件として，誤っているものは次のうちどれか。

(1) 発生の可能性が高いこと

(2) 将来の特定の費用または損失であること

(3) 偶発事象にかかる費用または損失であること

(4) 金額を合理的に見積もることができること

(5) 将来の特定の費用または損失の発生が，当期以前の事象に起因すること

（銀行業務検定試験財務3級試験問題より）

**【問題2】** 引当金を設定することができないケースは，次のうちどれか。

(1) 企業が従業員に支払うボーナスのために設定する場合

(2) 数年後に予定されている創立100周年記念事業のために設定する場合

(3) 現在使用している建物等の大規模な修繕を，数年後に予定している場合

(4) 企業が就業規則等にもとづいて，従業員に将来の退職給付の支払を約束している場合

(5) 第三者との係争中の裁判において，損害賠償を請求される可能性が確実になってきた場合

（銀行業務検定試験財務3級試験問題より）

**【問題3】** 下記の資料から算出した退職給付費用の額はいくらか。なお，その他の要素は考慮しないものとする。

| | |
|---|---|
| 期首退職給付引当金 | 5,000千円 |
| 勤務費用 | 800千円 |
| 利息費用 | 150千円 |
| 期待運用収益 | 550千円 |
| 年金掛金の拠出額 | 4,500千円 |
| 退職一時金支払額 | 4,000千円 |

（銀行業務検定試験財務3級試験問題より）

# 第12章 純資産

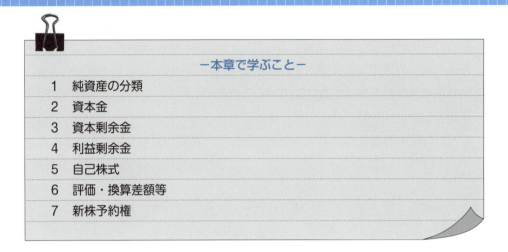

―本章で学ぶこと―
1. 純資産の分類
2. 資本金
3. 資本剰余金
4. 利益剰余金
5. 自己株式
6. 評価・換算差額等
7. 新株予約権

## 1 純資産の分類

　第1章で説明したように，純資産とは，「返済不要なお金の出どころ」です。その内訳は大きく分けると「出資者から出してもらったお金（資本金）」と「その後稼ぎ出した利益の蓄積額（利益剰余金）」に区分されるということを学びました。確かに，オンデマン

【図表12-1】　純資産の部の分類

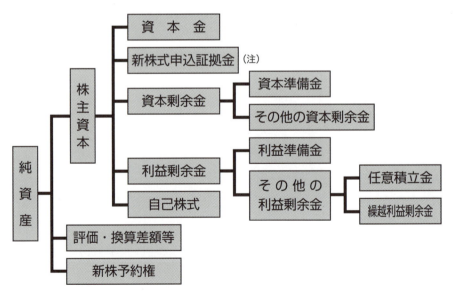

　（注）　新株式申込証拠金…新株式発行の際に申込者から払い込まれた額を一時的に処理する勘定

の貸借対照表を見ると，純資産の部はきわめて単純で，「資本金」「利益準備金」「繰越利益剰余金」の3種類しかありません。このうち，資本金が出資者から出してもらったお金で，利益準備金と繰越利益剰余金がその後稼ぎ出した利益の蓄積額にあたります。

しかし，大企業の純資産の部はこのような単純な分類ではなく，さまざまな項目に分類されます。【図表12-2】にアサヒグループホールディングス株式会社の個別貸借対照表の純資産の部を示します（2019年12月期）。なお，わかりやすくするために該当のない科目も0表示します。

【図表12-2】 アサヒグループホールディングスの純資産の部

| 区　分 | 金　額（百万円） | |
|---|---|---|
| （純資産の部） | | |
| Ⅰ　株　主　資　本 | | |
| 　1　資　本　金 | | 182,531 |
| 　2　株式申込証拠金 | | 0 |
| 　3　資　本　剰　余　金 | | |
| 　　（1）　資　本　準　備　金 | 50,292 | |
| 　　（2）　その他資本剰余金 | 101,390 | |
| 　　　　資本剰余金合計 | | 151,683 |
| 　4　利　益　剰　余　金 | | |
| 　　（1）　利　益　準　備　金 | 0 | |
| 　　（2）　その他利益剰余金 | | |
| 　　　別　途　積　立　金 | 195,000 | |
| 　　　繰越利益剰余金 | 295,449 | |
| 　　　　利益剰余金合計 | | 490,449 |
| 　5　自　己　株　式 | | △76,997 |
| 　　　株主資本合計 | | 747,666 |
| Ⅱ　評価・換算差額等 | | |
| 　　その他有価証券評価差額金 | | 4,502 |
| 　　繰延ヘッジ損益 | | 1,011 |
| 　　土地再評価差額金 | | 0 |
| 　　　評価・換算差額等合計 | | 5,513 |
| Ⅲ　新　株　予　約　権 | | 0 |
| 　　　純資産合計 | | 753,180 |

## 2 資本金

　資本金の額は，原則として，株主が会社に払込みまたは給付をした財産の額です（会445①）。ここで「給付をした」といっているのは，現物出資を指しています。ただし，後述するように，振込額等のうち2分の1を超えない額は，資本金としないことが認められており（同②），資本金とされなかった額は資本準備金とされます（同③）。

### (1)　資本金の増加（増資）

　増資の形態には，会社の純資産額の増加を伴う**実質的増資**と，会社の純資産額の増加を伴わない**形式的増資**があります。

　実質的増資には，通常の新株発行のほか，次の場合における新株発行があります。

① 　新株予約権，新株予約権付社債の権利行使
② 　吸収合併
③ 　株式交換　　など

また，形式的増資には次のケースが該当します。

① 　準備金（資本準備金，利益準備金）の資本組入（会448①・②）
② 　剰余金の資本組入（会450①・②）

### (2)　資本金の減少（減資）

　減資の形態も，**実質的減資**と**形式的減資**に区分されます。実質的減資の場合は，株主等に対して会社の財産が現金等で払い戻されますが，形式的減資の場合には，会社財産の減少はありません。

　実質的減資の場合には，いったん資本金をその他資本剰余金に振り替えたうえで，剰余金の配当または自己株式の消却を行います。

　形式的減資の場合には，次の形態があります。

① 　資本準備金への振替（会規49）
② 　その他資本剰余金への振替（会規50）
③ 　欠損てん補

## 3 資本剰余金

### (1)　資本剰余金の意義

　**資本剰余金**は，株主から払い込んでもらった資金のうち資本金としなかった部分の金額をいいます。株主から払い込んでもらった資金は，単純に資本金とすればよさそうなものですが，これを全部資本金としてしまうと，欠損てん補や剰余金の配当のときにそれを取

り崩す手続が煩雑なため，会社法は「資本金としなくともよい部分」を設けているのです。

資本剰余金は「資本準備金」と「その他資本剰余金」に分かれますが，**資本準備金**はさらに次の4種類に分類されます。

① 株式払込剰余金
② 株式交換差益
③ 株式移転差益
④ 合併差益

一方，**その他資本剰余金**は，

① 資本金および資本準備金の減少差益
② 自己株式処分差益

に分かれます。

株主から払い込んでもらった資金は，企業にとって大切な元手ですから，基本的には維持されるべきものです。しかし，会社法の施行後，これらの元手の払戻し（剰余金の配当）が認められることになりました。ただし，むやみに元手を配当するのは問題がありますので，維持すべき資本の順序を設け，資本金→資本準備金→その他資本剰余金を定めたのです。資本金は基本的には最後まで維持すべき資本，資本準備金は資本金と同様に基本的には維持すべき資本であるものの，欠損てん補などの場合には資本金より先に取り崩される資本，その他資本剰余金は配当の対象にしてもよい資本という性格付けが行われています。したがって，後述する利益剰余金でカバーできなかった欠損金を補填する場合には，まずその他資本剰余金，そして資本準備金を取り崩し，それでもダメなら資本金を取り崩します。この場合には，株主総会の決議によりいったんその他資本剰余金に振り替えてから補填が行われます。

### (2) 資本準備金

前述のように，設立または株式の発行に際して株主となる者が払込みまたは給付をした財産の額は，その全額を資本金とするのが原則ですが，その2分の1を超えない額は資本金として計上しないことができ，この資本金として計上しないこととした金額が資本準備金です。たとえば，株主から増資で1億円振り込んでもらった場合，原則はその1億円を資本金として取り扱います。しかし，前述したように，資本金は会社法上「維持すべき資本」であるため，その取崩しには厳密な手続が必要になります。いざというときのことを想定してその取崩手続が簡単な資本準備金を多めにしておいた方がよいという考えの会社が出てきて当然です。一般的には資本準備金を多めに計上する会社の方が多いようです。

資本準備金は前述のように4種類ありますが，その中で中小企業も含めてよく登場するのが払込剰余金なので，株式払込剰余金の会計処理について説明します。株式払込剰余金

とは，株式の払込金額のうち資本金とされなかった部分の金額を指します。

（事例）　会社が増資をし，株主から100,000千円の払込みがあった。

①　原則的な会計処理

（借）現　金　預　金　100,000千円　（貸）資　　本　　金　100,000千円

②　例外的な会計処理－最大金額を資本金としない場合

（借）現　金　預　金　100,000千円　（貸）資　　本　　金　　50,000千円

資　本　準　備　金　　50,000千円


## 4　利益剰余金

### (1)　利益剰余金の分類

利益剰余金は【図表12-3】のように分類されます。

　ここにおける利益準備金とは，「債権者のために留保しているいざというときの利益」で，配当の対象にはなりません。

　その他利益剰余金は，逆に原則として配当に充当してもよい利益です。しかし，通常，株主は今の利益を全額今配当してもらいたいとは思いません。やはり，将来何があるかわかりませんので，「将来の配当のために今の利益を留保しておこう」と考えるのが一般的です。この将来の配当のために株主総会の決議によって留保された利益が任意積立金です。引当金のところで説明したように，任意積立金が純資産の部に計上されれば，それに見合う資産が社内に留保され，将来配当金に充当できるというわけです。

　任意積立金は，さらに目的積立金と目的外積立金に分類されます。目的外積立金は，別途積立金とも呼ばれ，特に目的はないが将来の配当のために留保された利益です。目的積立金にはいろいろあります。たとえば「営業の神様」と呼ばれる役員がいて，この人のおかげで会社は現在相当の利益を上げていると仮定しましょう。しかし，この役員も将来は会社を退職します。退職した後はこの会社は利益を順調に計上することができなくなるかもしれませんし，この役員が退職するにあたって相当額の退職金を支給しなければならないことになります。そうなると，この役員退職後は配当が従来通りできなくなる可能性が出てきます。そこで，このような事態に備えて現在の利益を留保したものが「役員退職積立金」です。また，現在本社ビルを建築中だが，そのビルが完成した後は建築資金の支払や経費負担増加により，順調に配当ができなくなるかもしれません。このような事態に備えて積み立てられるものが「新築積立金」です。これらは一定の目的を持って積み立てられた利益なので，目的積立金と呼ばれます。

　その全額を直近の配当の対象にしてもよい利益が繰越利益剰余金です。しかし，通常はその全額が配当金に充当されることはなく，繰越利益剰余金から任意積立金への振替が行われたり，さらに次の期の繰越利益剰余金として繰り越されるのが一般的です。

【図表12-3】 利益剰余金の分類

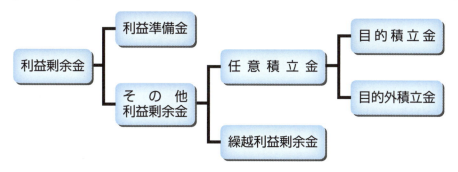

### (2) 利益準備金

　前述のように，利益剰余金は「稼ぎ出した利益の蓄積額」を指します。したがって，企業に当期純利益が計上されれば利益剰余金は増加しますし，配当金を支払えば減少します。株主にとってこの配当金は重大な関心事なので，その対象になる利益がいくらであるかという情報はきわめて重要です。利益剰余金＝配当の対象になる利益と考えれば，きわめて単純なのですが，実はそうではありません。会社に資金を投資しているのは株主だけではなく，債権者もいます。債権者は，当然ですが，会社に対して順調な元利の支払を求めます。

　たとえば，ある会社の貸借対照表が以下のようだったと仮定します。

貸借対照表

| 資　産 | 負　債 |
|---|---|
|  | 資　本　金 |
|  | 利益剰余金 |

　この会社の株主総会が開催され，株主に配当金をいくらにするか検討してもらいました。この会社の株主は全員が欲深く，「今までの利益を全部配当しろ！」という決議がなされました。会社にとって株主の声は神様の声ですから，そのとおり利益剰余金を全額配当しました。配当後の貸借対照表を描くと次のようになります。

貸借対照表

| 資　産 | 負　債 |
|---|---|
|  | 資　本　金 |

利益剰余金を配当すると，当然，貸借対照表から今まであった利益剰余金はなくなってしまいますが，それに見合う資産も社外に流出します。これが問題なのです。

　この会社が翌期順調に利益を出せば問題はないのですが，翌期は一転して大赤字になったとしましょう。資金繰りもきわめて厳しく，取引銀行に「申し訳ありませんが，貴行から借り入れた資金の返済が難しくなりました」と連絡がいくかもしれません。これを聞いた銀行の融資担当者はびっくり仰天です。「御社は今まであれほど利益の蓄積があったはずなのにどうして？」と尋ねます。これに対して会社側は「株主総会の決議に従って全部配当してしまいました」……。これでは，株主に対する配当のために債権者の利益が害される恐れが生じます。そこで，会社法では債権者の利益を守るために，利益剰余金のすべてを配当するのではなく，一定の金額を「債権者のために留保しているいざというときの利益」として社内に留保することを求めています。これが利益準備金です。利益準備金を積み立てた場合の貸借対照表を示すと次のようになります。

貸借対照表

| 資　　　　産 | 負　　債 |
| | 資　本　金 |
| 利益準備金の裏付けとなる資産 | 利益準備金 |

　このように，利益準備金が純資産の部に計上されれば，それに見合う資産が社内に留保され，そこから債権者に対する債務や利息の支払に充当できるというわけです。

　利益準備金の積立額は会社法によって定められています。

---

利益準備金の積立額（会445④，会規22）

① 配当により減少する剰余金の額×1/10　かつ
② 資本準備金の額と合わせて資本金×1/4に達するまで

---

（事例1）　配当金：30,000千円，利益準備金残高：70,000千円，資本金残高：300,000千円，資本準備金残高：0千円

　→　利益準備金積立額：30,000千円×1/10＝3,000千円

（事例2）　配当金：30,000千円，利益準備金残高：73,000千円，資本金残高：300,000千円，資本準備金残高：0千円

　→　利益準備金積立額：300,000千円×1/4－73,000千円＝2,000千円

　なお，その他資本剰余金から配当を行う場合には，上記の基準によって資本準備金を積み立てます。

## 5　自己株式

### (1)　自己株式（金庫株）取得の解禁

　**自己株式**とは，会社が自ら取得した自分の会社の株式のことを指します。2001年に商法改正が行われるまでは，自己株式の取得は原則として禁止されていました。なぜならば，自己株式の取得は資本充実の原則に反するからです。

　たとえば，資本金1,000万円で設立された会社が，直ちに払い込まれた現金1,000万円で株主から株式を買い取ったとしましょう。これが自己株式です。この直後の貸借対照表を作成すると次のようになります。

<br>

貸借対照表

| 自　己　株　式 | 1,000万円 | 資　　本　　金 | 1,000万円 |
|---|---|---|---|

<br>

　この状態は会社を設立しなかったことと同じで，資産に計上されている自己株式はまったく財産価値がなく，資本金1,000万円を裏付ける財産が0になってしまいます。資本金を裏付ける財産を確保することが資本充実の原則なので，自己株式の取得は資本充実の原則に反するというわけです。これ以外にも，株価操作や特定の株主の優遇などが起きる可能性があり，自己株式の取得は原則として禁止されていました。

　しかし，敵対的買収の防衛買い，株式持合いの解消，株主還元の一環などさまざまなメリットを考慮して，2001年の商法改正で，自己株式の取得は原則として認められることになりました。ただし，上記のように資本充実の原則を考慮して，自己株式の取得は配当可能利益の範囲内で行わなければなりません。

### (2)　自己株式取得の会計処理および貸借対照表表示

　自己株式を取得したときは，その取得原価で次の会計処理を行います。

　　（借）自　己　株　式　××　　（貸）現　金　預　金　××

　ただし，自己株式の取得は，資産の取得ではなく，純資産の払戻し（すなわち減資ならびに剰余金の分配）と考えます。したがって，仮に1株当たりの資本等の金額（資本金および資本剰余金）が500円で，自己株式の取得原価が700円だとすると，差額の200円は自己株式を売ってくれた株主に対して利益を配当したことになり（これを**みなし配当**といいます），税務上，株主が個人の場合には配当所得が，法人の場合には受取配当金が発生します。

　自己株式の取得は純資産の払戻しなので，貸借対照表上は純資産から控除する形式で表示されます（【図表12-2】参照）。

## (3) 自己株式を処分した場合の会計処理

取得した後の自己株式については，次のように取り扱うことができます。

① 保有し続ける（金庫株）

② 処分する（売却する）

③ 消却する

④ 株式交換，吸収分割，吸収合併の際の代用株式として用いる

⑤ 新株予約権行使の際の交付株式として用いる

たとえば，ストックオプションの制度がある会社では，従業員等は一定の行使価格によりその会社の株式を取得する権利があります。その際，会社に自己株式があれば，新株を発行することなくその要求に応えることができます。

また，自己株式を市場で（または特定株主に）売却することも可能です。これは自己株式の取得と逆に純資産の増加（すなわち増資）として取り扱われます。自己株式の帳簿価額と処分の対価との差額は，自己株式処分差損益として，その他資本剰余金とします。

（事例） 取得価額20,000千円の自己株式を24,000千円で処分した。

(借)現 金 預 金 24,000千円 (貸)自 己 株 式 20,000千円

自己株式処分差益 4,000千円

## (4) 相続対策としての自己株式の利用

自己株式は相続対策にも利用されます。たとえば，株式の評価額が高い会社の社長がお亡くなりになり，保有していたその会社の株式を後継者である息子が相続しました。しかし，その株式の評価額が高いため相続税も高く，息子が相続した金融資産等ではとても払えない金額だとします。

自己株式の取得が禁止されていたときは，これは大きな問題でした。事業後継者である息子は相続税を払うために，資産の処分，莫大な借入，相続税の延納などを検討しなければならず，最悪の場合には相続した株式が人手に渡り，息子が会社の支配権を手放さなければならない事態になることもありました。

ところが，自己株式の取得ができるようになったら，息子は会社に相続した株式を譲渡し，その対価で相続税を支払うことが可能になりました（【図表12-4】参照）。

【図表12-4】 自己株式を利用した相続対策

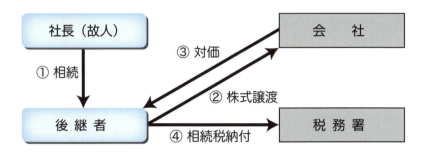

　このように，自己株式取得の解禁は，中小企業の事業承継対策にも大きな影響を与えました。

## 6　評価・換算差額等

　評価・換算差額等には，次のものが該当します。

① その他有価証券評価差額金
② 繰延ヘッジ損益
③ 土地再評価差額金
④ 為替換算調整勘定　　など

　その他有価証券評価差額金は，第5章で採り上げました。その他有価証券について時価基準を適用するため，時価が取得原価より上昇すれば，通常「有価証券評価益」として収益に計上されます。しかし，これを収益に計上すればそれだけ利益が増加し，税金や配当金の支払問題が生じます。すぐに売却する売買目的有価証券であればすぐ売却代金が入金されるので問題はないのですが，長期間保有するその他有価証券の場合には，現金収入がないのに税金や配当金を支払わなければならなくなってしまいます。そこで，その他有価証券の評価差額については，収益に計上せず，「世間から出資してもらった」とみなして純資産に計上するのでした。「世間から出資してもらった資金」は「株主から出資してもらった資金＝株主資本」とは異なりますので，評価・換算差額等という別項目に表示します。

　上記の②～④についても，基本的には，「収益には計上できないので，世間から出資してもらったとみなした金額」です。

## 7　新株予約権

　新株予約権とは，あらかじめ定められた条件に従って，株式発行会社から新株を発行または発行会社が保有する自己株式を移転してもらうことができる権利をいいます。

　たとえば，優良企業であれば将来増資を行うときに株式を引き受けたいという潜在株主は多く存在します。そのような潜在株主に対して，将来増資を行った時に優先して株式を引き受けることができる権利を事前に売り出したものが新株予約権です。純資産の部に計上される新株予約権は，この発行価額相当額です。これは，将来実際に増資を行った時にはその増資金額に充当されます。すなわち，増資時には新株予約権の発行価額と増資時の払込額の合計が新株式の発行価額になります。

　このように，新株予約権は「将来の株主資本」に充当されますが，現在は株主資本ではないので，別項目表示となっています。

# 練習問題

【問題1】 下記の資料から貸借対照表上の純資産の額を求めなさい。なお，該当する科目はすべて加算して計算すること。

```
                    （単位：百万円）
  資本金              50,000
  新株予約権            2,000
  為替差益            10,000
  繰延ヘッジ利益          6,000
  繰越利益剰余金         12,000
  その他有価証券評価差額金    4,000
  繰延税金資産           3,000
```

（銀行業務検定試験財務3級試験より）

【問題2】 純資産の部における株主資本の表示区分に関する記述について，誤っているものは次のうちどれか。

(1) 資本金は，株主から株式の対価として払い込まれた額であり，会社設立の際における株式の払込金額は，すべて資本金として計上しなければならない。

(2) 新株式申込証拠金は，新株式の発行の際に申込者から払い込まれた額を一時的に処理する勘定である。

(3) 資本剰余金は，資本取引から生じた剰余金であり，払込資本のうち資本金としなかったものをいう。

(4) 利益剰余金は，損益取引から生じた利益の留保額である。

(5) 自己株式は，保有する自社の株式のことであり，株主資本の区分の末尾に自己株式として一括して控除する形式で貸借対照表に記載する。

（銀行業務検定試験財務3級試験より）

【問題3】 純資産に関する次の記述について，正しいものはどれか。

(1) 現在の日本基準では，株主から払い込まれた資本が資本金または資本準備金以外の科目に計上表示されることはない。

(2) 資本剰余金と利益剰余金間の相互の振替は認められない。

(3) 会社計算規則では，その他利益剰余金から資本準備金に振り替える処理も認められる。

(4)　自己株式の貸借対照表表示は，流動資産とする方法と株主資本から控除する方法の2通りがあるが，その選択は会社の判断にゆだねられている。

(5)　自己株式の帳簿価額と処分の対価との差額は，自己株式処分差損益として，その他資本剰余金とする。

【問題4】　次の取引の仕訳を示しなさい。

株主総会において次の利益処分が決議された。
① 剰余金の配当　50百万円
② 配当の原資　繰越利益剰余金　80%
　　　　　　　　その他資本剰余金　20%
配当を行う直前の純資産の部の内訳は次のとおりである。
　資　本　金　　3,000百万円
　資　本　準　備　金　　600百万円
　その他資本剰余金　　20百万円
　利　益　準　備　金　　147百万円
　繰越利益剰余金　　60百万円

# 第13章 費用・収益の計上基準

―本章で学ぶこと―

1 計上基準
2 現金基準
3 発生基準
4 実現基準（販売基準）
5 費用収益対応の原則
6 実現基準（販売基準）の適用形態
7 工事進行基準

## 1 計上基準

　費用・収益の計上基準は，費用・収益をいつ認識し，その金額をいくらにするかという，「認識基準」と「測定基準」から構成されています。

　費用は必ず支出を伴い，収益は必ず収入を伴います。したがって，その測定は支出金額および収入金額で行われます。たとえば，先月の電気料金10,000円の請求書が届き，それにもとづいて10,000円を振り込んだときには，電気代（水道光熱費）という費用は，その支出額10,000円で測定されます。

　一方，認識基準とは，その期間帰属を決定する基準です。前述の電気料金10,000円について，費用を計上するのは，①電気を使用した時点，②請求書が届いた時点，③電気料金を支払った時点等が考えられます。このうちどの時点で費用計上するかを決定するのが認識基準です。

## 2 現金基準

　現金基準は，費用および収益を支出時点および収入時点で，その実際支出額および実際収入額にもとづいて計上する基準です。ただし，出資や借入などの収入，配当金の支払，借入金の返済などの取引は損益計算から除外されます。

　現金基準には次のような長所があります。
　① 計算が簡単である。
　② 損益計算に主観的判断が介入する余地がない。

③　未実現利益が計上されることがない。　（注）「実現」の意味は後述します。

しかし，現金基準には，次のような短所があるため，原則として費用・収益の計上基準としては採用されていません。

① 　現金の収支と損益の発生時点とは異なるため，損益をその発生した期間に正しく帰属させることができない。

（例）　固定資産を購入するための支出額が，全額その期の費用になってしまう。

前期の売掛金を回収した場合に，それが当期の売上として計上されてしまう。

②　支出時期や収入時期を調整することによって利益を操作することが可能。

## 3　発生基準

発生基準とは，費用および収益が発生したことが認識できた時点で，その会計期間の損益として計上する基準です。ここにおける発生とは，収益の場合には，企業に投下された資本がその価値を増加させる過程を指します。具体的な例を挙げれば，建設業においてビルを建築する場合，その工事の進捗に応じてビルの建築請負対価である売上高（建設業の場合には完成工事高といいます）は徐々に発生します。この発生時に収益を認識するのが発生基準です。

一方，費用の場合の発生とは，資本が収益を生み出すために費消され，その価値を減少させていく過程を指します。これも具体例を挙げれば，先ほどの電気料金は最終的に電力会社に支払いますので，企業にとって損か得かと考えれば損です。損をするということは企業の資本の価値は減少します。この資本の価値はいつ減少するかといえば，「電気を使った（費消した）時点」です。つまり，電気を使うに従ってその企業の資本の価値は徐々に減少するのです。このように，資本の価値の減少が発生した時に費用を認識するのが発生基準です。

発生基準に従って費用・収益を計上する場合には，その発生期間に正しく帰属させることができるので，適正な期間損益計算ができます。しかし，収益の認識基準として発生基準を採用した場合には，恣意的または主観的な見積りにもとづいて収益が計上され，その結果，未実現利益が損益計算に算入される恐れがあります。たとえば，ある製造業で売価3,000千円の製品を生産していて，期末までに60％の製作が完了したので，売上高を1,800千円（＝3,000千円×60％）計上するのが発生基準による収益計上です。この場合，発生主義による収益計上には，次の2つの問題点があります。

### ①　客観的証拠がない

受注生産の場合には売上高3,000千円は事前に決まっていますが，見込生産の場合にはこの金額で販売できるという証拠はありません。また，期末までに60％の製作が完了し

たという「進捗度」の測定には恣意が介入する余地があります。

### ② 収益を裏付ける貨幣性資産がない

通常，製品が販売されると利益が出ます。利益が出ると，企業は税金や配当金を支払う必要が生じます。発生基準によって収益を計上した場合には，まだ実際に製品を販売しておらず，現金・受取手形・売掛金などの貨幣性資産は企業に入ってきていません。つまり，発生基準によって収益を計上すると，貨幣性資産の流入よりも前に税金や配当金を支払わなければならない事態になります。このように，貨幣性資産の裏付けがない利益を**未実現利益**といいます。

一方，費用の場合には，その発生の事実を客観的かつ合理的に把握することができるので，発生基準が採用されます。費用は発生基準で認識しますが，発生費用＝期間費用となるわけではありません。後述するように，発生費用のうち費用収益対応の原則に従って収益と対応するもののみが期間費用となり，収益と未対応の費用については資産として処理されます。例を挙げれば，製造業における機械装置の減価償却費は，その使用に応じて認識します。しかし，発生した減価償却費はその全額がその期の費用になるとは限りません。その機械装置を使用して生産された製品が販売されるとその売上原価として減価償却費は期間費用になりますが，売れ残った製品や未完成の仕掛品に対応する減価償却費は資産（製品または仕掛品）に計上されます。この資産計上された減価償却費も，翌期以降それらが販売されれば売上原価に振り替わり期間費用になります。

## 4 実現基準（販売基準）

前述のように，収益について発生基準を適用するといろいろな問題点が生じます。要するに発生基準によって収益計上を行うと，客観的証拠のない段階で貨幣性資産の裏付けのない利益（未実現利益）が計上される恐れがあるというのが問題でした。

そこで，収益の計上基準として採用されたのが**実現基準**（**販売基準**）です。この基準では，財貨またはサービスを外部者に提供し，かつ，これと引換えに貨幣性資産を受け取った時点で収益を計上します。具体的には，家電販売店の売上は，①顧客に商品を引き渡し，かつ，②その代金を受領または掛売りをした時点で計上されます。掛売りをした段階で，その家電販売店は顧客に対する売掛金という貨幣性資産を入手したことになります。実現基準（販売基準）の要件をまとめると，次のようになります。

> 実現基準（販売基準）の要件
> ① 財貨またはサービスの引渡し
> ② 貨幣性資産（売上債権も含む）の受取り

　ここにおける「引渡し」が具体的にいつのことを指すかについては，いろいろな考え方があります。たとえば，工場で生産した製品を納入先に納めることを考えると，引渡しのタイミングとしては次の3つが考えられます。

① 製品が工場から出荷された時点

② 納入先に納品された時点

③ 納入先の検収を受けた時点

　これらについては，継続的に適用することを条件にどのタイミングを選択してもよいことになっています。


# 5　費用収益対応の原則

　前述のように，費用は発生基準，収益は実現基準（販売基準）で計上されますので，この段階では，両者は期間的に対応しない場合が生じます。たとえば，前述した製造業における機械装置の減価償却費は，機械装置の使用という現象が発生した時点で計上されます。

　一方，この機械装置を使って生産された製品の売上高は，実現基準（販売基準）によって計上されます。すなわち，その製品が顧客に引き渡され，かつ，その対価として貨幣性資産を受け取った時点で売上高が計上されるのです。

　仕掛品や製品在庫が生じることがなく，製造に着手した製品がすべて完成し，完成した製品がすべて販売されるのであれば，減価償却費と売上高は対応します。しかし，実際には機械装置を使って生産したが，期末の段階で未完成のもの（仕掛品）や完成したがまだ販売されていないもの（製品）が必ず発生します。これらの製造原価（生産コスト）には当然減価償却費が含まれます。一方，売上高に対応する費用は売上原価ですが，この中にも減価償却費が含まれます。しかし，売上原価に含まれている減価償却費は，その期に発生した減価償却費のすべてではなく，売れた製品に配賦された金額のみになります。つまり，仕掛品や製品に対応する減価償却費は売上原価という期間費用には含まれません。このように，費用は発生基準によって計上されるものの，そのままストレートに期間費用になるわけではなく，**費用収益対応の原則**というフィルターにかけられて，収益と対応するもののみが期間費用になるしくみになっています。

【図表13-1】 費用収益対応の原則

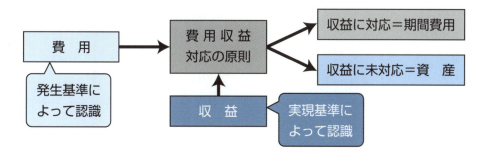

## 6　実現基準（販売基準）の適用形態

### (1)　委託販売

デパートでネクタイを買う場合に，私たちはデパートの在庫を購入したと思いがちですが，実は，デパートで取り扱っている商品の大部分は**委託販売**（**受託販売**）方式によって販売されています。すなわち，ネクタイ業者がデパートにネクタイを陳列させてもらい，そのうち顧客に販売されたネクタイについてデパートが販売手数料等を受け取るという方式です。

【図表13-2】　委託販売のしくみ

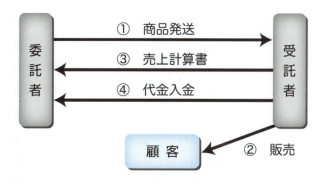

ネクタイ販売の場合にあてはめると，上図の委託者がネクタイ業者，受託者がデパートになります。それでは委託販売の場合には，①～④のどのタイミングで売上を計上すべきでしょうか？

実現基準（販売基準）の要件2つがともに満たされるのは，上図の②の時点です。すなわち，②の段階で「顧客にネクタイが引き渡され」かつ「ネクタイ業者はデパートに対して販売代金を請求できる（＝売掛金が入手された）」ことになります。ただし，③の売上計算書（仕切精算書ともいいます）が販売のつど送付される場合には，その到達日で売上

を計上することも認められます（会計原則注解６）。

### (2)　試用販売

　試用販売とは，英会話教材や健康増進器具などのように，事前に商品を送り，「使ってみて気に入ったら買ってもらう」という販売方式です。

　これについても，実現基準（販売基準）の要件を２つともに満たすタイミングで売上が計上されます。

【図表13-3】　試用販売のしくみ

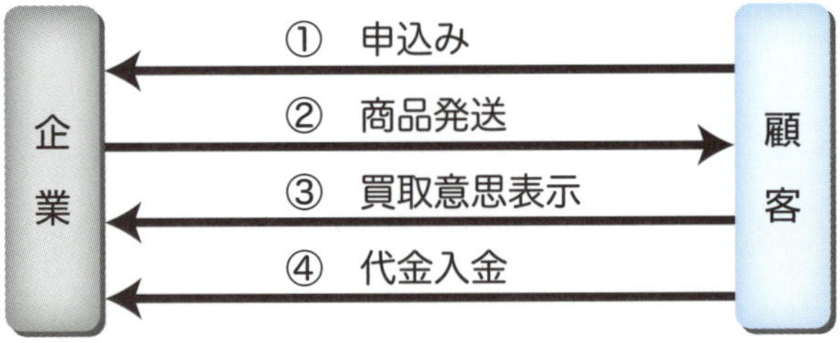

　上記のうち，③の買取意思表示が行われた時点で初めて商品の所有権が顧客に移りますし，企業はこの時点で顧客に対して代金の請求権（売掛金）が手に入ります。したがって，試用販売の売上計上は顧客の買取意思表示が行われた時点ということになります。

## 7　工事進行基準

　建設業における収益計上について検討してみましょう。建設業における収益（完成工事高）は，原則的には実現基準（販売基準）によります。すなわち，工事が完成してそれを発注者に引き渡し，その工事代金を受け取るあるいは請求する権利（完成工事未収金）を入手した時点で収益を計上します。これを，工事完成基準といいます。

　しかし，すべての建設業者のすべての工事について工事完成基準しか適用できないとすれば，完成までに長期間を要する工事を請け負った会社は，工事の進捗に応じて収益が発生しているにもかかわらず，完成するまでそれを計上できません。そうなると，利益も計上できず，株主への配当もできないことになります。これは建設業における株主対策上困った問題です。そこで考え出されたのが，工事進行基準です。工事進行基準は，工事の進捗に応じて収益を計上する方法で，たとえば，工事が30％進捗したら，請負金額の30％の完成工事高を計上する方法です。これはまさに発生基準による収益計上方法です。

　しかし，発生基準による収益計上には，次の問題点がありました。

| ① | 客観的証拠がない |
| ② | 収益を裏付ける貨幣性資産がない |

　この問題点があるために，発生基準による収益計上は認められなかったのでした。ところが，建設業の場合にはこれらの２点がクリアできます。

　まず，客観的証拠については，建設工事の場合には必ず工事を請け負う段階で建設契約を取り交わし，たとえばビルの建設代金を○○億円と決めてから工事に取りかかります。つまり，工事を始める段階でその収益の金額を裏付ける客観的証拠が存在します。

　また，通常，建設工事の場合には，その工事代金が工事終了後に全額支払われることはまれで，着手時・中間時・完了時に分割して支払われることが一般的です。つまり，工事代金が工事の進捗に応じて支払われるため，収益を裏付ける貨幣性資産もあります。

　このように考えると，建設工事の場合には発生基準で収益計上を行っても問題はありませんので，工事進行基準が認められているのです。したがって，建設業でなくとも建設業と同様な形で長期にわたって制作物の制作を受託する業種（たとえば，ソフトウェアの開発を受託したソフトウェア制作会社）でも，工事進行基準の適用は認められます。

（事例）

| ① | 受注金額 | 1,000百万円 |
| ② | 見積原価 | 800百万円 |
| ③ | 実際発生原価 | 第1期　300百万円 |
| | | 第2期　400百万円 |
| | | 第3期　100百万円 |

## (1)　工事完成基準による場合

（単位：百万円）

| 科　　目 | 第1期 | 第2期 | 第3期 | 合　　計 |
|---|---|---|---|---|
| 完成工事高 | 0 | 0 | 1,000 | 1,000 |
| 完成工事原価 | 0 | 0 | 800 | 800 |
| 工事総利益 | 0 | 0 | 200 | 200 |

## (2)　工事進行基準による場合

（単位：百万円）

| 科　　目 | 第1期 | 第2期 | 第3期 | 合　　計 |
|---|---|---|---|---|
| 完成工事高 | 375 | 500 | 125 | 1,000 |
| 完成工事原価 | 300 | 400 | 100 | 800 |
| 工事総利益 | 75 | 100 | 25 | 200 |

第1期完成工事高：1,000百万円×300百万円／800百万円（37.5％）＝375百万円

第2期完成工事高

① 第2期までの累計額：1,000百万円×（300百万円＋400百万円）／800百万円
＝875百万円

② 第2期計上額：875百万円－375百万円＝500百万円

第3期完成工事高：1,000百万円－875百万円＝125百万円

なお，工事完成基準と工事進行基準は継続適用を条件に選択適用することができますが，工事進行基準を適用する長期大規模工事の範囲を決め，それ未満の工事については工事完成基準を適用する会計処理が一般的です。

また，上記のように建設業の場合には建設業法で独特な勘定科目を用いることが決められているために，建設業の勘定科目は一般の場合と大きく異なります。建設業を営む企業はきわめて多いため，建設業における主要勘定科目を示しておきます。

【図表13-4】 建設業における勘定科目

| 一　般 | 建設業 |
|---|---|
| 売　上　高 | 完 成 工 事 高 |
| 売　上　原　価 | 完 成 工 事 原 価 |
| 売　掛　金 | 完 成 工 事 未 収 金 |
| 仕　掛　品 | 未 成 工 事 支 出 金 |
| 買　掛　金 | 工 事 未 払 金 |
| 前　受　金 | 未 成 工 事 受 入 金 |

# 8　収益認識に関する会計基準

2018年3月30日に企業会計基準委員会から「収益認識に関する会計基準」（企業会計基準第29号）および「収益認識に関する会計基準の適用指針」（同30号）が公表され，収益認識に関する包括的な会計基準が適用されることになりました。

これらの基準（以下「本基準」といいます）は，2021年4月1日以降開始する事業年度から，上場企業等に強制適用されますが，その他の中小企業等については任意適用となります。

本基準によれば，収益の認識は次のステップに従って行われます。

1　収益認識のステップ

ステップ1：顧客との契約を識別する。

ステップ2：契約における履行義務を識別する。

ステップ3：取引価格を算定する。

ステップ4：契約における履行義務に取引価格を配分する。

ステップ5：履行義務を充足した時にまたは充足するにつれて収益を認識する。

2　5つのステップの適用（取引例）

　次の取引例で，上記ステップの適用を検討します。

（取引例）

　　当期首に，企業は顧客と，標準的な商品Xの販売と3年間の保守サービスを提供する一つの契約を締結し，当期首に商品Xを顧客に引き渡し，当期首から翌期末まで保守サービスを行う。契約書に記載された対価の額は3,600千円である。

（適用結果）

ステップ1：顧客との契約を識別する。

ステップ2：契約における履行義務を識別する。

　→商品Xの販売と保守サービスの提供を履行義務として識別し，それぞれを収益認識の単位とします。

ステップ3：取引価格を算定する。

　→商品Xの販売および保守サービスの提供に関する取引価格を3,600千円と算定します。

ステップ4：契約における履行義務に取引価格を配分する。

　→商品Xおよび保守サービスの独立販売価格に基づき，取引価格3,600千円を各履行義務に配分し，商品Xの取引価格は3,000千円，保守サービスの取引価格は600千円とします。

ステップ5：履行義務を充足した時にまたは充足するにつれて収益を認識する。

　→履行義務の性質に基づき，商品Xの販売は一時点で履行義務を充足すると判断し，商品Xの引渡時に収益を認識します。また，保守サービスの提供は一定の期間にわたり履行義務を充足すると判断し，当期および翌期の3年間にわたり収益を認識します。

3　従来の収益認識基準との相違点

　本基準と従来の収益認識基準とは，たとえば次の点で取り扱いが異なります。

## （1）　収益の認識時期

①　出荷基準の取扱い

　従来の実務においては，売上高を財の出荷時点で計上する出荷基準が広く用いられてきました。しかし，本基準では，顧客に支配が移転した時点で収益を認識することになりますので，前取引例の保守サービスの提供については，出荷時点での収益計上は認められなくなります。

②　割賦販売の取扱い

　従来は，割賦販売について，割賦基準（割賦金の回収期限の到来日または入金日に収

益を計上する方法）も認められていましたが，本基準では，販売時点で収益を認識する方法のみが認められることになります。

③　工事および受注制作ソフトウェアの収益計上

従来は，工事進行基準による収益計上が認められていました。しかし，本基準において収益に計上するのは，あくまでも財またはサービスに対する支配が顧客に移転した部分に限られます。したがって，請負工事の場合に顧客の都合で工事契約がキャンセルされたとしても，すでに完了した工事に対する契約金額を請求できるのであれば，その金額を収益に計上できますが，そのような条件になっていなければ工事収益の部分計上は認められません。

## (2)　特定の状況または取引における取扱い

①　追加の財またはサービスを取得するオプションの付与（ポイント制度等）

従来は，将来にポイントとの交換に要すると見込まれる費用を引当金として計上する処理が多かったのですが，本基準では，原則としてそのポイント部分について履行義務として認識し，収益の計上が繰り延べられます。

②　返品権付の販売

従来は，原則として売上総利益相当額に基づき返品調整引当金が計上されていましたが，本基準では，予想される返品部分に関しては，販売時に収益を認識せず，前受金等の返金負債を認識します。

③　本人と代理人との区分（総額表示または純額表示）

本基準では，まず企業が認識すべき収益の額を決定するために，顧客への財またはサービスの提供における企業の役割（本人または代理人）を判断し，企業が本人に該当する場合には総額で収益を認識し，代理人に該当する場合には純額で収益を認識します。

## (3)　取引価格に基づく収益の算定

①　取引価格の算定（第三者のために回収される額）

従来，消費税等の会計処理については，税抜処理と税込処理が認められていましたが，本基準では，第三者のために回収される額（たとえば消費税等）を除いて取引価格を算定しますので，消費税等の税込方式による会計処理は認められません。

②　変動対価（売上リベート）

従来は，売上リベートについては，収益の減額または販売費として計上されていましたが，本基準では，売上リベート等，取引の対価に変動制のある金額が含まれる場合，その変動部分の金額を見積もり，認識した収益の著しい減額が発生しない可能性が高い部分に限り取引価格に含めることが求められます。

# 練習問題

【問題1】 次の費用・収益の認識と測定に関する記述のうち，正しいものはどれか。

(1) 現金基準によって収益を認識すれば，現金収入というきわめて客観的な事実にもとづいて収益が計上できるので，現金取引が中心の小売業などではその適用が認められている。

(2) 全会計期間で考えれば，発生基準による期間損益の合計額と現金収支差額の合計額は一致する。

(3) 出版会社が書籍を出版する前に予約を受け付け，予約金を受け取った場合には，貨幣性資産の受領が行われたので，この時点で収益を計上することが認められる。

(4) 工事進行基準は長期の工事請負を行う建設業についてのみ認められる基準である。

(5) 保有している資産の時価が上昇した場合に，その資産について活発な市場があり，かつ取引価額を客観的に把握できる場合には，その資産を時価で評価し，評価益を計上することも実現基準の適用上認められる。

【問題2】 下記の資料から算出した工事進行基準による第2期の収益計上額はいくらになるか。

```
                        (単位：百万円)
工事請負価額              5,800
工事原価発生予定
    第1期                 702
    第2期               1,950
    第3期               1,248
工事原価発生実績
    第1期                 780
    第2期               1,794
```

(銀行業務検定試験財務3級試験より)

# 第14章 製造原価

―本章で学ぶこと―
1　製造原価とは
2　製造原価の流れ
3　製造原価報告書
4　製造原価報告書の見方

## 1　製造原価とは

　本書の冒頭にあるオンデマンの製造原価報告書（6ページ）をご覧ください。科目欄に【材料費】【労務費】【外注加工費】【製造経費】という項目が並んでいます。これらは，オンデマンがセーターやカーディガンなどの製品を生産するためにかかった原価の内訳を示しています。当たり前ですが，セーターを生産するための原価は，材料費だけではありません。それを生産する従業員の人件費（労務費）やセーターの編立や縫製などを外注先に委託した場合の費用（外注加工費），さらには電気代，水道代，工場の減価償却費などの費用（製造経費）も製造原価を構成します。製造原価報告書はこれらの原価が1年間でいくらずつかかったかを示した表です。

　製造原価報告書をよく見ると，下の方に「期首仕掛品棚卸高」と「期末仕掛品棚卸高」が書かれています。計算上は，当期総製造費用にこれらをプラス・マイナスして当期製品製造原価（完成品の製造原価）が算出されています。ここにおける「仕掛品」とは，「まだ完成していないできかけの製品」のことです。それでは，仕掛品棚卸高を加減するとなぜ完成品の製造原価が算定されるかを考えてみましょう。

## 2　製造原価の流れ

　まず，製造業におけるモノの流れについて見てみましょう。当然ですが，製造業においては，まず材料を仕入れ，それに加工を加えて完成品（製品）を作り，それを販売するという流れになります。この流れをもう少し詳しくいえば，材料に加工を加え始めると，それができかけの製品すなわち仕掛品になり，それが完成すると製品になって販売されるということになります。

　この流れを図示すると，次のようになります。

【図表14-1】 原価の流れ

まず，数量の流れについて検討してみます。

話を簡単にするために，木彫りの人形を作っている会社のように，材料（木材）1個に対して製品（木彫りの人形）が1個できあがる関係を想定しましょう。その会社が材料を10個仕入れ，それに加工を加えて製品10個を生産し，さらにそれが外部に販売されたときの流れは次のようになります。

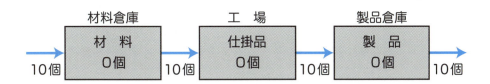

このように，仕入れた材料10個全部が工場に払い出され，完成して製品倉庫に入り，さらに販売されて外部に払い出されたので，材料倉庫・工場・製品倉庫には在庫がまったく残っていません。

ところが，通常，仕入れた材料がすべて直ちに工場に払い出されるとは限りませんし，工場で加工を始めた製品がすべて期末までに完成するとも限りません。すなわち，期末において未完成の製品（仕掛品）が残る可能性があります。さらに，完成した製品もすべてが販売されるとは限りません。

たとえば，材料を10個仕入れたが，そのうち工場に払い出されたものが9個で，さらにその9個のうち完成した製品は8個，販売された製品は7個だったと仮定しましょう。

この場合のモノの流れは次のようになります。

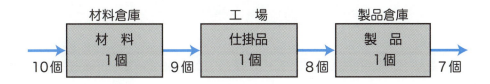

今度は，それぞれ1個ずつ在庫が残ることになります。この受払いをわかりやすく表現すると，次の受払表を描くことができます。

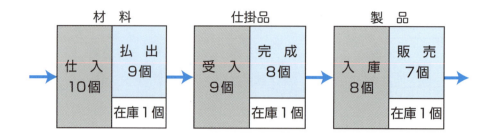

　実際には，前期から繰り越された在庫もありますので，それも考慮して受払表の例を描くと，次のようになります。

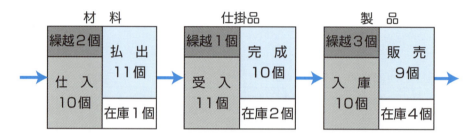

## 3　製造原価報告書

　上記の受払表はモノの数量の流れを示していますが，今度は金額の流れを示してみましょう。

　材料の金額を1個100円として，材料の受払表を描くと，次のようになります。

　この受払表は，材料が期首に200円分あったが，当期において1,000円分仕入れてきて，1,100円分工場に払い出したので，期末在庫が100円残ったことを示しています。この払出額1,100円は，この期において製品を製造するためにかかった**材料費**を示しています。当然，この材料費は製造原価に含まれます。

　ところが，製品を生産するためにかかる原価は材料費だけではありません。前述したように，これ以外に生産に携わる従業員の人件費（労務費）や製造のための経費（製造経

費）などがかかります。つまり，金額ベースで受払いを示す場合には，**労務費**や**製造経費**の発生額も考えなければなりません。たとえば，上記の材料費1,100円以外に，労務費が1,500円，製造経費が2,000円かかったと仮定しましょう（外注加工費は0と仮定します）。この材料費・労務費・製造経費の合計額を**当期総製造費用**といいます。この当期総製造費用はその分だけ仕掛品の金額を増加させますので，仕掛品の受入欄に記入します。

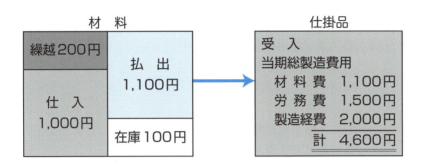

今度は仕掛品の受払表を描きます。受入金額は当期総製造費用（合計4,600円）ですが，期首と期末に仕掛品が残っていました（期首仕掛品1個，期末仕掛品2個）。仕掛品とはできかけの製品ですから，材料費以外に労務費と製造経費もかかっています。仮に期首仕掛品の金額を270円，期末仕掛品の金額を500円とすると，仕掛品について次の受払表を描くことができます。

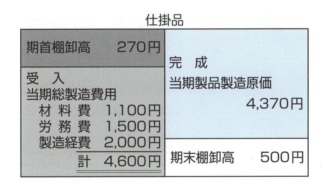

上表における**当期製品製造原価**は，当期において完成した製品の製造原価を示しており，計算式で示すと，次のようになります。

当期製品製造原価
＝当期総製造費用（材料費1,100円＋労務費1,500円＋製造経費2,000円）
　＋期首仕掛品棚卸高270円－期末仕掛品棚卸高500円
＝4,370円

この当期製品製造原価の算出過程を示しているのが製造原価報告書です。このケースの製造原価報告書を示すと次のようになります。

| 製造原価報告書 | | （単位：円） |
|---|---|---|
| I 材 料 費 | | |
| 期首材料棚卸高 | 200 | |
| 当期材料仕入高 | 1,000 | |
| 計 | 1,200 | |
| 期末材料棚卸高 | 100 | 1,100 |
| II 労 務 費 | | 1,500 |
| III 製 造 経 費 | | 2,000 |
| 当期総製造費用 | | 4,600 |
| 期首仕掛品棚卸高 | | 270 |
| 計 | | 4,870 |
| 期末仕掛品棚卸高 | | 500 |
| 当期製品製造原価 | | 4,370 |

　完成した製品は製品倉庫に入庫されます。つまり，完成した製品の原価は製品の増加額になりますので，製品の受払表を描くと次のようになります。なお，期首製品棚卸高を1,350円，期末製品棚卸高を1,760円と仮定します。

製 品

| 期首棚卸高　1,350円 | 販 売<br>売 上 原 価<br>3,960円 |
|---|---|
| 完 成<br>当期製品製造原価<br>4,370円 | |
| | 期末棚卸高　1,760円 |

　上記の売上原価は「売上げた製品の製造原価」を示しており，次の計算式によって求められます。

　売上原価

　＝期首製品棚卸高1,350円＋当期製品製造原価4,370円－期末製品棚卸高1,760円

　＝3,960円

　この計算過程は損益計算書に次のように示されます。

```
                  損益計算書            （単位：円）
 Ⅰ  売    上    高                        ×××
 Ⅱ  売  上  原  価
     期首製品棚卸高        1,350
     当期製品製造原価       4,370
        計              5,720
     期末製品棚卸高        1,760          3,960
     売  上  総  利  益                    ×××
```

　逆にいえば，製造原価報告書は損益計算書の売上原価に表示されている「当期製品製造原価」の内訳を示した表なのです。

　事例に出ているオンデマンのX4年3月期の製造原価報告書と損益計算書（売上原価）の関連を上記の受払表の形式で示すと次のようになります（単位：千円）。

```
        材    料                仕掛品                  製    品
期首  40,178              期首 111,471            期首  26,336
                         総製造用      当期製品                      売上原価
            材 料 費       材料費 164,954  製造原価   当期製品        519,742
当期材料      164,954      労務費 163,782  526,231   製造原価
仕 入 高                  外注費 101,889            526,231
156,138                  経 費  63,426
            期末 31,362   計  494,050 期末 79,291             期末 32,825
```

## 4　製造原価報告書の見方

　上記のように，製造原価報告書はその企業の製造原価の内訳が示されていますから，製造原価の中に占める材料費および**加工費**（労務費・外注加工費・製造経費の合計額を加工費といいます）の割合を求めることができます。

　オンデマンの場合には，当期総製造費用に占める材料費（材料費比率）の割合は次のように計算されます。

　材料費比率＝164,954千円／494,050千円＝33.0％

　このことから，オンデマンの製造コストに占める材料の割合は約3分の1であることがわかります。逆にいえば，製造コストの3分の2は加工費ということになります。この加工費の割合が高いほどその企業はいわゆる付加価値の高い製品を生産していることがわかります。付加価値が高いということは，生産するのに人件費や製造経費などを多くかけ，

手間がかかる製品を生産しており，それだけ高く販売することも可能になります。一方，材料費比率が高い業種の場合（たとえば，石油製品製造業やプラスチック製品製造業などは材料費比率が高い業種です）には付加価値が低く，他社との差別化が難しいと見ることもできます。

オンデマンの材料費比率33％は業界の平均値にほぼ一致しますが，セーターやカーディガンはそのデザインの良し悪しや生産の工夫によってその価値が決まり，それによって競合他社にうち勝つ可能性も高いと判断できます。

また，同じニット製品製造業の場合であっても，**外注加工費**の割合を比較することによって，どの程度外注先に頼った生産を行っているかを判断することができます。この割合が高い企業は，自社の生産能力を超える生産を行う場合にも外注先を利用すればそれが可能になりますし，逆に生産量が減少したときは外注に出す量を調整することによって柔軟に対応できます。しかし，外注加工に出す場合には当然外注先の利益を乗せた外注加工費を支払わなければならず，社内加工の場合と比べてその分社内留保利益が減少します。

さらに，材料や仕掛品の期首棚卸高と期末棚卸高を比較することによって，在庫の変動状況を把握することも可能になります。

このように，製造原価報告書は製造業の生産状況を分析するうえにおいて，有用な情報を提供しています。

# 練習問題

【問題1】 下記の資料から当期製品製造原価の額を求めなさい。

|  | （単位：百万円） |
| --- | ---: |
| 期首材料棚卸高 | 500 |
| 当期材料仕入高 | 5,200 |
| 期末材料棚卸高 | 600 |
| 期首仕掛品棚卸高 | 3,500 |
| 労務費 | 4,300 |
| 製造経費 | 6,800 |
| 期末仕掛品棚卸高 | 3,300 |
| 材料仕入戻し高 | 150 |
| 期首製品棚卸高 | 2,350 |
| 期末製品棚卸高 | 2,580 |

（銀行業務検定試験財務3級試験問題より）

【問題2】 【問題1】の資料から売上原価を求めなさい。

【問題3】 次の資料はトヨタ自動車株式会社と東レ株式会社の製造原価報告書から材料費，労務費，製造経費の割合を示したものである。どちらがトヨタ自動車のデータを示したものであるかを指摘し，その根拠を簡潔に述べなさい。

| 区　分 | Ａ　社 | Ｂ　社 |
| --- | ---: | ---: |
| 材　料　費 | 82.3% | 51.2% |
| 労　務　費 | 7.7% | 8.4% |
| 製　造　経　費 | 10.0% | 40.4% |

# 第15章 外貨換算

―本章で学ぶこと―
1　外貨建取引とは
2　取引時の円換算
3　決算時の円換算
4　決済に伴う損益の処理
5　在外支店の財務諸表項目の円換算
6　在外子会社の財務諸表項目の円換算

## 1　外貨建取引とは

　たとえば，ある日本企業が海外に商品を1,000ドルで輸出し，期末時点でその代金が売掛金として残ったと仮定しましょう。このケースでは，外貨建の売上高は1,000ドル，売掛金も1,000ドルになります。しかし，この企業は日本円で損益計算書と貸借対照表を作成しなければならないため，このドル建金額を日本円に換算する手続が必要になります。このルールを定めたものが「**外貨建取引等会計処理基準**」（以下「外貨建基準」）です。

　外貨建基準において「**外貨建取引**」とは，売買価額その他取引価額が外国通貨で表示されている取引をいいます。具体的には，次の取引が該当します。

外貨建取引の例（外貨建基準注解1）
① 取引金額が外国通貨で表示されている物品の売買または役務の授受
② 決済金額が外国通貨で表示されている資金の借入または貸付
③ 券面額が外国通貨で表示されている社債の発行
④ 外国通貨による前渡金，仮払金の支払または前受金，仮受金の受入れ
⑤ 決済金額が外国通貨で表示されているデリバティブ取引

## 2　取引時の円換算

　外貨建取引は，原則として，その取引が発生したときの為替相場による円換算額で記録します。

取引発生時の為替相場としては，次の相場を採用することになります。

① 取引が発生した日における直物為替相場

② 合理的な基礎にもとづいて算定された平均相場（例：取引の行われた前月または前週の直物為替相場を平均したもの）

③ 取引が発生した日の直近の一定の日における直物為替相場

（事例１）

A社が1,000USドルで商品を輸出した。その日の直物為替相場は120円／USドルであった。A社は取引発生日の為替相場によって換算する方法を採用している。

（借）売　　掛　　金　　120,000円　　（貸）売　　　　　上　　120,000円

## 3　決算時の円換算

決算時の円換算にあたってはその対象によって，換算レートが異なります。

### （1）　外国通貨

外国通貨については，決算時の為替相場による円換算額を付します。

### （2）　外貨建金銭債権債務（外貨預金を含む）

外貨建金銭債権債務については，決算時の為替相場による円換算額を付します。

ただし，外貨建自社発行社債のうち転換請求期間満了前の転換社債については，発行時の為替相場による円換算額を付します。

### （3）　外貨建有価証券

外貨建有価証券については，さらにその種類によって換算レートが異なります。

① 満期保有目的の外貨建有価証券

決算時の為替相場による円換算額

② 売買目的有価証券・その他有価証券

外国通貨による時価を決算時の為替相場により円換算した額

③ 子会社株式および関連会社株式

取得時の為替相場による円換算額

④ 外貨建有価証券について強制評価減が行われた場合には，外国通貨による時価または実質価額を，決算時の為替相場により円換算した額によります。

第15章　外貨換算

173

### (4) デリバティブ取引等

デリバティブ取引等上記（1）から（3）に掲げるもの以外の外貨建の金融商品の時価評価においては，外国通貨による時価を決算時の為替相場により円換算します。

（事例2）

（事例1）のA社の売掛金1,000USドルを期末の為替相場である116円／USドルにより換算替えする。

（借）為　替　差　損　　4,000円　　（貸）売　　掛　　金　　4,000円

(注)　決算時における換算によって生じた換算差額は，原則として，当期の為替差損益として処理します。ただし，有価証券の時価の著しい下落または実質価額の下落により，決算時の為替相場による換算を行ったことによって生じた換算差額は有価証券評価損として処理します。

## 4　決済に伴う損益の処理

外貨建金銭債権債務の決済（外国通貨の円転換を含む）に伴って生じた損益は，原則として，当期の為替差損益として処理します。

（事例3）

（事例2）のA社の売掛金1,000USドルが当座預金に振り込まれた。振込時の為替相場は117円／USドルであった。

（借）当　座　預　金　117,000円　　（貸）売　　掛　　金　116,000円
　　　　　　　　　　　　　　　　　　　　　為　替　差　益　　1,000円

## 5　在外支店の財務諸表項目の円換算

在外支店における外貨建取引については，原則として，本店と同様に処理します。ただし，外国通貨で表示されている在外支店の財務諸表にもとづき本支店合併財務諸表を作成する場合には，在外支店の財務諸表について次の方法によることができます。

### (1) 収益および費用の換算の特例

収益および費用の換算については，期中平均相場によることができます。

### (2) 外貨表示財務諸表項目の換算の特例

在外支店の外国通貨で表示された財務諸表項目の換算にあたり，非貨幣性項目の額に重要性がない場合には，すべての貸借対照表項目について決算時の為替相場による円換算額を付する方法を適用することができます。この場合には，損益項目についても決算時の為替相場によることができます。

### (3) 換算差額の処理

本店と異なる方法により換算することによって生じた換算差額は，当期の為替差損益として処理します。

## 6 在外子会社の財務諸表項目の円換算

連結財務諸表の作成または持分法の適用にあたり，外国にある子会社または関連会社の外国通貨で表示されている財務諸表項目の換算は，次の方法によります。

### (1) 資産および負債

決算時の為替相場による円換算額。

### (2) 純資産

① 親会社による株式取得時における純資産に属する項目
　　株式取得時の為替相場による円換算額
② 親会社による株式取得後に生じた純資産に属する項目
　　発生時の為替相場による円換算額

### (3) 収益および費用

原則として期中平均相場による円換算額。ただし，決算時の為替相場による円換算額でも可。

なお，親会社との取引による収益および費用は，親会社が換算に用いる為替相場によって換算します。この場合に生じる差額は当期の為替差損益として処理します。

### (4) 換算差額の処理

換算によって生じた換算差額については，**為替換算調整勘定**として貸借対照表の純資産の部に記載します。

# 練習問題

【問題1】 下記の資料より損益計算書に計上される為替差損益の額はいくらか。なお，取引等はすべて一会計期間内に行われているものとする。

> 外貨建売掛金　　　5,000米ドル
> 　取引日レート　　　1ドル＝125円
> 　期中平均レート　　1ドル＝116円
> 　決済日レート　　　1ドル＝108円
> 外貨建借入金　　　10,000米ドル
> 　借入日レート　　　1ドル＝120円
> 　期中平均レート　　1ドル＝112円
> 　返済日レート　　　1ドル＝111円

（銀行業務検定財務3級試験問題より）

【問題2】 次の文章のうち正しいものには○を，誤っているものには×を付し，その理由を簡潔に説明しなさい。

(1) 輸出入取引によって商社に生じる為替差損益を製造業者が負担する旨の特約がある場合には，取引価額が円で表示されていても，その製造業者にとっては外貨建取引として取り扱われる。

(2) 外国通貨で支払った前渡金は，外貨建金銭債権に該当するので決算時に決算日レートによって円換算される。

(3) 外国通貨を決済することによって生じた決済差損益と，期末における換算差損益は，前者が実現損益，後者が未実現損益なので，損益計算書上は区別して記載しなければならない。

(4) 海外の金融商品取引所に上場している子会社株式の円換算にあたっては，外国通貨による時価を決算時の為替相場により円換算した額を付する。

(5) 在外子会社の財務諸表項目を換算するにあたって生じた換算差額は，当期の為替差損益として計上される。

# 第16章 税効果会計

―本章で学ぶこと―
1 会計上の利益と課税所得の違い
2 税効果会計の目的
3 法人税等調整額とは
4 一時差異と永久差異
5 繰延税金資産と繰延税金負債

## 1 会計上の利益と課税所得の違い

### (1) 法人の所得にかかる税金

法人の課税所得には，原則として次の税金がかかります。

① 法人税
② 地方法人税
③ 法人住民税（道府県民税，市町村民税）
④ 法人事業税
⑤ 特別法人事業税

これらの税金の課税所得に対する税率（実効税率）は約30％です。

### (2) 税引前当期純利益と法人税等の関係

中小企業の損益計算書を見ると，次のように，税引前当期純利益と法人税等の割合が一定になっていないことに気づくと思います。

【図表16-1】 税引前当期純利益と法人税等の関係

(単位：百万円)

| 科　　目 | A　社 | B　社 | C　社 |
|---|---|---|---|
| 税引前当期純利益 | 100 | 100 | 100 |
| 法　人　税　等 | 40 | 60 | 20 |
| 当　期　純　利　益 | 60 | 40 | 80 |

このように税引前当期純利益と法人税等の割合がまちまちになっているのは，税引前当

期純利益が法人税等の課税対象（これを課税所得といいます）になっていないためです。

### (3) 課税所得の算定

それでは，課税所得はどのように算出されるかといえば，税引前当期純利益とはまったく関係なく算出されるのではなく，税引前当期純利益から導き出されるのです。

次の【図表16-2】をご覧ください。

【図表16-2】 税引前当期純利益と課税所得の違い

上記の「加算項目」は，損益計算書上税引前当期純利益には含まれないが，課税所得には加算されるもの，「減算項目」は，損益計算書上税引前当期純利益に含まれているが，課税所得からは減算されるものを指します。要するに，まず損益計算書を作成して税引前当期純利益を求め，その金額に加算項目を足し，減算項目を引くことによって課税所得が算出されているのです。

たとえば，税引前当期純利益が100百万円で，加算項目がやはり100百万円，減算項目は0とすると，課税所得は100百万円＋100百万円－0百万円＝200百万円となり，税率を30％とすれば法人税等は60百万円（＝200百万円×30％）となって，損益計算書の表示は【図表16-1】のB社のようになります。

### (4) 加算項目と減算項目

加算項目と減算項目は数えればきりがないのですが，その代表的な事例を挙げれば次のとおりとなります。

① 加算項目

1) 貸倒引当金繰入限度超過額

得意先が民事再生法の申請を行えば，そこに対する売掛金の回収が困難になることは明らかです。しかし，その売掛金の全額が回収不能になるとは限らず，再生計画によってはその一部が回収できます。したがって，会計処理上は，売掛金の全額を貸倒損失に計上するのではなく，その回収不能額を見積もって貸倒引当金に計上することになります。しかし，その見積額が税務上常に認められるとすれば，その売掛金の全額が回収不

能と見積もった企業と，30％程度が回収不能と見積もった企業とでは課税所得が異なり，税額も異なってしまいます。これでは公平な課税が行われないので，税務上はいろいろなケースを定めて貸倒引当金繰入限度額を設定しています。民事再生法の申請を行ったケースでは，売掛金残高の半分（50％）の繰入が認められています。

しかし，一方で，会計上は回収不能額を見積もることが必要で，その金額が必ずしも税務上の限度額に一致するとは限りません。たとえば，民事再生法を申請したA社に対する売掛金30百万円について，20百万円が回収不能と見積もった場合には，会計上は

（借）貸倒引当金繰入　20百万円　（貸）貸倒引当金　20百万円

と処理します。借方の貸倒引当金繰入額は費用なので，税引前当期純利益は当然この金額を控除した後の額となっています。

このケースでは，税務上の貸倒引当金繰入限度額15百万円（＝30百万円×50％）に対して，費用計上額が5百万円（＝20百万円－15百万円）多くなっていて，これは税務上の費用（これを**損金**といいます）として認められません（これを**損金不算入**といいます）。この限度超過額は，課税所得計算上税引前当期純利益に加算されます。

　2）　交際費

交際費とは，得意先等を飲食店やゴルフ場で接待する場合や，お中元やお歳暮を贈る場合に要する費用が該当します。お酒を飲んだからといって誰でも仕事上の便宜を図ってくれるとは限りませんが，やはり「魚心あれば水心」と考える人が多いようで，一般的に企業は交際・接待に相当の金額を使っています。この交際費は，それを使うことによってひょっとしたら得意先が次の仕事をくれるかもしれないという下心を持っていることは確かですが，会計上は「収益を上げるための犠牲」として使うので，立派な費用です。

しかし，税の考え方は違います。税は公平に課税することが最も重要なことで，お酒を飲んだりいい思いをすることは「不公平」と考え，そのような費用は税金を払ってからにしろと規定しています。この結果，交際費は原則として税務上の損金にはなりません（すなわち損金不算入として加算されます）。

（注）　ただし，中小法人（期末資本金が1億円以下の法人）では，年800万円と支出飲食費の2分の1相当額のうちいずれか大きい方まで，大法人（資本金の額等が100億円超の法人を除く）は支出飲食費の2分の1相当額まで損金に算入することができます。


② **減算項目**

　1）　受取配当金

受取配当金は，会計上営業外収益に計上されます。したがって，当然税引前当期純利益に含まれています。しかし，原則として受取配当金は課税対象にはなりません。

次図で説明します。

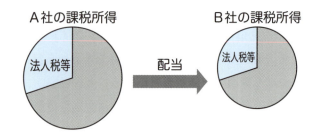

【図表16-3】 受取配当金

　上図のようにA社に課税所得が計上されると，当然法人税が課されます。配当金は税引後の利益から支払われますが，仮にその全額を株主であるB社に配当したとしますと，B社にとってはそれが受取配当金になります。仮にB社が純粋持株会社で，この受取配当金以外に収益・費用がないとすれば，B社では受取配当金＝課税所得となります。しかし，この課税所得に法人税を課税すれば，国は税金を多く取りすぎたことになってしまいます。なぜならば，国にとってA社の課税所得に対する税金はすでに受取済みであるにもかかわらず，税引後の利益を移転しただけで税金を課すのはまさに二重課税だからです。

　このため，受取配当金については税務上の収益（これを**益金**といいます）とは見ない（これを**益金不算入**といいます）ことにして，原則として税引前当期純利益から減算しているのです。

2）　貸倒引当金繰入限度超過額認容

　前述①加算項目1）の貸倒引当金繰入限度超過額として税務上加算していた売掛金が最終的に法律的にも回収不能となった場合のことを考えてみましょう。先ほどの事例では売掛金残高30百万円に対して20百万円の貸倒引当金を計上したものの，税務上の繰入限度額（15百万円）を超過していたので，5百万円を貸倒引当金繰入限度超過額として税務上加算していました。それが，翌期以降になってその全額が回収できなくなったと仮定しましょう。

　まず，回収不能が確定したときの会計処理は次のようになります。

　　（借）貸　倒　引　当　金　　20百万円　　（貸）売　　掛　　金　　30百万円
　　　　　貸　倒　損　失　　　　10百万円

　この処理は，貸倒引当金で事前に費用に計上していた額20百万円と実際に貸倒れになった30百万円との差額10百万円を貸倒損失という費用に計上していますから，会計上の費用は10百万円です。

　しかし，税務上は以前貸倒引当金繰入額20百万円のうち5百万円を損金不算入として加算していましたから，結局過去において15百万円しか費用（損金）になっていません。その状態で売掛金30百万円の全額が回収不能になったのですから，当期におい

て差引15百万円（＝30百万円－15百万円）を費用（損金）に計上できるはずです。

当期における会計上の費用は10百万円ですが，税務上は15百万円を損金計上できるので，差額の5百万円（すなわち以前の貸倒引当金繰入限度超過額）を「**損金算入**」として減算することができます。

## 2 税効果会計の目的

このように，会計上の利益（税引前当期純利益）と税務上の課税所得にはずれが生じ，その結果【図表16-1】のような税引前当期純利益と法人税等の関係が生じます。

しかし，このような事情があるからといって，税引前当期純利益と法人税等が対応していないという損益計算書の表示は妥当かどうかが次に問題になります。

具体例で説明しましょう。

（事例1）

① 税引前当期純利益　100百万円

② 貸倒引当金繰入限度超過額　40百万円

売掛金80百万円の全額を回収不能と見積もったが，税務上の繰入限度額は40百万円だった。

③ 法人税等の税率　30％

④ 税務上の加算・減算項目は上記以外にはない。

この事例の場合の課税所得および法人税等は，次のように計算されます。

課税所得＝100百万円＋40百万円＝140百万円

法人税等＝140百万円×30％＝42百万円

この結果，この会社の損益計算書は【図表16-4】のように表示されます。

**【図表16-4】 税効果会計を適用しない損益計算書①**

損益計算書

（単位：百万円）

| | |
|---|---|
| 税引前当期純利益 | 100 |
| 法　人　税　等 | 42 |
| 当　期　純　利　益 | 58 |

損益計算書の当期純利益は，配当可能利益の増加額を表します。しかし，上記の当期純利益58百万円は，本当に配当可能利益の増加額を表しているでしょうか？

会社は売掛金80百万円の全額が回収不能と見積もり，それに従って損益計算書を作成したら税引前当期純利益が100百万円になったのです。つまり，会社の見積りが正しければ，税引前当期純利益も正しいはずです。その場合，正しい税引前当期純利益が負担すべき法人税等はその30％にあたる30百万円（＝100百万円×30％）となり，配当可能利益に加算される利益（当期純利益）は差引70百万円にならなければなりません。

しかし，税は税の論理で，売掛金に対する貸倒引当金繰入額のうち40百万円はまだ損金に計上してはならないと「待った」をかけたのです。相手は国家権力ですから，その待ったを「いやだ」とはねつけるわけにもいかず，やむをえずその税額12百万円（＝40百万円×30％）を本来の税金（30百万円）に上乗せして支払ったのです。すなわち，当期において負担する法人税等42百万円は，次のように2つの内容に分解できます。

① 当期の税引前当期純利益から支払うべき税金　　30百万円
② 税務署にいわれやむをえず支払う税金　　　　　12百万円
　　　　　　　　　　　　　　　　　合計　　42百万円

上記のうち②については，会社の論理からは回収不能になったので，税金を支払ういわれはないのですが，税務署から払えといわれ渋々払う税金です。しかし，この支払額12百万円は支払いっぱなしになる税金かといえばそうではありません。税務署だって，将来実際に相手の息の根が止まり，売掛金80百万円の回収不能が確定したらそれを費用（損金）と認め，いったん受け取った税金12百万円は返してくれます。つまり，今回支払う税金は「いったん支払うが将来売掛金が回収不能になったら戻ってくる税金」なのです。このように考えると，②については当期の費用（法人税等）とすべきではなく，税務署に貸し付けた「前払税金」と考えるべきものです。

このように，税引前当期純利益と法人税等を正しく期間対応させるために，税引前当期純利益から負担すべき法人税等のみを費用（法人税等）に計上し，それ以外の税額については前払税金または未払税金として，当期の損益計算からはずす会計が税効果会計です。

先ほどの事例の場合の損益計算書を，税効果会計を適用して作成すると次のようになります。

【図表16-5】 税効果会計適用後の損益計算書①

損益計算書

（単位：百万円）

･･･････････････

| | | |
|---|---|---|
| 税引前当期純利益 | | 100 |
| 法 人 税 等 | 42 | |
| 法人税等調整額 | △12 | 30 |
| 当 期 純 利 益 | | 70 |

上記の「法人税等調整額」は，上記の事例では当期の法人税等から控除する金額を指し，会計処理は次のようになります。

　（借）繰 延 税 金 資 産　　12百万円　　（貸）法人税等調整額　　12百万円

借方の繰延税金資産が前払税金を表しています。

## 3　法人税等調整額とは

上記のように，法人税等調整額とは，税引前当期純利益と法人税等を合理的に期間対応させるために税務上の法人税等を減額あるいは増額させる調整項目です。

たとえば，（事例1）の会社の翌年度の税額計算について考えてみましょう。

（事例2）

① 税引前当期純利益　100百万円

② 貸倒引当金を設定していた売掛金80百万円が全額回収不能となった。

③ 法人税等の税率　30％

④ 税務上の加算・減算項目は上記以外にはない。

まず，②の売掛金が回収不能となったときの会計処理は，次のようになっています。

　（借）貸 倒 引 当 金　　80百万円　　（貸）売　　掛　　金　　80百万円

会社はすでに前期においてこの売掛金には全額貸倒引当金を設定していますから，実際に回収不能になっても貸倒引当金を取り崩す処理を行うだけで，費用は計上されません。ここがポイントです。

しかし，前述のように，法人税法上は実際に相手の息の根が止まったら（すなわち法律上その債権の回収不能が確定したら），その売掛金の回収不能額を損金として取り扱うことができます。したがって，前期において貸倒引当金繰入限度超過額40百万円は損金不算入として加算していましたが，当期では損金に算入することができるので，課税所得計算上は減算項目となります。

これをもとにこの期の課税所得の計算を行ってみましょう。

【図表16-6】 課税所得の計算

| 加算項目　0 | 税引前当期純利益　100百万円 |
|---|---|
| 課税所得　60百万円 | 減算項目　40百万円 |

上記のように課税所得は60百万円となり，法人税等は18百万円（＝60百万円×30％）と計算されます。

もし，この期において税効果会計を適用しないで損益計算書を作成すると，次のようになります。

【図表16-7】 税効果会計を適用しない損益計算書②

損益計算書

（単位：百万円）

| | |
|---|---|
| 税引前当期純利益 | 100 |
| 法　人　税　等 | 18 |
| 当　期　純　利　益 | 82 |

このように税効果会計を適用しない場合には，当期純利益すなわち配当可能利益の増加額が82百万円と多額になってしまいますが，これはよく考えてみると，前期において貸倒引当金繰限度超過額40百万円に対する税金12百万円を納付済だったからで，それを今期は支払う必要がなくなったことによります。

当期の税引前当期純利益が負担すべき法人税等はあくまでもその30％にあたる30百万円のはずですから，当期の法人税等は次の内訳になります。

① 当期の税引前当期純利益から支払うべき税金　　30百万円

② 前期に納付したが返済してもらえる税金　　△12百万円

　　　　　　　　　　　　　　　合計　　18百万円

このように，納め過ぎの税金は税務署から直接払い戻してもらえるのではなく，翌期以降の所得から減算し，その期の税額が安くなることを通じて返却が行われるしくみになっています。したがって，翌期以降赤字続きで課税所得が計上できない企業は，納め過ぎの

税金はいつまでも戻ってこないことになってしまいます。

この事例において税効果会計を適用した損益計算書は次のようになります。

**【図表16-8】　税効果会計適用後の損益計算書②**

損益計算書

(単位：百万円)

........................

| | | |
|---|---:|---:|
| 税引前当期純利益 | | 100 |
| 法 人 税 等 | 18 | |
| 法人税等調整額 | 12 | 30 |
| 当 期 純 利 益 | | 70 |

今度の税効果会計上の会計処理は次のようになります。

　(借) 法人税等調整額　　12百万円　　(貸) 繰延税金資産　　12百万円

【図表16-5】と【図表16-8】を見比べてもらえばわかりますが，どちらの期においても税引前当期純利益に対する法人税等の割合は同じ（30%）になっています。まさに税効果会計を適用し，法人税等調整額を計上することによって，税引前当期純利益と法人税等の期間対応が適正に行われたことが示されています。

## 4　一時差異と永久差異

先ほどは貸倒引当金繰入限度超過額を例に挙げて税効果会計を説明しました。すなわち，貸倒引当金繰入限度超過額のように損金不算入として加算される項目がある場合には，それに対する税金分だけ税引前当期純利益と法人税等が期間対応しないため，税効果会計が必要になるという内容でした。

しかし，ここで考えてもらいたいのは，「税務上の加算・減算項目はすべて税効果会計の適用対象になるか？」という点です。

実はこの問いかけに対する答えは「NO」です。

もう一度おさらいをしますと，貸倒引当金繰入限度超過額が生じた年度は確かに税金の前払い（繰延税金資産）が生じるので，その分だけ当期の法人税等を減額する（法人税等調整額をマイナス計上する）必要がありました。しかし，この繰延税金資産は，その後その対象債権が本当に回収不能になった時点で，税務上の減算処理が行われ，その年度の税額が安くなることを通じて戻ってきます。だからこそ，貸倒引当金繰入限度超過額が生じた年度においてその払い過ぎた税金を資産（繰延税金資産）に計上するのです。

ところが，前述の交際費を例に挙げると，交際費は損金不算入として税務上加算処理の対象になり，会社はそれに見合う税額を負担しなければならなくなりますから，交際費の金額によって税引前当期純利益と法人税等の関係は異なってしまいます。それならば，交際費に見合う税額に対して税効果会計を適用して繰延税金資産が計上されるかというと，そのような処理は行われません。なぜならば，交際費を加算することによって納税した税金は，先ほどの貸倒引当金繰入限度超過額と異なり，いつか取り戻すことができる性質のものではないからです。つまり，交際費の損金不算入額は，会計上の費用を税務上の損金に修正する際に生じたものであり，時期が来たらそれが損金として認められることはありません。

　また，受取配当金の益金不算入額についても，いったん益金不算入になった金額が将来益金に算入されて税金を支払わなければならなくなることはありません。

　このように，会計上の利益と税務上の課税所得の差異は，次の2つに分類されます。

①　時期がくれば会計上の利益＝税務上の課税所得となるもの

②　永久に会計上の利益と税務上の課税所得が一致しないもの

　上記の①を**一時差異**，②を**永久差異**といいます。税効果会計の対象になるのは一時差異のみです。

　厳密にいえば，一時差異は①の一時的な会計上の利益と課税所得の差異（**期間差異**）およびその他の一時差異に区分されます。

【図表16-9】　一時差異と永久差異

| 一時差異 | | 税効果会計の対象 |
|---|---|---|
| その他の一時差異 | 会計上の利益と課税所得の差異 | |
| | 期間差異 | 永久差異 |

　その他の一時差異は，資産の評価替えにより生じた評価差額が直接純資産の部に計上され，かつ，課税所得計算に含まれていない場合を指します。次の事例で説明しましょう。

（事例3）

①　その他有価証券の帳簿価額　　100百万円

②　上記の期末における時価　　　140百万円

③　評価差額について

　　全部純資産直入法によりその他有価証券評価差額金として純資産に計上

④　法人税等の税率　30%

　この場合，有価証券の評価替えを行ったときの会計処理は，税効果を考えなければ次の

ようになります。

　　（借）その他有価証券　　40百万円　　（貸）その他有価証券評価差額金　40百万円

　その他有価証券の評価差額は，洗い替え方式にもとづき，翌期首において次のように戻し入れられます（金融商品会計基準18）。

　　（借）その他有価証券評価差額金　40百万円　　（貸）その他有価証券　40百万円

　仮に翌期においてこの有価証券が140百万円で売却されたとします。このときの会計処理は，次のようになります。

　　（借）現金預金　　140百万円　　（貸）その他有価証券　　　　　100百万円
　　　　　　　　　　　　　　　　　　　　　その他有価証券売却益　　40百万円

　このように，有価証券を売却した時点で売却益40百万円が計上され，そのときに12百万円（＝40百万円×30％）の税負担が生じます。この税負担が生じる原因は，その他有価証券を評価替えしたときに発生しているため，税効果会計上は，その税額を評価替えを行った期において繰延税金負債（未払税金）として計上します。

　したがって，税効果会計を適用したその他有価証券の評価替え時の会計処理は，次のようになります。

　　（借）その他有価証券　　40百万円　　（貸）その他有価証券評価差額金　28百万円
　　　　　　　　　　　　　　　　　　　　　繰延税金負債　　　　　　　　12百万円

　貸方の繰延税金負債もその他有価証券評価差額金と同様に，翌期首に洗い替え処理によって戻し入れられます。

## 5　繰延税金資産と繰延税金負債

### (1)　繰延税金資産

　今まで説明したように，繰延税金資産は払い過ぎた税金を将来戻してもらうことができる場合に，貸借対照表の資産の部に計上します。繰り返しますが，繰延税金資産は当期において税務上加算した所得が将来減算されることによって，結果的にその税額が戻ってくる差異（これを将来減算一時差異といいます）がある場合に計上され，永久差異の場合には計上されません。この税金を戻してもらうためには，将来減算を行うときに減算前に課税所得が計上されていることが条件になります。しかし，減算前課税所得が減算金額を下回る場合には，払い過ぎた税額の一部しか戻ってこなくなります。また，通常，会社は青色申告を採用しており，その場合には税務上の欠損金（赤字のこと）を10年間繰り越すことができます（注）。したがって，会社に生じた欠損金は，繰越期限が到来するまでの期間中に課税所得が計上されれば，それを減額する効果を有することから，将来減算一時差異に準じて取り扱われ，繰延税金資産が計上されます。しかし，極端な場合，欠損金が生じた年度の翌年から10年間赤字が続くと，その間税金が戻ってくることはありませんし，

11年目以降は期限切れのために課税所得を減額することができなくなりますので，結局，税金は１円も戻ってこないことになります。このような事態が予想される場合には，繰延税金資産の回収可能性がないと判断することになります。

このように，貸借対照表に計上されている繰延税金資産は，毎期その回収可能性を検討する必要があります。

(注)　平成28年度以前に生じた欠損金までは９年でした。


### (2)　繰延税金負債

繰延税金負債は，当期においては税金を支払わなかったが，将来課税所得に加算される差異（これを将来加算一時差異といいます）がある場合に計上される負債（いわば未払税金）です。


### (3)　繰延税金資産と繰延税金負債の貸借対照表表示

繰延税金資産はすべて固定資産（投資その他の資産），繰延税金負債はすべて固定負債の区分に表示します。

また，同一納税主体の繰延税金資産と繰延税金負債は，双方を相殺して表示しますが，連結財務諸表において，異なる納税主体（たとえば親会社と子会社）の繰延税金資産と繰延税金負債は，双方を相殺せずに表示します（「税効果会計に係る会計基準」の一部改正２）。

# 練習問題

【問題1】 税効果に関する記述について，誤っているものは次のうちどれか。

(1) 法人税等調整額は，損益計算書上，法人税等の次に記載する。

(2) 交際費は税効果会計の対象とならない。

(3) 同一納税主体の繰延税金資産と繰延税金負債は，相殺して貸借対照表に記載する。

(4) 当期に発生した税務上の貸倒引当金繰入額の損金算入限度超過額は，将来減算一時差異となる。

(5) 受取配当金は税効果会計の対象となる。

(銀行業務検定試験財務3級試験問題より)

【問題2】 次の文章のうち正しいものには○を，誤っているものには×を付し，その理由を簡潔に説明しなさい。

(1) 将来減算一時差異は，当期の課税所得計算においては損金不算入として加算されるが，将来の課税所得計算において減算処理が行われて，税額が減少するものをいい，交際費等の損金不算入額も含まれる。

(2) その他の有価証券の評価差額を全部純資産直入法によって純資産に計上した場合，その差額は期間差異には該当しないが，一時差異には該当する。

(3) 税務上の繰越欠損金は，繰越期限が到来するまでの間に課税所得が生じた場合には課税所得を減額するので，欠損金が生じた年度においては繰延税金資産を計上する。

(4) 繰延税金資産はその後の課税所得の状況によって回収できなくなる可能性があるので，毎期回収可能性を見直す必要がある。

# 第17章 連結会計

―本章で学ぶこと―
1　連結財務諸表の意義
2　連結の範囲
3　連結決算日
4　連結財務諸表の作成手続
5　持分法

## 1　連結財務諸表の意義

**連結財務諸表**とは，支配従属関係にある二以上の会社からなる企業集団を単一の組織体とみなして，親会社がその企業集団の財政状態および経営成績を総合的に報告するために作成するものです（連結原則第一）。たとえば，ある会社が子会社を別に持っている場合に，親会社と子会社を1つの会社とみなして作成される財務諸表が連結財務諸表です。

わざわざ別の会社にしたのに，なぜ1つの会社とみなさなければならないかといえば，次の3つの理由が考えられます。

連結財務諸表の作成目的
① 企業集団の財政状態・経営成績の開示
② 子会社経由の粉飾決算や利益操作の防止
③ 国際的会計慣行

### (1)　企業集団の財政状態・経営成績の開示

たとえば，日立グループの状態を分析するときに，親会社である株式会社日立製作所の単体の財務諸表（これを**個別財務諸表**といいます）のみを見ていたのではわかりません。なぜならば，日立グループには1,000社を超える関係会社があり，親会社の日立製作所がいくら好調でも，仮に関係会社のほとんどが親会社の足を引っ張るような状況であれば，グループ全体としては好調とは判断できないからです。また，キリンビールグループのように，親会社が持株会社（キリンホールディングス株式会社）の場合には，親会社の個別財務諸表のみからでは何をやっている会社なのかすら判断できません。

このように，投資家がたとえば株式投資を検討するときに親会社の個別財務諸表よりも

グループ全体の財政状態・経営成績が明らかになる連結財務諸表を重視するのは当然のことです。

### (2) 子会社経由の粉飾決算や利益操作の防止

【図表17-1】 子会社経由の粉飾決算

　上図のように，親会社が製造会社で，子会社が販売会社だとします。もし，個別財務諸表のみで投資家が判断するしくみになっているとすれば，親会社の製造する製品がまったく売れない状況だとしても，子会社に製品を押し込み販売し，子会社に在庫の山を作れば親会社そのものの売上高は大きくなり，経営成績も良く見えることになります。親子を1つの会社とみなして連結財務諸表を作成した場合には，外部にはまったく製品が販売されていないことが一目瞭然となります。

### (3) 国際的会計慣行

　日本では古くから個別財務諸表のみで企業開示が行われてきました。しかし，世界の大勢が連結財務諸表によって企業を判断している状況を考慮し，1977年に上場企業に連結財務諸表の開示を義務づけました。しかし，それはあくまでも「刺身のつま」的な開示であり，やはり個別財務諸表中心主義が変わることはありませんでした。ようやく2000年に至って，世界のモノサシに合わせるべく，有価証券報告書等の開示は連結財務諸表を中心にして行われることになりました。

　日本企業に投資する人は日本人のみではありませんので，日本企業に興味を持った海外投資家の方々に安心して投資してもらうためには，連結財務諸表による開示は避けて通れなかった道でした。

## 2　連結の範囲

　連結財務諸表とは，原則としてすべての子会社を連結の範囲に含めて作成された財務諸表を指します（連結原則第三）。ただし，重要性が少ないため連結の範囲に含められなかった子会社および関連会社に対しては，後述する持分法が適用されます（連結原則第四）。

## (1) 子会社の範囲

子会社は，次の**支配力基準**で判定します。要するに，子会社の範囲は議決権割合だけで決定されるのではなく，その実質的な支配力で決まるのです。

《支配力基準》

| 議決権の割合 | 取　扱　い |
|---|---|
| 過半数（50%超） | 連結子会社 |
| 40%以上50%以下 | 下記①～⑤のいずれかの要件を満たす場合は連結子会社 |
| 40%未満 | 下記①の要件を満たし，かつ，②～⑤のいずれかの要件を満たす場合は連結子会社 |

【要件】

① 「自己」「緊密関係者」「同意者」の三者を合わせ，過半数の議決権を所有。

② 「影響役員等」が取締役会，その他これに準ずる機関の構成員の過半数を占める。

③ 重要な財務，営業，事業方針決定を支配する契約の存在。

④ 貸借対照表の負債の部に計上される資金調達の過半について融資，債務保証，担保提供を行っているか，「自己」と「緊密関係者」による融資の合計額が資金調達額の過半を占める。

⑤ その他意思決定機関を支配していることが推測される事実の存在。

なお，子会社であって，その資産，売上高等を考慮して，連結の範囲から除いても企業集団の財政状態および経営成績に関する合理的な判断を妨げない程度に重要性の乏しいものは，連結の範囲に含めないことができます（連結原則注解6）。

## (2) 持分法適用会社の範囲

持分法（持分法については後述します）適用会社は，次の影響力基準で判定します。

《影響力基準》（いずれも，連結子会社には該当しない場合）

| 議決権の割合 | 取　扱　い |
|---|---|
| 20%以上50%以下 | 持分法適用会社 |
| 15%以上20%未満 | 下記①～⑤のいずれかの要件を満たす場合は持分法適用会社 |
| 15%未満 | 下記⑥の要件を満たし，かつ，①～⑤のいずれかの要件を満たす場合は持分法適用会社 |

【要件】

① 「影響役員等」が代表取締役，取締役またはこれに準ずる役職に就任している。

② 重要な融資，債務保証，担保提供を行っている。

③ 重要な技術を提供している。

④ 重要な販売，仕入その他の営業上または事業上の取引がある。

⑤ その他財務，営業，事業方針決定に対して，重要な影響を与えることができると推

測される事実の存在。

⑥ 「自己」「緊密関係者」「同意者」の三者を合わせ，20％以上の議決権を所有。

## 3 連結決算日

連結財務諸表の作成は，後述するように，親会社と子会社の財務諸表を単純に合算する作業から始まります。しかし，親会社と子会社の決算日は必ずしも一致するとは限りませんので，たとえば3月決算の親会社と12月決算の子会社の財務諸表を合算することができるのかが問題になります。

連結財務諸表は親会社の決算日現在の状況を示したものとして作成されます。したがって，決算日が異なる子会社の財務諸表を単純に親会社に合算してしまえば，その決算日の差異による影響が連結財務諸表に反映されてしまいますので，できるだけ親子会社の決算日を統一することが望ましいのですが，子会社側にも事情があるでしょうから，決算日を変更できない場合には，原則として子会社に連結決算日において仮決算手続を行ってもらうことになります（連結原則第三）。しかし，決算作業は相当な手数がかかるため，連結原則は例外として，決算日の差異が3か月を超えない場合にはそのまま連結することを認めています（連結原則注解7）。ただし，決算日が異なることから生じる連結会社間の取引にかかる会計記録の重要な不一致については調整が必要になります。

## 4 連結財務諸表の作成手続

連結財務諸表の作成というと何か相当難しいことをやっていると思う人が多いと思いますが，その作成方法は案外単純です。前述したように，最初は単純に親子会社の財務諸表を合算する作業から始まります。そして，合算した財務諸表で「おかしいところ」を取り除いて連結財務諸表ができあがります。いわば魚をまず全部口の中に入れてしまって，その後小骨を出す作業と似ています（？）。

連結財務諸表の作成手続は，おおざっぱにいえば次の6つの作業から構成されます。

◎ 投資と資本（純資産）の相殺消去

◎ のれんの償却

◎ 取引高の相殺消去

| ◎ | 債権・債務の相殺消去 |
| ◎ | 未実現利益の消去 |
| ◎ | 非支配株主損益の振替 |

(注)　実際には，上記以外に「連結修正項目に関する税効果会計の適用」と「持分法の適用」
　　　がありますが，省略しています。

これらを簡単に説明します。
順番にかかわらず，一番わかりやすい「取引高の相殺消去」から説明しましょう。

### (1)　取引高の相殺消去

たとえば，親会社をＰ社，子会社をＳ社として，Ｐ社は外部から100円で仕入れた商品をＳ社に120円で販売し，Ｓ社はＰ社から仕入れたその商品を外部に150円で販売したとします。両社にはこれ以外の取引はありません。

【図表17-2】　取引高の相殺消去①

連結財務諸表はまず単純に両社の財務諸表を合算するところから始まりますので，両社の財務諸表（損益計算書）を合算すると次のようになります。

《連結財務諸表の作成》

（単位：円）

| 科目 | Ｐ社 | Ｓ社 | 合計 |
|---|---|---|---|
| 売　上　高 | 120 | 150 | 270 |
| 売　上　原　価 | 100 | 120 | 220 |

連結財務諸表は親子会社が1つの会社であるとみなして作成された財務諸表ですので，これが連結財務諸表だとすると，この連結グループの売上高は270円で，売上原価は220円となってしまいます。しかし，Ｐ社とＳ社を1つの会社と見た場合には，【図表17-3】に示したように，連結グループは外部から100円で商品を仕入れ，それを外部に150円

で売っているに過ぎません。つまり，この連結グループの売上高は270円ではなく150円，売上原価は220円ではなく100円が正しいのです。それが単純に合算するとなぜ過大になったのかといえば，お互いの取引（P社の売上120円とS社の仕入120円）がダブってしまったからです。

おかしいところは直しましょう。これが取引高の相殺消去です。

【図表17-3】 取引高の相殺消去②

《連結財務諸表の作成》

(単位：円)

| 科目 | P社 | S社 | 合計 | 連結修正 | 連結財表 |
|---|---|---|---|---|---|
| 売 上 高 | 120 | 150 | 270 | △120 | 150 |
| 売 上 原 価 | 100 | 120 | 220 | △120 | 100 |

このときの連結修正仕訳を示すと，次のようになります。

(借) 売 上 高　　120円　(貸) 売 上 原 価　　120円

(注) 売上高の代わりに「売上」勘定，売上原価の代わりに「仕入」勘定を使用しても正しい処理です。

## (2) 債権・債務の相殺消去

上記の事例の取引がすべて掛取引で行われたとします。つまり，P社は外部から商品100円を掛で仕入れたがその買掛金は期末残高として残っており，その商品をS社に120円で掛売りしたがその売掛金も残っています。また，S社でもP社から商品を仕入れた際の買掛金120円は期末残高として残っており，さらに外部に売り上げた代金150円も売掛金として残っているとします。

【図表17-4】 債権・債務の相殺消去①

これも単純に両社の財務諸表（貸借対照表）を合算すると次のようになります。

《連結財務諸表の作成》

(単位：円)

| 科目 | P社 | S社 | 合計 |
|---|---|---|---|
| 売　掛　金 | 120 | 150 | 270 |
| 買　掛　金 | 100 | 120 | 220 |

もうわかると思いますが，これが連結財務諸表だとするとおかしいところがあります。つまり，連結グループは外部から商品100円を掛で仕入れてきて，それを外部に150円で掛売りしただけですから，外部に対する買掛金は100円，売掛金は150円のはずです。ところが単純に財務諸表を合算すると，買掛金は220円，売掛金は270円になってしまいます。これは，お互いの債権・債務（P社の売掛金120とS社の買掛金120円）がダブっているからです。

【図表17-5】 債権・債務の相殺消去②

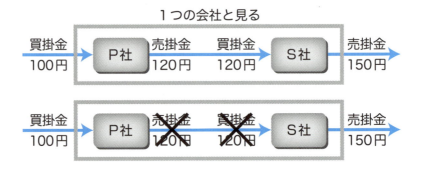

《連結財務諸表の作成》

(単位：円)

| 科目 | P社 | S社 | 合計 | 連結修正 | 連結財表 |
|---|---|---|---|---|---|
| 売　掛　金 | 120 | 150 | 270 | △120 | 150 |
| 買　掛　金 | 100 | 120 | 220 | △120 | 100 |

このようにダブっている債権・債務も相殺消去しなければなりません。このときの連結消去仕訳は次のとおりです。

| （借）買　　掛　　金 | 120円 | （貸）売　　掛　　金 | 120円 |

## （3） 投資と資本（純資産）の相殺消去
### ① 100％子会社の設立

ここにおける「資本」とは，資本金や利益剰余金などから構成される純資産のことを指します。

今度はある株主が1,000万円出資してP社を設立し，P社が直ちに300万円出資して子会社のS社を設立したことにします。

【図表17-6】 投資と資本の相殺消去①

P社はS社を設立したときに，その投資金額を「子会社株式」勘定に計上し，それを受けたS社はそれを「資本金」勘定で受け入れていますので，両社の財務諸表（貸借対照表）を合算すると次のようになります。

《連結財務諸表の作成》

（単位：万円）

| 科目 | P社 | S社 | 合計 |
|---|---|---|---|
| 子 会 社 株 式 | 300 | 0 | 300 |
| 資　本　金 | 1,000 | 300 | 1,300 |

この場合も，両社を合算して１つの会社と見れば，株主は連結グループに1,000万円投資しているだけですので，連結グループの資本金は1,000万円のはずですし，連結グループには子会社はありませんので，子会社株式300万円が計上されているのはおかしいことになります。

【図表17-7】 投資と資本の相殺消去②

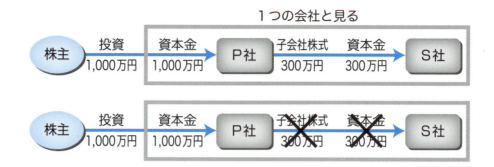

この場合には、P社の子会社株式300万円とS社の資本金300万円がダブっているので相殺消去します。

《連結財務諸表の作成》

(単位：万円)

| 科目 | P社 | S社 | 合計 | 連結修正 | 連結財表 |
|---|---|---|---|---|---|
| 子 会 社 株 式 | 300 | 0 | 300 | △300 | 0 |
| 資　　本　　金 | 1,000 | 300 | 1,300 | △300 | 1,000 |

このときの連結消去仕訳は次のとおりです。

(借) 資　本　金　300万円　(貸) 子会社株式　300万円

② 非支配株主がいる場合

前述のように、子会社は議決権割合が100％の場合だけではありません。他の株主が存在することもあります。この場合には**非支配株主持分**という純資産項目が発生します。

先ほどの事例のP社が設立直後、非支配株主とともに資本金300万円のS社を設立し、その株式の70％を210万円で取得したとします。

【図表17-8】 投資と資本の相殺消去③

この場合，両社の財務諸表を合算すると次のようになります。

《連結財務諸表の作成》

(単位：万円)

| 科目 | P社 | S社 | 合計 |
|---|---|---|---|
| 子会社株式 | 210 | 0 | 210 |
| 資本金 | 1,000 | 300 | 1,300 |

今度は，P社と非支配株主が共同でS社を設立しましたので，連結グループに出資しているのは当初の株主と非支配株主になります。この非支配株主が出資している持分（純資産）を非支配株主持分といい，連結貸借対照表の純資産の部（株主資本とは別区分）に表示されます。

【図表17-9】 投資と資本の相殺消去④

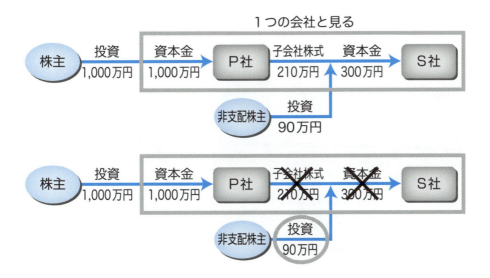

連結修正仕訳では，S社の資本金300万円と子会社株式210万円が相殺消去され，差額の90万円は非支配株主持分として新たに計上されます。

《連結財務諸表の作成》

(単位：万円)

| 科目 | P社 | S社 | 合計 | 連結修正 | 連結財表 |
|---|---|---|---|---|---|
| 子会社株式 | 210 | 0 | 210 | △210 | 0 |
| 資本金 | 1,000 | 300 | 1,300 | △300 | 1,000 |
| 非支配株主持分 | 0 | 0 | 0 | 90 | 90 |

連結修正仕訳は次のとおりです。

| (借) 資　　本　　金　　300万円 | (貸) 子 会 社 株 式　　210万円 |
|---|---|
| | 非支配株主持分　　　90万円 |

### ③　のれんの計上

　子会社株式を取得するのは，その子会社を設立する場合だけとは限りません。すでにできている会社を買収して子会社にすることも考えられます。この場合，その子会社株式の取得価額は必ずしも買収時点における子会社の純資産価額に一致するとは限らず，それよりも高い価額で取得することが一般的です。これは，その会社に対して純資産価額にプラスするなにがしかのプレミアムを見い出したことによるもので，子会社株式の取得価額とその取得時における子会社の純資産合計額との差額は，連結財務諸表上は**のれん**として無形固定資産に計上します。まれに，純資産価額より低い金額で株式を取得することもありますが，その場合には**負ののれん**として連結損益計算書の特別利益に計上します。

　先ほどのP社がS社株式の100%を300万円で取得したが，取得時におけるS社の純資産の部は次のとおりだったとします。

S社の純資産

| 資　本　金 | 200万円 |
|---|---|
| 資本準備金 | 20万円 |
| 利益剰余金 | 30万円 |
| 合計 | 250万円 |

このようにS社の純資産が250万円しかないのに，300万円で株式を取得したということは，S社の超過収益力を考えて50万円のプレミアムを付けて取得したのです。連結修正仕訳においては，このプレミアムにあたる金額をのれんとして計上します。

【図表17-10】 投資と資本の相殺消去⑤

両社の財務諸表を単純に合算すると次のようになります。

《連結財務諸表の作成》

(単位：万円)

| 科目 | P社 | S社 | 合計 |
| --- | --- | --- | --- |
| 子 会 社 株 式 | 300 | 0 | 300 |
| 資 本 金 | 1,000 | 200 | 1,200 |
| 資 本 剰 余 金 | 0 | 20 | 20 |
| 利 益 剰 余 金 | 0 | 30 | 30 |

（注） 連結財務諸表上資本準備金は「資本剰余金」と表示されます。

この合計額では，連結グループの純資産合計額が1,250万円となっていますが，P社は設立したばかりですから，純資産は資本金の1,000万円のはずです。また，子会社株式300万円が残ることもおかしいことになります。

【図表17-11】 投資と資本の相殺消去⑥

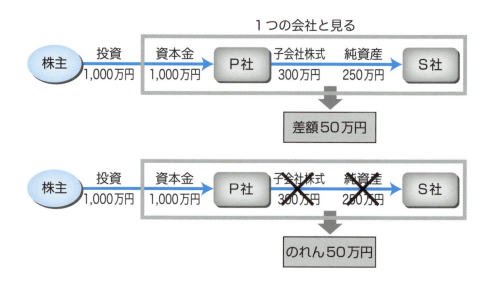

S社の純資産合計250万円とP社の子会社株式300万円を相殺消去し，その差額50万円は外部にのれん（営業権）として支出したと考えます。

《連結財務諸表の作成》

（単位：万円）

| 科目 | P社 | S社 | 合計 | 連結修正 | 連結財表 |
|---|---|---|---|---|---|
| 子 会 社 株 式 | 300 | 0 | 300 | △300 | 0 |
| 資 本 金 | 1,000 | 200 | 1,200 | △200 | 1,000 |
| 資 本 剰 余 金 | 0 | 20 | 20 | △20 | 0 |
| 利 益 剰 余 金 | 0 | 30 | 30 | △30 | 0 |
| の れ ん | 0 | 0 | 0 | 50 | 50 |

このときの連結消去仕訳は次のとおりです。

```
（借）資　　本　　金　　200万円　　（貸）子 会 社 株 式　　300万円
　　　資 本 剰 余 金　　 20万円
　　　利 益 剰 余 金　　 30万円
　　　の　　れ　　ん　　 50万円
```

## (4) のれんの償却

前述のとおり，のれんは子会社株式の取得価額とその取得時における子会社の純資産合計額との差額を指し，連結財務諸表上は外部に対する営業権（超過収益力に対する対価）と考えますので，無形固定資産に計上します。

のれんは，原則として20年以内に，定額法その他合理的な方法により償却を行います。のれん償却費は連結損益計算書の販売費及び一般管理費に計上されます。

上記の事例ののれん50万円を5年で償却する場合の連結修正仕訳は次のとおりです。

---

（借）の れ ん 償 却　　10万円　（貸）の　　れ　　ん　　10万円

---

## (5) 未実現利益の消去

P社が外部から100円で仕入れた商品をS社に120円で販売し，それをS社は期末まで在庫として保有していたとします。

【図表17-12】　未実現利益の消去①

この場合の両社の財務諸表（貸借対照表，損益計算書）を単純に合算すると次のようになります。

《連結財務諸表の作成》

（単位：円）

| 科目 | P社 | S社 | 合計 |
|---|---|---|---|
| 商　　　　品 | 0 | 120 | 120 |
| 売　上　高 | 120 | 0 | 120 |
| 売　上　原　価 | 100 | 0 | 100 |

この場合も，両社が1つの会社と見れば，外部にはまったく商品を販売していないのに売上高と売上原価が計上されているのは変ですし，100円で仕入れた在庫が120円になっていることも変です。

そこで，連結財務諸表の作成においては，まず前述の取引高の相殺消去を行い，さらに在庫の中に含まれている未実現利益（20円）を消去します。

【図表17-13】 未実現利益の消去②

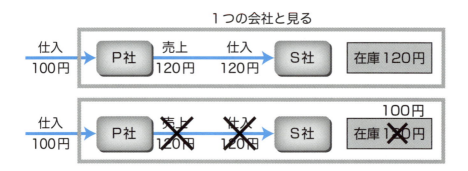

　未実現利益とは，個別財務諸表上は利益として計上されているが，連結財務諸表上は外部に売却されていないため，利益として実現していない金額をいいます。

《連結財務諸表の作成》

（単位：円）

| 科目 | P社 | S社 | 合計 | 連結修正 | 連結財表 |
|---|---|---|---|---|---|
| 商　　　品 | 0 | 120 | 120 | 2) △20 | 100 |
| 売　上　高 | 120 | 0 | 120 | 1) △120 | 0 |
| 売　上　原　価 | 100 | 0 | 100 | 1) △120<br>2) 20 | 0 |

　この場合の連結修正仕訳は次のとおりです。

```
1) 取引高の相殺消去
    (借) 売　上　高　　120円　(貸) 売　上　原　価　　120円
2) 未実現利益の消去
    (借) 売　上　原　価　　20円　(貸) 商　　　　品　　20円
```

## (6) 非支配株主損益の振替

　親会社が支配権を獲得した後の連結会計期間において生じた子会社の利益は，当然連結グループ全体の利益となります。しかし，日本の連結財務諸表は親会社持分を示すことが必要なため，親会社の保有する子会社の議決権割合が100％未満の場合には，子会社で計上された利益がすべて親会社のものになるわけではありません。連結財務諸表の作成にあたっては，いったん子会社の利益をすべて認識し，その中で親会社以外の株主の持分（非

支配株主持分）に帰属する利益を**非支配株主に帰属する当期純利益**という科目で利益からマイナスし，純資産の部の**非支配株主持分**に振り替えます。

（事例）

P社はS社の株式の60％（議決権割合）を保有している。個別損益計算書（部分）は以下のとおりである。この場合の非支配株主に帰属する当期純利益を求めなさい。

損益計算書

（単位：円）

| 科目 | P社 | S社 | 合計 |
|---|---|---|---|
| 税引前当期純利益 | 120,000 | 80,000 | 200,000 |
| 法　人　税　等 | 70,000 | 50,000 | 120,000 |
| 当　期　純　利　益 | 50,000 | 30,000 | 80,000 |

（解答）

非支配株主に帰属する当期純利益＝30,000円×40％＝12,000円

# 5　持分法

**持分法**とは，1行連結ともいわれ，持分法適用会社（非連結子会社および関連会社）の財政状態および経営成績のうち，投資会社に属する部分のみを貸借対照表の投資額または損益計算書の持分法による投資損益に反映させる方法です。

持分法の適用手続は次のとおりです。

### ①　投資勘定と資本（純資産）勘定の差額

投資勘定（関連会社株式等）は取得原価で計上し，取得時における資産および負債を時価評価した結果の純資産との間に差額がある場合には，これを投資差額とします。投資差額はのれん（借方のれん）の場合には，投資に含めて20年以内で償却し，負ののれん（貸方のれん）の場合には，発生時に利益（持分法投資損益）に計上します。

### ②　持分損益の認識

投資の日以降における被投資会社の利益または損失のうち，投資会社の持分に見合う額を算定して投資の額に加減します。

### ③　未実現利益の消去

投資の増減額の算定にあたっては，連結会社と持分法適用会社との間の取引に係る未実

現損益を消去します。

### ④ 配当金の調整

被投資会社から配当金を受け取った場合には，配当額を投資勘定から控除します。

### ⑤ 持分法による投資損益の認識

持分法適用に伴う損益は，持分法による投資損益として，連結損益計算書の営業外収益または営業外費用の区分に記載します。

（事例）

P社はA社の株式40％（議決権割合）を10,000円で取得した。次の場合の持分法適用に伴う仕訳を示しなさい。

1) 取得時のA社の財務諸表は，資産30,000円，負債10,000円，純資産20,000円であった。なお，資産・負債については，時価＝簿価となっている。投資差額については，取得年度から10年で毎期均等額を償却する。

2) 株式を取得した後，A社は2,000円の当期純利益を計上した。

3) 当期における確定した利益処分では，A社はP社に対して配当を500円支払っている。

（解答）

① 投資差額の算定

投資差額＝10,000円－20,000円×40％＝2,000円

当期償却額＝2,000円÷10年＝200円

（借）持分法投資損益　　200　（貸）A　社　株　式　　200

② 当期純利益の認識

P社に帰属する利益＝2,000円×40％＝800円

（借）A　社　株　式　　800　（貸）持分法投資損益　　800

③ 配当の消去

（借）受　取　配　当　金　　500　（貸）A　社　株　式　　500

この結果，貸借対照表に計上されるA社株式勘定は次のようになります。

| | |
|---|---|
| A社株式取得原価 | 10,000円 |
| 投資差額の償却（①） | △200 |
| 当期純利益の認識（②） | 800 |
| 配当の消去（③） | △500 |
| 合計 | 10,100 |

# 練習問題

【問題1】 下記の資料から算出した連結損益計算書の作成にあたって，消去すべき期末棚卸資産にかかる未実現利益の額はいくらか。

ただし，子会社の仕入はすべて親会社からのものであり，親会社は仕入原価に25％の利益を付加して子会社に販売している。

|  | （単位：百万円） | |
| --- | --- | --- |
|  | 親会社 | 子会社 |
| 仕　入　高 | 5,000 | 2,000 |
| 期首商品棚卸高 | 200 | 250 |
| 期末商品棚卸高 | 300 | 500 |

（銀行業務検定試験財務3級試験問題より）

【問題2】 連結財務諸表に関する記述について，誤っているものは次のうちどれか。

(1) 連結財務諸表は，親会社および子会社それぞれの個別財務諸表にもとづいて作成する。

(2) 非支配株主持分は，純資産の部の株主資本に記載される。

(3) 有効な支配従属関係が存在せず組織の一体性を欠くと認められる破産会社は，連結の範囲に含めない。

(4) 親会社と子会社の決算日が異なっていても，連結財務諸表を作成しなければならない。

(5) 資産の部に計上したのれんの当期償却額は，販売費及び一般管理費の区分に表示される。

（銀行業務検定試験財務3級試験問題より）

【問題3】 P社とS社の下記の個別貸借対照表および〈参考事項〉にもとづいて，次の設問に答えなさい。

(1) 参考事項①～⑤についての修正仕訳をそれぞれ示しなさい。

(2) 上記(1)の修正後の連結貸借対照表を作成しなさい。

個別貸借対照表

（X1年3月31日現在） （単位：百万円）

| 資　産 | P　社 | S　社 | 負債・純資産 | P　社 | S　社 |
|---|---|---|---|---|---|
| 現　金・預　金 | 630 | 500 | 支　払　手　形 | 100 | 120 |
| 売　　掛　　金 | 1,300 | 1,000 | 買　　掛　　金 | 1,000 | 480 |
| 棚　卸　資　産 | 360 | 240 | 短　期　借　入　金 | 560 | 200 |
| 建　　　　物 | 900 | 260 | 資　　本　　金 | 2,000 | 1,000 |
| S　社　株　式 | 770 | - | 利　益　剰　余　金 | 300 | 200 |
| 合　　計 | 3,960 | 2,000 | 合　　計 | 3,960 | 2,000 |

〈参考事項〉

① P社は，当期首にS社株式の70％を一括取得し，支配権を獲得した。獲得時のS社の資本金は1,000百万円，利益剰余金は100百万円であった。

② S社の当期純利益は100百万円であった。

③ S社の支払手形は全額P社に対して振り出したものであり，P社は銀行にて全額割引に付している。

④ S社の買掛金のうち360百万円はP社に対するものである。

⑤ S社の棚卸資産はすべてP社より仕入れたものであり，P社は仕入原価に20％の利益を付加して商品を販売している。

# 財務分析編

# 株式会社オンデマンの財務分析について

　株式会社オンデマンのメインバンクは，あけぼの銀行という地方銀行です。過去において比較的順調に業績を伸ばしてきた同社に対して，あけぼの銀行は設備・運転双方の資金融資を積極的に行ってくれていました。5年前には私募債（社債）の引受けも実行してもらい，そのおかげでオンデマンは編み機を2台更新することができました。

　しかし，最近の業績悪化に伴い，あけぼの銀行は，融資に消極的になったわけではありませんが，定期的な財務報告を求めるようになりました。決算書や申告書の提出はもちろん，毎月の月次決算書（試算表）や資金繰り実績表の提出も要請されています。

　それらの財務報告資料をあけぼの銀行のシステムに入力してアウトプットされたのが，次の資料です。

　①　財務諸表分析結果
　②　資金運用表
　③　資金移動表

　また，オンデマンから入手した資料は次の3つです。

　④　資金繰り実績表
　⑤　キャッシュ・フロー計算書（直接法）
　⑥　キャッシュ・フロー計算書（間接法）

　④はオンデマンでふだん作成している銀行様式による資金繰り表ですが，⑤と⑥は，あけぼの銀行の担当者のT君が，オンデマンの経理担当者のSさんと一緒に作成したものです。

　T君は，これらの資料を見て，どこに問題点があるのか，さらには今まで通り，オンデマンに対して積極的な融資姿勢を継続してもよいのかを判断しようと考えています。

　皆さんもT君と一緒に考えてみてください。

# 財務諸表分析結果

株式会社オンデマン

| 分析比率 | 単位 | ①<br>X2年3月期 | ②<br>X3年3月期 | ③<br>X4年3月期 | 増　減<br>②−① | 増　減<br>③−② |
|---|---|---|---|---|---|---|
| 総資本経常利益率 | % | 0.8 | 0.3 | △0.8 | △0.5 | △1.1 |
| 売上高経常利益率 | % | 0.7 | 0.3 | △0.8 | △0.5 | △1.1 |
| 総資本回転率 | 回 | 1.10 | 1.10 | 1.01 | 0.00 | △0.09 |
| 自己資本当期純利益率 | % | 4.1 | 1.1 | △1.9 | △3.0 | △3.0 |
| 売上高総利益率 | % | 7.7 | 7.4 | 5.9 | △0.3 | △1.5 |
| 売上高営業利益率 | % | 1.5 | 0.8 | △2.4 | △0.7 | △3.2 |
| 売上高経常利益率 | % | 0.7 | 0.3 | △0.8 | △0.5 | △1.1 |
| 売上高当期純利益率 | % | 1.2 | 0.2 | △0.8 | △1.0 | △1.0 |
| 売上債権回転期間 | 月 | 2.26 | 2.95 | 3.49 | 0.69 | 0.54 |
| 棚卸資産回転期間 | 月 | 3.86 | 3.25 | 3.16 | △0.61 | △0.09 |
| 仕入債務回転期間 | 月 | 1.79 | 1.59 | 1.73 | △0.20 | 0.14 |
| 運転資金回転期間 | 月 | 4.34 | 4.61 | 4.93 | 0.27 | 0.32 |
| 配当性向 | % | 0.0 | 0.0 | 0.0 | 0.0 | 0.0 |
| 流動比率 | % | 194.8 | 184.2 | 248.4 | △10.6 | 64.2 |
| 当座比率 | % | 83.5 | 94.7 | 137.6 | 11.2 | 42.9 |
| 自己資本比率 | % | 35.0 | 38.0 | 41.7 | 3.0 | 3.7 |
| 固定比率 | % | 104.6 | 95.6 | 87.7 | △9.0 | △7.9 |
| 固定長期適合率 | % | 54.3 | 55.5 | 49.1 | 1.2 | △6.4 |
| 固定資金過不足 | 千円 | 25,617 | 6,853 | △5,639 | △18,764 | △12,492 |
| 運転資金過不足 | 千円 | 1,439 | △4,720 | 25,000 | △6,159 | 29,720 |
| 財務資金過不足 | 千円 | △27,056 | △2,133 | △19,361 | 24,923 | △17,228 |
| 経常収支比率 | % | 109.2 | 108.1 | 110.3 | △1.1 | 2.2 |
| 経常収支 | 千円 | 62,103 | 47,192 | 52,699 | △14,911 | 5,507 |
| 固定収支 | 千円 | △62,295 | △1,507 | △43,646 | 60,788 | △42,139 |
| 財務収支 | 千円 | 25,154 | △73,487 | △7,287 | △98,641 | 66,200 |
| 総合収支 | 千円 | 24,962 | △27,802 | 1,765 | △52,764 | 29,567 |

株式会社オンデマン

資金運用表
X4年3月期

（単位：千円）

| | 運　用 | | 調　達 | |
|---|---|---|---|---|
| 固定資産 | 税 金 支 払 額 | 160 | 税引前当期純利益 | △ 4,049 |
| | 配 当 金 支 払 額 | 0 | 減 価 償 却 費 | 31,747 |
| | 有形無形固定資産 | 39,068 | 長 期 借 入 金 | 10,310 |
| | 投資その他の資産 | 4,419 | 固 定 資 金 不 足 | 5,639 |
| | 合　計 | 43,647 | 合　計 | 43,647 |
| 運転資金 | 売 上 債 権 | △ 955 | 仕 入 債 務 | △ 7,537 |
| | 棚 卸 資 産 | △ 32,733 | その他未払金 | 6,704 |
| | 貸 倒 引 当 金 | 253 | 未 払 消 費 税 等 | △ 1,993 |
| | その他流動資産 | 4,368 | その他流動負債 | △ 1,240 |
| | 運 転 資 金 余 剰 | 25,000 | | |
| | 合　計 | △ 4,066 | 合　計 | △ 4,066 |
| 財務資金 | 固 定 資 金 不 足 | 5,639 | 運 転 資 金 余 剰 | 25,000 |
| | 現 金 預 金 | 1,765 | 短 期 借 入 金 | △ 31,200 |
| | | | 割 引 手 形 | 13,603 |
| | 合　計 | 7,404 | 合　計 | 7,404 |

（注）　上記の金額は千円未満を四捨五入して示しており，合計が不一致になる部分があります
（以下同様）。

資金移動表

株式会社オンデマン　　　　　　X4年3月期　　　　　　　　　　　（単位：千円）

| | 支　　出 | | 収　　入 | |
|---|---|---|---|---|
| 経常収支 | 営　業　支　出 | | 営　業　収　入 | |
| | 　売　上　原　価 | 519,742 | 　売　　上　　高 | 552,260 |
| | 　棚　卸　資　産 | △ 32,733 | 　売　上　債　権 | 955 |
| | 　仕　入　債　務 | 7,537 | 営　業　外　収　入 | 13,037 |
| | 　未 払 消 費 税 等 | 1,993 | | |
| | 　その他未払金 | △ 6,704 | | |
| | 　その他流動資産 | 4,368 | | |
| | 　その他流動負債 | 1,240 | | |
| | 　販売一般管理費 | 45,537 | | |
| | 　減 価 償 却 費 | △ 31,747 | | |
| | 営　業　外　支　出 | 4,320 | | |
| | 経常支出合計 | 513,553 | 経常収入合計 | 566,252 |
| | 経 常 収 入 超 過 | 52,699 | | |
| | 合　　計 | 566,252 | 合　　計 | 566,252 |
| 固定収支 | 税　金　支　払　額 | 160 | 固 定 支 出 超 過 | 43,646 |
| | 配 当 金 支 払 額 | 0 | | |
| | 有 形 無 形 固 定 資 産 | 39,068 | | |
| | 投 資 そ の 他 の 資 産 | 4,419 | | |
| | 合　　計 | 43,646 | 合　　計 | 43,646 |
| 財務収支 | 短　期　借　入　金 | 31,200 | 割　引　手　形 | 13,603 |
| | | | 長　期　借　入　金 | 10,310 |
| | | | 財　務　支　出　超　過 | 7,287 |
| | 合　　計 | 31,200 | 合　　計 | 31,200 |
| 総合収支 | 経　　常　　収　　支 | 52,699 | 期 首 現 金 預 金 残 高 | 26,147 |
| | 固　　定　　収　　支 | △ 43,646 | 期 末 現 金 預 金 残 高 | 27,912 |
| | 財　　務　　収　　支 | △ 7,287 | 増　減　額 | 1,765 |
| | 合　　計 | 1,765 | 経 常 収 支 比 率 | 110.3% |

株式会社オンデマン

資金繰り実績表（銀行様式）

X4年3月期

（単位：千円）

| 摘要 | 4月 | 5月 | 6月 | 7月 | 8月 | 9月 | 10月 | 11月 | 12月 | 1月 | 2月 | 3月 | 合計 |
|---|---|---|---|---|---|---|---|---|---|---|---|---|---|
| 前月繰越 | 26,147 | 45,099 | 22,565 | 37,261 | 24,748 | 41,954 | 50,588 | 28,576 | 53,578 | 32,608 | 28,746 | 34,344 | 26,147 |
| 収入 売掛金回収 | 22,044 | 17,231 | 17,010 | 20,138 | 9,843 | 8,147 | 9,736 | 14,084 | 3,125 | 8,121 | 255 | 4,943 | 134,675 |
| （手形回収） | (61,867) | (60,976) | (61,333) | (88,300) | (37,964) | (13,625) | (35,669) | (32,782) | (31,264) | (20,641) | (9,762) | (16,324) | (470,508) |
| （手形期日入金） | 33,057 | 0 | 1,801 | 6,400 | 4,299 | 0 | 2,203 | 22,675 | 14,562 | 1,970 | 9,827 | 2,863 | 99,658 |
| 営業外収入 | 73 | 304 | 3,759 | (92) | 133 | 100 | 120 | 2,153 | 121 | 116 | 872 | 1,296 | 8,953 |
| 貸付金回収 | 184 | 184 | 184 | 184 | 184 | 184 | 184 | 184 | 184 | 184 | 184 | 185 | 2,214 |
| その他収入 | 0 | 109 | 694 | 418 | 38 | 13 | 29 | 0 | 0 | 34 | 0 | 7,732 | 9,066 |
| 手形割引 | 11,044 | 29,458 | 38,247 | 38,955 | 57,924 | 52,996 | 8,690 | 45,808 | 863 | 28,288 | 26,754 | 17,641 | 356,667 |
| （割引落込） | (7,335) | (7,747) | (6,064) | (34,820) | (51,947) | (64,116) | (59,898) | (35,733) | (19,499) | (25,151) | (7,628) | (23,126) | (343,064) |
| 収入合計 | 66,401 | 47,286 | 61,695 | 66,003 | 72,421 | 61,440 | 20,963 | 84,904 | 18,855 | 38,713 | 37,892 | 34,660 | 611,233 |
| 支出 買掛金支払 | 18,246 | 12,995 | 14,038 | 19,291 | 3,079 | 7,743 | 7,404 | 5,982 | 2,309 | 11,878 | 838 | 4,582 | 108,387 |
| （支手振出） | (7,179) | (4,677) | (2,607) | (7,668) | (3,477) | (1,913) | (1,601) | (2,512) | (6,481) | (6,191) | (5,006) | (4,732) | (54,044) |
| 支払手形期日落 | 4,922 | 6,639 | 0 | 18,139 | 0 | 2,876 | 5,710 | 9,516 | 4,118 | 1,862 | 1,504 | 0 | 55,288 |
| 労務費支出 | 16,638 | 13,902 | 10,614 | 17,954 | 11,387 | 12,405 | 14,216 | 16,991 | 13,499 | 12,503 | 14,091 | 9,858 | 164,060 |
| 外注加工費支出 | 11,849 | 11,709 | 12,554 | 7,714 | 9,624 | 7,251 | 5,408 | 7,499 | 7,003 | 4,536 | 3,488 | 6,853 | 95,489 |
| 製造経費支出 | 2,880 | 2,712 | 3,525 | 3,307 | 3,373 | 2,085 | 2,347 | 3,504 | 2,082 | 2,223 | 1,924 | 4,729 | 34,689 |
| 人件費支出 | 1,891 | 1,815 | 1,520 | 2,114 | 1,545 | 1,834 | 1,588 | 1,987 | 1,804 | 1,804 | 1,804 | 1,556 | 21,262 |
| 一般管理費支出 | 2,167 | 2,059 | 1,664 | 1,778 | 2,546 | 2,080 | 1,151 | 1,719 | 2,457 | 1,709 | 2,102 | 3,290 | 24,723 |
| 支払消費税等 | 1,175 | 5,039 | 1,331 | 1,226 | 4,818 | 988 | 862 | 4,297 | 1,155 | 1,440 | 1,788 | 2,056 | 26,175 |
| 固定資産投資 | 91 | 34,685 | 0 | 0 | 1,253 | 256 | 213 | 0 | 600 | 0 | 0 | 190 | 37,288 |
| 営業外支出 | 276 | 328 | 472 | 632 | 197 | 343 | 303 | 447 | 282 | 230 | 240 | 570 | 4,320 |
| 長期貸付金貸付 | 0 | 0 | 0 | 0 | 0 | 0 | 0 | 640 | 0 | 0 | 0 | 6,641 | 7,281 |
| 税金支払 | 0 | 1,070 | 0 | 0 | 0 | 0 | 0 | 0 | 0 | 0 | 0 | 268 | 1,338 |
| 保険積立支出 | 48 | 48 | 48 | 48 | 48 | 77 | 0 | 80 | 40 | 40 | 40 | 0 | 516 |
| その他支出 | 101 | 0 | 0 | 0 | 111 | 7,094 | 0 | 128 | 175 | 0 | 101 | 52 | 7,763 |
| 支出合計 | 60,286 | 93,002 | 45,767 | 72,203 | 37,982 | 45,033 | 39,202 | 52,789 | 35,523 | 38,226 | 27,920 | 40,644 | 588,578 |
| 差引過不足 | 32,263 | △617 | 38,493 | 31,061 | 59,187 | 58,361 | 32,349 | 60,691 | 36,910 | 33,095 | 38,718 | 28,359 | 48,802 |
| 財務収入 短期借入金借入 | 16,800 | 8,000 | 0 | 0 | 0 | 0 | 0 | 0 | 0 | 0 | 0 | 0 | 24,800 |
| 長期借入金借入 | 0 | 54,880 | 0 | 0 | 0 | 0 | 0 | 8,660 | 0 | 0 | 0 | 0 | 59,767 |
| 財務支出 短期借入金返済 | 0 | 24,000 | 0 | 0 | 16,000 | 4,000 | 0 | 12,000 | 0 | 0 | 0 | 0 | 56,000 |
| 長期借入金返済 | 3,963 | 15,698 | 1,233 | 6,313 | 1,233 | 3,773 | 3,773 | 3,773 | 4,302 | 4,349 | 4,374 | 447 | 49,458 |
| 次月繰越 | 45,099 | 22,565 | 37,261 | 24,748 | 41,954 | 50,588 | 28,576 | 53,578 | 32,608 | 28,746 | 34,344 | 27,912 | 27,912 |

序

株式会社オンデマンの財務分析について

## キャッシュ・フロー計算書
### X4年3月期（直接法）

株式会社オンデマン　　　　　　　　　　　　　　　（単位：千円）

| 科　目 | 金　額 |
|---|---:|
| I　営業活動によるキャッシュ・フロー | |
| 　　営　業　収　入 | 553,215 |
| 　　製　造　原　価　支　出 | △ 493,451 |
| 　　販　売・一　般　管　理　費　支　出 | △ 13,790 |
| 　　消　費　税　支　出 | △ 1,993 |
| 　　　　小　計 | 43,981 |
| 　　営　業　外　収　入 | 13,037 |
| 　　営　業　外　支　出 | △ 4,320 |
| 　　法　人　税　等　の　支　払　額 | △ 160 |
| 　　営業活動によるキャッシュ・フロー | 52,539 |
| II　投資活動によるキャッシュ・フロー | |
| 　　有　形・無　形　固　定　資　産　投　資 | △ 39,068 |
| 　　投　資　そ　の　他　の　資　産　投　資 | △ 4,419 |
| 　　投資活動によるキャッシュ・フロー | △ 43,486 |
| III　財務活動によるキャッシュ・フロー | |
| 　　短　期　借　入　金　返　済 | △ 31,200 |
| 　　手　形　割　引 | 13,603 |
| 　　長　期　借　入　金　借　入 | 10,310 |
| 　　配　当　金　支　払　額 | 0 |
| 　　財務活動によるキャッシュ・フロー | △ 7,287 |
| IV　現金および現金同等物の増減額 | 1,765 |
| V　現金および現金同等物の期首残高 | 26,147 |
| VI　現金および現金同等物の期末残高 | 27,912 |

## キャッシュ・フロー計算書
### X4年3月期（間接法）

株式会社オンデマン　　　　　　　　　　　　　　　　　（単位：千円）

| 科　　目 | 金　　額 |
|---|---:|
| Ⅰ　営業活動によるキャッシュ・フロー | |
| 税 引 前 当 期 純 利 益 | △ 4,049 |
| 減 価 償 却 費 | 31,747 |
| 売 上 債 権 の 減 少 | 955 |
| 棚 卸 資 産 の 減 少 | 32,733 |
| 仕 入 債 務 の 減 少 | △ 7,537 |
| 未 払 消 費 税 等 の 減 少 | △ 1,993 |
| 貸 倒 引 当 金 の 増 加 | △ 253 |
| そ の 他 流 動 資 産 の 増 加 | △ 4,368 |
| そ の 他 流 動 負 債 の 増 加 | 5,464 |
| 営 業 外 収 益 | △ 13,037 |
| 営 業 外 費 用 | 4,320 |
| 小 計 | 43,981 |
| 営 業 外 収 入 | 13,037 |
| 営 業 外 支 出 | △ 4,320 |
| 法 人 税 等 の 支 払 額 | △ 160 |
| 営業活動によるキャッシュ・フロー | 52,539 |
| Ⅱ　投資活動によるキャッシュ・フロー | |
| 有 形 ・ 無 形 固 定 資 産 投 資 | △ 39,068 |
| 投 資 そ の 他 の 資 産 投 資 | △ 4,419 |
| 投資活動によるキャッシュ・フロー | △ 43,486 |
| Ⅲ　財務活動によるキャッシュ・フロー | |
| 短 期 借 入 金 返 済 | △ 31,200 |
| 手 形 割 引 | 13,603 |
| 長 期 借 入 金 借 入 | 10,310 |
| 配 当 金 支 払 額 | 0 |
| 財務活動によるキャッシュ・フロー | △ 7,287 |
| Ⅳ　現金および現金同等物の増減額 | 1,765 |
| Ⅴ　現金および現金同等物の期首残高 | 26,147 |
| Ⅵ　現金および現金同等物の期末残高 | 27,912 |

# 第18章 財務分析の目的と方法

―本章で学ぶこと―
1 財務分析の目的
2 財務分析の方法

## 1 財務分析の目的

### (1) 財務情報と非財務情報

　私たちはいろいろなケースで企業を分析する必要が生じます。たとえば，金融機関の融資担当者が申し込まれた融資に応じるかどうかを判定するとき，企業を買収するかどうかまたその対価が妥当かどうかを判定するとき，あるいはこれから新たに取引を開始するときなどさまざまなシーンが考えられます。

　この際，私たちは一言でいえば企業情報を分析することになります。企業情報にはいろいろなものがあり，企業の経営方針，社長の人柄，出身，立地条件，取扱品目，従業員の状況，損益状況，財政状態などがそれにあたります。この企業情報を分類すると，「お金で書き表すことができる情報」と「お金では書き表すことができない情報」に分かれます。前者を**財務情報**，後者を**非財務情報**といいます。すでに学んだように，財務諸表とはこのうち財務情報を示した書類にあたり，この財務諸表を分析するのが財務分析です。

　しかし，ここで私たちが肝に銘じておかなければならないことは，「財務分析のみでは企業の実態はわからない」ということです。もちろん，財務諸表は企業の活動の成果が示されていますから，それを分析することによって企業のさまざまな側面を分析・把握することはできます。ただ，それはあくまでも企業の一断面を示しているにすぎません。いくら財務分析で合格点を採ったからといっても，一方で経営者の資質や企業の組織に問題があればその状況は永続しないかもしれません。その意味では，財務分析に加えて非財務情報の分析も重要であることは最初に強調しておきます。

　ただ，財務情報には非財務情報にない優れた点があります。それは「金額」というきわめて客観的な手段で表示されているということです。たとえば「10万円」という金額は誰が見ても10万円で，見る人によって金額が異なることはありません（もっとも筆者のような貧乏人には100万円に見えるかもしれませんが，それはあくまでも目の錯覚です）。しかし，非財務情報はそれを見る人によって受取り方が異なることがあります。たとえば，設備投資を積極的に行うという経営方針に関する情報を例に挙げれば，ある人は

「この不景気なときに馬鹿なことをやっている」と取るかもしれませんが，別の人は「この不景気なときこそ設備投資が重要だ」と好印象を持つかもしれません。ところが財務情報は，異なる人が分析しても同じ手法で行えば，結論は同じになるのです。その意味では，金融機関等にとって財務情報の分析によって企業の概要を把握することはきわめて重要です。たとえば，ある担当者が融資先の財務分析を行った結果と，別の人が行った結果が異なったものになった場合には，組織としての判断を下すことができません。全員で同じルールを使って財務分析を行えば，担当者が変わっても組織としての判断が変わることはないのです。

このテキストはその「同じルール」を学んでもらうために作成しています。

## （2） 利回りと変化

一般的に，財務分析の目的として次の4つが挙げられます。

【図表18-1】 財務分析の目的

収益性分析とは，企業の儲ける力，すなわち利益獲得能力の分析です。

生産性分析とは，主として企業が人をうまく使っているかどうかの分析で，具体的には付加価値を分析します。

安全性分析とは，企業の資金の調達源泉と運用形態のバランスを分析します。もっと具体的にいえば，企業が倒産する恐れがないかどうかを分析します。

成長性分析とは，今後企業が成長する能力があるかどうかの分析です。

これらの分析はそれぞれ重要ですが，実務的には「収益性」と「安全性」の分析が中心になり，生産性分析や成長性分析はあまり行われません。

たとえば，皆さんが1,000万円の現金を金融機関に定期預金として預け入れようと思っていたとしましょう。どの金融機関に預けるかを決めるときの判断材料は何でしょうか？

実際には現在の金融機関の定期預金利率はほとんど変わりがないので，ピンとこないと

思いますが，仮に金融機関によって定期預金利率が相当違っていたとすれば，まず，皆さんは利率の高さを判断材料にすると思います。しかし，通常の金融機関の定期預金利率が0.5％なのに，ある金融機関だけ突出して3％の利率を付けていたとしたら，皆さんは直ちにその金融機関を選択するでしょうか？

通常，金融機関は預金者から預金を集め，それを貸付金や有価証券等によって運用し，預金の支払金利と資金の運用益との差額を利益として獲得しています。したがって，定期預金の利率をほかの金融機関より高くするということは，それだけ高いコストを負担することになりますから，それでも利益を得るためには，それらを相当高い利回りで運用しなければならなくなります。世の中にはそんなにうまい話は転がっていませんから，定期預金利率を高く設定している金融機関の経営は厳しくなる可能性があります。万が一，その金融機関が破綻してしまえば，（ペイオフ等は無視して）皆さんが預けた資金は戻ってこないことになります。

そうなると，皆さんの金融機関選択の判断材料は「利率の高さ」と「倒産しないか」の2つあることになります。通常の企業を分析するときもこの2つが重要な判断材料になります。前者が「収益性」，後者が「安全性」です。

収益性分析のキーワードは「利回り」，安全性分析のキーワードは「変化」です。この財務分析編で皆さんにわかってもらいたいのは，具体的に利回りと変化をどうやって見るかということです。

## 2　財務分析の方法

財務分析の方法を分類すると【図表18-2】のようになります。

【図表18-2】　財務分析の方法

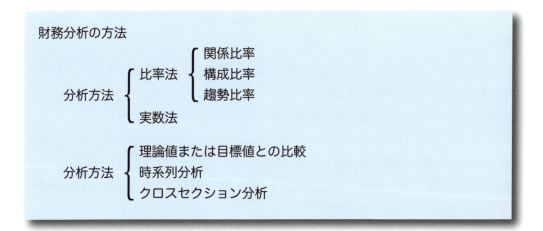

## ① 比率法

たとえば，企業の収益性を分析するときに，利益の絶対額を比較しても，企業の規模が異なる場合には，利益が大きいからといって収益性が高いとは限りません。そこで，売上高や総資本に対する利益の割合を比較する手法が考えられました。また，企業の安全性を分析するときに，自己資本が総資本に占める割合（自己資本比率）を比較する方法もあります。

このように，ある数値と他の数値の関係を比率で示したり（関係比率），全体に占める構成比を示したり（構成比率），基準となる年度の数値を100としてその趨勢を分析する（趨勢比率）手法を「比率法」といいます。

## ② 実数法

実際の数値（金額）で分析するため，実数法といいます。具体的には，資金繰り表における資金収支額や資金運用表における固定資金超過額など金額そのもので分析する手法です。

## ③ 比較対象

分析とは，「比較する」という言葉が語源だそうです。たとえば，あなたのお子さんの成績がいいかどうかを判断するときに，あなたのお子さんの通知表だけじっと見ていてもわかりません。何か比較対象があるから判断ができるのです。たとえば，比較対象が神童と呼ばれる天才少年だとすれば，あなたのお子さんの成績は少し悪く見えるかもしれませんが，比較対象が筆者のバカ息子の場合には，皆さんのお子さんの成績はすばらしく見えるはずです。このように，比較対象を何にするかによって財務分析結果も異なります。

比較対象として業界平均値を採用することが多いのですが，分析対象が非上場会社の場合には，業界平均値を調べるもとが限られてしまいます。現在，インターネットや書籍で業界平均値を調査することができるのは，次のようになります。

「中小企業実態基本調査」（中小企業庁編）

https://www.chusho.meti.go.jp/koukai/chousa/kihon/index.htm

「ＴＫＣ経営指標（ＢＡＳＴ）」（ＴＫＣ編）

https://www.tkc.jp/tkcnf/bast/

「小企業の経営指標」（日本政策金融公庫総合研究所編）

https://www.jfc.go.jp/n/findings/sme_findings2.html

「全国企業財務諸表分析統計」（帝国データバンク編，書籍）

「ＴＳＲ中小企業経営指標」（東京商工リサーチ編，CD-ROM）

また，財務分析では対前期比較がよく行われます。これは「時系列分析」に分類されます。

さらに，同業他社との比較も行います。たとえば，キリンビールを分析するときにアサ

ヒビールと比較するというような手法です。これは「**クロスセクション分析**」と呼ばれます。

(注) 貸借対照表数値の平均について

たとえば，この後出てくる総資本経常利益率は，経常利益を総資本で割って求められますが，分子の経常利益は，損益計算書から求められる期間数値（フロー）であるのに対して，分母の総資本は，貸借対照表から求められる残高数値（ストック）です。このような比率を求める場合，本来であれば分母の総資本を毎日の加重平均値に直すべきですが，外部分析手法としてはそこまでは不可能です。そこで，このような場合には，原則として分母の総資本は期首残高と期末残高の平均値にして比率を求めます。

このように，損益計算書の数値と貸借対照表の数値を比較する比率の場合には，貸借対照表の数値を原則として期首・期末の平均値とすることを忘れないでください。したがって，財務分析を行うときには，前期末の貸借対照表も必要になります。

なお，たとえば流動比率（＝流動資産／流動負債）や売上高経常利益率（＝経常利益／売上高）のように，貸借対照表や損益計算書の数値同士を比較する比率の場合には，期首・期末を平均する等の調整の必要はありません。

**【図表18-3】 中小企業実態基本調査（見本）**

## ４．資産及び負債・純資産　4．Assets, liabilities and net assets (business corporations)

### (2) 産業中分類別表　(2) Middle division of industrial classification

| 調査事項 | 製造業　Manufacturing | | | | | | | |
|---|---|---|---|---|---|---|---|---|
| | 11 繊維工業 Textile mill products | 12 木材・木製品製造業（家具を除く） Lumber and wood products, except furniture | 13 家具・装備品製造業 Furniture and fixtures | 14 パルプ・紙・紙加工品製造業 Pulp, paper and paper products | 15 印刷・同関連業 Printing and allied industries | 16 化学工業 Chemical and allied products | 17 石油製品・石炭製品製造業 Petroleum and coal products | 18 プラスチック製品製造業（別掲を除く） Plastic products, except otherwise classified |
| 母集団企業数(社) | 16 670 | 6 401 | 7 273 | 5 543 | 18 919 | 3 950 | 507 | 10 885 |
| 従業者数(人) | 303 436 | 88 881 | 93 755 | 160 761 | 263 232 | 175 181 | 13 849 | 298 843 |
| 株式会社数(社) | 9 275 | 3 703 | 3 521 | 3 373 | 10 364 | 3 514 | 444 | 6 580 |
| 株式譲渡制限を定めている株式会社数(社) | 6 913 | 2 779 | 2 727 | 2 796 | 7 965 | 2 763 | 275 | 4 476 |
| 資　産 | 4 366 403 | 1 546 437 | 1 729 084 | 3 123 045 | 3 480 579 | 4 938 047 | 506 809 | 6 092 898 |
| 　流動資産 | 2 359 252 | 778 918 | 879 180 | 1 638 113 | 1 621 380 | 2 820 688 | 313 222 | 3 233 164 |
| 　　現金・預金 | 717 296 | 179 556 | 227 566 | 482 749 | 681 128 | 870 728 | 47 421 | 1 083 273 |
| 　　受取手形・売掛金 | 736 291 | 195 223 | 356 854 | 699 586 | 631 613 | 1 098 150 | 115 158 | 1 374 524 |
| 　　有価証券 | 75 889 | 11 852 | 7 636 | 83 989 | 38 340 | 62 848 | 304 | 50 687 |
| 　　棚卸資産 | 636 406 | 272 891 | 140 647 | 296 247 | 116 538 | 608 425 | 116 293 | 498 525 |
| 　　その他の流動資産 | 193 370 | 119 396 | 146 477 | 75 543 | 153 760 | 180 536 | 34 047 | 226 154 |
| 　固定資産 | 2 000 997 | 764 598 | 848 907 | 1 478 758 | 1 849 357 | 2 101 140 | 193 510 | 2 844 554 |
| 　　有形固定資産 | 1 412 027 | 670 191 | 675 746 | 1 090 032 | 1 457 236 | 1 527 442 | 163 545 | 2 278 421 |
| 　　　建物・構築物・建物附属設備 | 472 760 | 198 906 | 212 004 | 330 990 | 517 315 | 649 334 | 71 618 | 842 766 |
| 　　　機械装置 | 300 015 | 107 682 | 86 345 | 281 595 | 503 518 | 352 001 | 67 150 | 471 754 |
| 　　　船舶、車両運搬具、工具・器具・備品 | 48 865 | 20 888 | 26 756 | 31 639 | 59 463 | 41 250 | 6 065 | 105 603 |
| 　　　リース資産 | 6 122 | 250 | 2 275 | 11 218 | 12 872 | 9 686 | 208 | 8 463 |
| 　　　土地 | 675 470 | 385 672 | 367 419 | 450 394 | 569 498 | 574 177 | 70 568 | 1 064 321 |
| 　　　建設仮勘定 | 86 958 | 930 | 17 879 | 1 218 | 824 | 41 333 | 4 580 | 16 809 |
| 　　　その他の有形固定資産 | 2 060 | 10 448 | 562 | 880 | 3 001 | 3 395 | 1 576 | 9 639 |
| 　　　減価償却累計額 | − 180 223 | − 54 584 | − 37 495 | − 17 902 | − 209 254 | − 143 734 | − 58 219 | − 240 933 |
| 　　無形固定資産 | 29 699 | 8 122 | 6 356 | 10 248 | 91 247 | 15 358 | 2 036 | 41 017 |
| 　　投資その他の資産 | 559 271 | 86 285 | 166 805 | 378 478 | 300 873 | 558 340 | 27 929 | 525 116 |
| 　繰延資産 | 6 154 | 2 921 | 996 | 6 174 | 9 842 | 16 220 | 76 | 15 180 |
| 負債及び純資産 | 4 366 403 | 1 546 437 | 1 729 084 | 3 123 045 | 3 480 579 | 4 938 047 | 506 809 | 6 092 898 |
| 　負　債 | 2 682 117 | 1 186 232 | 1 104 016 | 1 746 751 | 2 614 787 | 2 670 077 | 316 364 | 3 841 545 |
| 　　流動負債 | 1 511 793 | 574 142 | 562 332 | 1 089 085 | 1 074 717 | 1 362 714 | 207 746 | 2 293 351 |
| 　　　支払手形・買掛金 | 493 505 | 140 413 | 214 115 | 550 132 | 423 956 | 581 492 | 63 310 | 1 038 465 |
| 　　　短期借入金(金融機関) | 450 956 | 199 919 | 132 473 | 324 185 | 336 666 | 413 389 | 50 230 | 717 478 |
| 　　　短期借入金(金融機関以外) | 312 708 | 85 357 | 82 462 | 35 731 | 110 854 | 29 537 | 19 732 | 130 337 |
| 　　　リース債務 | 4 120 | 50 | 5 365 | 1 246 | 2 972 | 1 232 | 126 | 8 968 |
| 　　　その他の流動負債 | 250 504 | 148 404 | 127 916 | 177 791 | 200 269 | 337 064 | 74 348 | 398 104 |
| 　　固定負債 | 1 170 324 | 612 090 | 541 684 | 657 666 | 1 540 049 | 1 307 383 | 108 618 | 1 548 194 |
| 　　　社債 | 58 248 | 7 521 | 22 605 | 13 521 | 28 929 | 201 768 | 10 464 | 94 251 |
| 　　　長期借入金(金融機関) | 784 972 | 444 185 | 388 652 | 418 433 | 1 188 977 | 850 831 | 66 714 | 1 207 924 |
| 　　　長期借入金(金融機関以外) | 209 434 | 110 921 | 81 973 | 51 123 | 219 457 | 47 808 | 6 734 | 73 544 |
| 　　　リース債務 | 3 042 | 733 | 134 | 13 506 | 10 182 | 7 177 | 194 | 17 862 |
| 　　　その他の固定負債 | 114 629 | 48 730 | 48 320 | 161 083 | 92 505 | 199 778 | 24 511 | 154 613 |
| 　純資産 | 1 684 287 | 360 205 | 625 068 | 1 376 294 | 865 812 | 2 267 970 | 190 445 | 2 251 353 |
| 　　株主資本 | 1 677 405 | 349 949 | 607 852 | 1 365 712 | 839 327 | 2 002 834 | 160 885 | 2 234 476 |
| 　　　資本金 | 299 499 | 88 449 | 79 864 | 129 706 | 228 213 | 168 531 | 28 534 | 280 356 |
| 　　　資本剰余金 | 254 689 | 31 097 | 2 536 | 37 964 | 39 092 | 179 305 | 9 730 | 228 479 |
| 　　　利益剰余金 | 1 128 383 | 234 116 | 527 508 | 1 230 164 | 582 021 | 1 659 142 | 123 219 | 1 748 859 |
| 　　　自己株式 | − 5 165 | − 3 713 | − 2 057 | − 32 122 | − 9 998 | − 4 145 | − 797 | − 23 217 |
| 　　その他の純資産 | 6 881 | 10 256 | 17 216 | 10 582 | 26 486 | 265 137 | 29 760 | 16 877 |

【図表18-4】 小企業の経営指標（見本）

衣服・その他の繊維製品製造業

従業者規模別経営指標

| 指標名 | 単位 | 1～4人 調査対象数 220 | | 5～9人 調査対象数 139 | | 10～19人 調査対象数 128 | | 20～49人 調査対象数 56 | |
|---|---|---|---|---|---|---|---|---|---|
| | | 平均 | 標準偏差 | 平均 | 標準偏差 | 平均 | 標準偏差 | 平均 | 標準偏差 |
| 総資本経常利益率 | (%) | -0.4 | 14.0 | -2.2 | 10.3 | 0.9 | 10.0 | 1.5 | 7.3 |
| 自己資本経常利益率 | (%) | 10.2 | 81.4 | -89.4 | 477.9 | 23.8 | 96.3 | 50.8 | 304.4 |
| 売上高総利益率 | (%) | 35.7 | 28.1 | 37.3 | 28.2 | 35.0 | 28.7 | 35.9 | 30.6 |
| 売上高営業利益率 | (%) | 0.5 | 14.7 | -1.7 | 13.4 | -0.3 | 7.2 | -0.7 | 8.2 |
| 売上高経常利益率 | (%) | -0.9 | 10.6 | -2.3 | 11.9 | 0.7 | 5.7 | 0.7 | 5.6 |
| 売上高経常利益率（償却前） | (%) | 1.8 | 12.6 | 0.1 | 12.0 | 3.0 | 6.3 | 2.6 | 6.5 |
| 人件費対売上高比率 | (%) | 27.5 | 17.5 | 35.6 | 19.7 | 43.9 | 20.2 | 43.9 | 21.4 |
| 諸経費対売上高比率 | (%) | 24.6 | 15.1 | 22.0 | 11.5 | 21.2 | 9.6 | 17.7 | 9.2 |
| 金融費用対売上高比率 | (%) | 1.4 | 1.4 | 1.3 | 1.0 | 1.4 | 1.2 | 1.1 | 0.7 |
| 総資本回転率 | (回) | 1.8 | 1.3 | 1.8 | 1.2 | 1.7 | 1.1 | 1.8 | 1.0 |
| 棚卸資産回転期間 | (月) | 0.8 | 1.4 | 1.0 | 1.6 | 0.6 | 1.2 | 0.5 | 0.9 |
| 受取勘定回転期間 | (月) | 1.3 | 1.3 | 1.4 | 1.1 | 1.5 | 1.2 | 1.5 | 1.1 |
| 売掛金回転期間 | (月) | 1.0 | 1.0 | 1.1 | 0.8 | 1.2 | 0.8 | 1.2 | 0.7 |
| 支払勘定回転期間 | (月) | 1.4 | 2.3 | 1.6 | 1.8 | 5.4 | 45.0 | 1.0 | 1.4 |
| 買掛金回転期間 | (月) | 1.1 | 2.3 | 1.1 | 1.2 | 0.7 | 1.0 | 0.7 | 0.9 |
| 従業者1人当たり売上高 | (千円) | 16,159 | 12,968 | 15,513 | 13,416 | 10,348 | 9,665 | 9,823 | 10,604 |
| 従業者1人当たり粗付加価値額 | (千円) | 4,119 | 2,502 | 4,530 | 2,479 | 3,656 | 2,122 | 3,500 | 2,221 |
| 粗付加価値額対売上高比率 | (%) | 31.8 | 20.8 | 39.0 | 20.4 | 48.3 | 20.7 | 47.7 | 21.9 |
| 従業者1人当たり有形固定資産額 | (千円) | 4,277 | 6,486 | 3,618 | 4,841 | 3,620 | 5,700 | 2,677 | 4,823 |
| 粗付加価値額対有形固定資産額比率 | (%) | 1,633.0 | 6,264.0 | 1,153.6 | 4,432.6 | 683.4 | 2,012.4 | 1,949.8 | 5,691.2 |
| 有形固定資産回転率 | (回) | 114.0 | 622.1 | 44.5 | 155.4 | 27.4 | 139.3 | 52.7 | 130.6 |
| 従業者1人当たり人件費 | (千円) | 3,617 | 2,160 | 4,030 | 2,012 | 3,373 | 1,977 | 3,059 | 1,713 |
| 人件費対粗付加価値額比率 | (%) | 86.4 | 33.4 | 91.4 | 23.6 | 92.3 | 27.5 | 91.0 | 13.0 |
| 当座比率 | (%) | 245.6 | 596.2 | 183.7 | 428.3 | 179.4 | 221.3 | 140.4 | 147.9 |
| 流動比率 | (%) | 464.5 | 1,018.8 | 332.6 | 721.3 | 284.4 | 297.0 | 205.5 | 179.5 |
| 借入金回転期間 | (月) | 10.7 | 10.6 | 9.1 | 7.1 | 8.4 | 5.8 | 6.3 | 5.5 |
| 固定長期適合率 | (%) | 80.9 | 185.8 | 72.4 | 60.9 | 88.7 | 120.1 | 83.1 | 77.0 |
| 自己資本比率 | (%) | -22.6 | 87.7 | -23.4 | 73.6 | -11.0 | 54.5 | -3.3 | 51.1 |
| 損益分岐点比率 | (%) | 112.8 | 48.5 | 112.2 | 38.1 | 109.9 | 35.7 | 118.3 | 55.9 |

（日本政策金融公庫ホームページ「小企業の経営指標 2014」367ページより）

# 第19章 資本利益率

―本章で学ぶこと―

1. 収益性分析の手法
2. 5％利付債を買う
3. 誰の利回りか？
4. 各種資本利益率

## 1 収益性分析の手法

以下にA運送とB運送の経常利益を示します。いずれも1年間の金額です。

|  | A運送 | B運送 |
|---|---|---|
| 経 常 利 益 | 50万円 | 100万円 |

ここで質問です。A運送とB運送はどちらが儲かっているでしょうか？

何か裏があると思っている人がいるかもしれませんが，そんなことはありません。この質問に対しては「B運送がA運送の2倍儲かっている」というのが正解です。

今度は質問を替えます。A運送とB運送はどちらの方の収益性が高いでしょうか？

今度の質問に対しても，素人は「B運送の収益性が高い。だって，A運送に比べて利益が2倍も計上されているではないか」と答えます。しかし，ある程度財務分析をかじっている人は「このデータだけではわからない」と答えなければなりません。

極端な例を挙げるようですが，B運送の経常利益100万円は1台1,000万円のトラックを使って上げています。この1台のトラックが1年間荷物を運搬すると，100万円儲かるのがB運送です。なお，簡便化のため，運送業を遂行するための燃料費，人件費，租税公課，修繕費などの費用は無視します。

ところが，A運送は，1台2万円の自転車で年間50万円の利益を上げています。この状況を前提にすると，A運送の方がはるかに収益性が高いと判断できます。

後述するように，実際には利益に資金の裏付けがあるとは限りませんが，仮に利益に見合う資金が両社にあると仮定すれば，A運送は利益50万円で来年自転車を25台購入することができます。この自転車がそれぞれ50万円ずつ稼いでくれれば，A運送は「ねずみ算式」に儲かります。

**現金50万円＝自転車購入価額@２万円×25台**

しかし，B運送はもう１台トラックを購入しようと思っても，あと９年待たないと購入できません。

**トラック購入価額1,000万円＝年間利益100万円×10年分**

しかも，９年経つ前に最初のトラックがダメになってしまい，会社は行き詰まってしまいます。

このように考えると，企業の収益性を分析するときには，利益の絶対額で見るのではなく，何をもとにどれくらいの利益を上げたかという「**利回り**」で判定しなければならないことがわかります。

【図表19-1】 両社の利回りの比較

$$\text{A運送の利回り} = \frac{\text{年間の経常利益50万円}}{\text{自転車２万円}} = 2{,}500\%$$

$$\text{B運送の利回り} = \frac{\text{年間の経常利益100万円}}{\text{トラック1,000万円}} = 10\%$$

財務分析では，この利回りのことを「**資本利益率**」といいます。ようするに，使ったお金とその結果出てきた利益の関係を示した比率です。

【図表19-2】 資本利益率

$$\text{資本利益率} = \frac{\text{利益}}{\text{資本}}$$

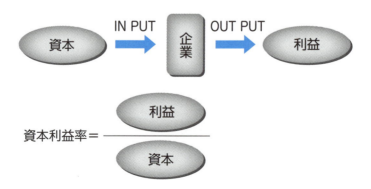

このように考えると，100万円投資して5万円の利益が出る企業と，50万円投資して3万円の利益が出る企業は，後者の方の収益性が高いという結果になります。

## 2 5％利付債を買う

資本利益率は1種類だけではありません。誰の立場で考えるかによって，その算式は異なります。

具体的な事例で考えてみましょう。

《事例》

ある人のところに証券会社の営業マンが来て，「5％利付債」を勧めました。

この商品は，今100万円投資すると1年後に5万円の利息がもらえるものです。

今どき5％という高い利回りは魅力なので，この人はこの商品を購入しようと思いました。自分の預金残高を見ると100万円なら何とか投資できそうです。

しかし，ここでちょっと思い直しました。「今100万円を使ってしまうと，イザというとき資金繰りに困るかもしれないので，銀行から半分の50万円借りようかな？」とも思ったのです。ちなみに銀行から資金を借り入れる場合の年利率は4％です。

さて，この人はこの5％利付債を購入する方法として，次の2つのうちどちらを選ぶべきでしょうか？

① 自己資本100万円で購入する。

② 自己資金50万円と借入金50万円で購入する。

もちろん，この問は皆さんの好みを尋ねているのではありません。親の遺言で「浮気と借金は絶対にするな！」といわれた人は，もちろん①を選ぶに決まっていますが，この問はどちらの方が効率的な買い方かを尋ねています。

まず，①と②の利益がいくらになるか計算してみましょう。

①は1年後に5万円の利息を受け取ることができます。

これに対して，②は1年後に5万円の利息を受け取ることができるものの，借入金50万円の利息2万円（＝50万円×4％）を支払わなければなりませんので，最終的な利益は3万円となります。

このように，利益の金額では①の方が大きくなるのですが，自己資金の利回りで考えてみたらどうなるでしょう？

①は100万円の自己資金を使って5万円の利益を上げることができますから，利回り

第19章 資本利益率

227

は5％となります。

　これに対して，②の利益は3万円しか計上されませんが，使った自己資金は50万円なので利回りは6％となり，①よりも効率的な買い方だということになります。

　よく考えてみればわかりますが，この人は銀行から年4％で借りた資金を年5％で運用していますから，その利ざや1％をフトコロに入れることができるのです。したがって，このケースは借金が多いほど利回りは高くなります。たとえば，自己資金10万円＋借入金90万円の組合せで購入した場合の利回りは，次のように年14％になります。

　（5万円－90万円×4％）／10万円＝14％

## 3　誰の利回りか？

　それでは，先ほどの事例の5％利付債が企業だったらどうなるかを考えてみましょう。つまり，集めてきたお金を5％の利回りで回す能力を持っている企業を想定してみます。

　企業に資金を投資してくれるのは，その企業が株式会社であればまず「株主」です。さらに銀行などの「債権者」が資金を貸し付けてくれます。先ほどの②の買い方を図示すると【図表19-3】のようになります。②の買い方における借入金は債権者から投資してもらった資金，自己資金は株主から投資してもらった資金と考えましょう。

【図表19-3】　各種資本利益率①

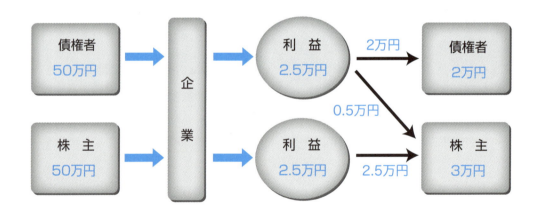

　この企業は集めた資金を5％で回す能力を持っていますから，債権者から出してもらった50万円からは2.5万円，株主から出してもらった50万円からも2.5万円の利益が出ているはずです。それでは，この利益はいったい誰のものになるでしょうか？　債権者と株主はもちろん「見返り」を期待して投資したのですから，当然この利益の分配に預かることができます。しかし，実際には，この企業に直接投資をしていないくせに，この利益のかなりの部分を持って行ってしまうところがあります。税務署です。利益が出たら税金を

支払わなければなりません。もちろん，税金を考慮してもよいのですが，話が面倒くさくなるので，税金は無視しましょう。そうすると，合計5万円の利益の分配を受けるのは債権者と株主になります。

債権者が受ける利益の分配は，結局「利息」です。このケースでは，債権者は企業に年4％で資金を融資していますので，利息は2万円（＝50万円×4％）です。債権者が出してくれた資金から生じた利益は2.5万円なのに債権者に分配する利益は2万円なので，差額0.5万円が生じます。この0.5万円の利益は結局株主のものになってしまいます。その結果，株主には自らが投資した50万円から出てきた利益2.5万円に，その利益0.5万円を加えた3万円の利益が帰属します。

ここで，どの立場から見るかによって利回りが3種類あることに気付いてください。

このケースに登場する人物は3人います。「債権者」「企業」「株主」です。それぞれの利回りが全部違うことを確認してください。

このケースでは，債権者の利回り（借入利子率）は4％，企業の利回り（ROA）は5％，株主の利回り（ROE）は6％となります。このことは，企業の利回りが借入利子率を上回っている場合には，株主の利回りは企業の利回りをさらに上回ることを示しています。株主は借金を梃子（てこ）に企業の利回りよりもさらに利回りがアップしますので，この現象のことを**財務レバレッジ**といいます。

【図表19-4】 各種資本利益率②

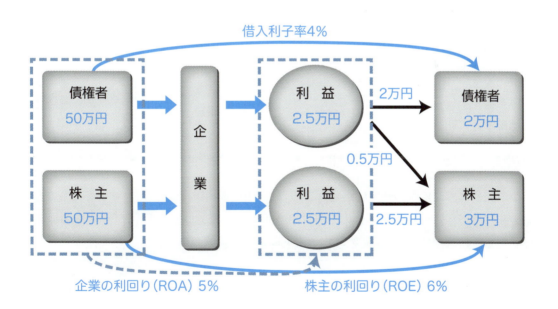

日本の高度経済成長時代においてはまさにこの状況が続いていましたので，どの企業も「どんどん借金をしてどんどん投資した」結果，日本の企業の負債比率は欧米に比べて高

くなってしまったといわれています。

## 4 各種資本利益率

それでは，具体的にそれぞれの利回りはどのような比率で表されるのでしょうか？

まず，債権者の利回りは，貸付利子率（債務者から見れば借入利子率）なので，実際に金融機関から借りている利子率を考えればよいでしょう（注）。

（注）　正確には有利子負債以外の負債（支払手形，買掛金など）がありますから，それらを含めた加重平均利子率を用いるべきです。

企業の利回りの算式は，上場企業と非上場企業とで異なります。

上場企業の場合は，次の**総資本事業利益率**で示されます。

$$
総資本事業利益率（\%）＝\frac{事業利益}{総資本}
$$

（注）　事業利益＝営業利益＋受取利息・配当金

これは，日銀の統計資料に示された企業の利回りの算式で，調査対象が上場企業の場合には，このモノサシに合わせる必要があります。ちなみに，事業利益とは「利払前利益」を示しています。

これに対して，非上場企業の場合には，上記の総資本事業利益率によらず，一般的には次の**総資本経常利益率**で判断します。

$$
総資本経常利益率（\%）＝\frac{経常利益}{総資本}
$$

この比率は，以前中小企業庁が発行していた「中小企業の経営指標」で示されていた企業の利回りです。現在，中小企業の経営指標は発行されていませんが，「小企業の経営指標」（224ページ参照）では依然として非上場企業の利回りを判定するときのモノサシとして利用されています。

なお，オンデマンのX2年3月期の総資本経常利益率は，次のように求められます。

総資本経常利益率＝△4,302千円／{(576,494千円＋514,560千円)÷2}＝△0.8%

残念ながら，X2年3月期の総資本経常利益率はマイナスになってしまいました。

また，株主の利回りは，企業の規模等にかかわらず，次の**自己資本当期純利益率**（**ＲＯ**

E）が用いられます。

$$自己資本当期純利益率（\%）＝\frac{当期純利益}{自己資本}$$

なお，ここにおける「自己資本」とは，基本的には貸借対照表の「純資産」と同じ部分を指しますが，厳密にいえば，純資産に含まれる「新株予約権」の額は除きます。

たとえば，金融機関の融資担当者が，その融資判断において現在または将来の融資先の収益性を判定するときには，その融資先が上場企業であれば総資本事業利益率，そうでなければ総資本経常利益率を算定し，業界平均値や同業他社データ，あるいは前期データと比較します。

一方，ある企業が他の企業の買収の是非を判断する場合には，買収企業が被買収企業の株式を取得するのが一般的ですから，その企業の株主としての利回り，すなわち自己資本当期純利益率がどのくらいあるのかが重要な判断材料になります。

オンデマンの自己資本当期純利益率は次のように求められます。

自己資本当期純利益率＝△4,209千円／{(218,941千円＋214,732千円)÷2}＝△1.9％

これも当期純損失の計上のため，マイナスになってしまいました。

# 練習問題

【問題1】 下記の資料から総資本経常利益率を算出しなさい。なお，小数点第2位を四捨五入のこと。

(単位：百万円)

| | | | | | |
|---|---|---|---|---|---|
| 売　上　高 | 2,500 | 売　上　原　価 | 1,950 | 販売一般管理費 | 320 |
| 営 業 外 収 益 | 30 | 営 業 外 費 用 | 55 | 特　別　利　益 | 8 |
| 特　別　損　失 | 23 | 法　人　税　等 | 92 | 負　債　合　計 | 1,500 |
| 純 資 産 合 計 | 583 | | | | |

(銀行業務検定試験財務3級試験問題より)

【問題2】 下記の資料からROE（自己資本当期純利益率）を算出しなさい。なお，小数点第2位を四捨五入のこと。

(単位：百万円)

| | | | | | |
|---|---|---|---|---|---|
| 負　　　　　債 | 3,920 | 当 期 純 利 益 | 162 | 総資本(総資産) | 5,800 |

　なお，純資産の部に新株予約権はないものとする。

(銀行業務検定試験財務3級試験問題より)

232

# 第20章 資本利益率の分解

―本章で学ぶこと―
1 資本利益率分解アプローチ
2 売上高利益率
3 各種回転期間の分析
4 オンデマンドの財務分析

## 1　資本利益率分解アプローチ

　資本利益率は，企業に投資した資金とその結果出てきた利益の割合で，企業そのものの利回りを示す総資本経常利益率と株主の利回りを示す自己資本当期純利益率（ＲＯＥ）に区分されました。

　たとえば，あなたが銀行の融資担当者で，その融資先であるＡ社の収益性を分析しているとしましょう。企業の利回りを見るために総資本経常利益率を計算したら５％となりました。この５％が高いのか低いのかを判定するために，同業であるＢ社と比較してみようと思い，Ｂ社の総資本利益率も算出してみたところ，こちらも５％となりました。この結果両社の収益性はまったく同じで「引き分け」としてしまったのでは，財務分析になりません。あなたはＡ社に何かアドバイスをしなければならないのに，同業のＢ社と同じ収益性だったという事実の指摘だけでは満足のいく仕事はできません。そこで，資本利益率の分解を考えてみます。

　これは【図表20-1】のように，資本利益率の式の間に売上高を入れて，「売上高利益率」と「資本回転率」に分解するアプローチです。

【図表20-1】　資本利益率の分解

この分解式は、企業の収益性を高めている原因が売上高利益率が高いか、資本回転率が高いか、あるいはその両方であるということを意味しています。このうち売上高利益率はわかりやすいと思います。たとえば1,000円で商品を販売して200円の利益が計上できる企業と、300円の利益が計上できる企業とでは、もちろん後者の収益性が高いと判断されます。一方、資本回転率は少しなじみが薄い比率ですが、収益性分析にとってはきわめて重要で、この比率の分析がお客様へのアドバイスにつながることは案外多いと思います。

　たとえば、八百屋Aと八百屋Bを比較してみましょう。八百屋Aも八百屋Bも年間の売上高は1,000万円だとします。八百屋Aは店先に常にダイコン1,000本をそろえています。そのダイコンが売れるつど補充して年間の売上高が1,000万円になるのが八百屋Aです。一方、八百屋Bの店先にあるダイコンは常に10本のみです。そのダイコンが売れるつど補充して、年間の売上高1,000万円を達成しています。

　それでは八百屋Aと八百屋Bのうち、お金を効率的に使っているのはどちらでしょうか？

　もちろん、八百屋Bです。なぜならば、八百屋Aは常にダイコン1,000本を仕入れる資金を準備しておかなければならない（ダイコンが全部掛売りされれば、新たにダイコン1,000本分の仕入代が必要になる）のに対して、八百屋Bは10本分の資金で済むからです。

　このように、少ない資金で多くの売上高を達成できる企業は、収益性も高くなります。

　先ほどの例でいえば、A社とB社の総資本経常利益率がぴったり5％と同じであっても、次のように分解してみると、「デコボコ」が出てくるはずです。つまり、売上高経常利益率はA社の方がB社より優れているが、総資本回転率はB社の方が高いといった具合になります。

【図表20-2】　総資本経常利益率の分解

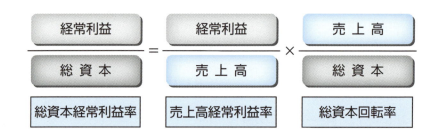

　総資本回転率が低いということは、お金を効率的に使っていないということです。そのような企業の資産の中身を見ると、売上の獲得に貢献していないものが散見されるはずです。たとえば、ゴルフをやる人が社長だけなのに5口もあるゴルフ会員権、証券会社の口車に乗って購入してしまった塩漬けになっている株式、バブルの頃に購入したが、草ボウボウになっている空き地など、よくあるパターンです。そのような企業では、それらの資産を圧縮することによって総資本回転率が向上し、中長期的には総資本経常利益率も向上

することになります。

## 2　売上高利益率

売上高利益率には，どの利益を対象にするかによって，次のようにいろいろな種類があります。

【図表20-3】　売上高利益率

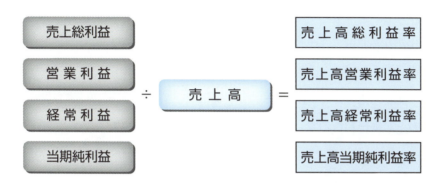

(事例)

次のA社の比較損益計算書を見て，売上高経常利益率が低下した原因を推定しなさい。

| 科　目 | 金額（百万円） 前期 | 当期 | 増減 | 百分比（％） 前期 | 当期 | 増減 |
|---|---|---|---|---|---|---|
| 売　上　高 | 2,822 | 2,864 | 42 | 100.0 | 100.0 | - |
| 売　上　原　価 | 1,967 | 2,053 | 86 | 69.7 | 71.7 | 2.0 |
| 売　上　総　利　益 | 855 | 811 | △44 | 30.3 | 28.3 | △2.0 |
| 販売・管理費 | 684 | 695 | 11 | 24.2 | 24.3 | 0.1 |
| 営　業　利　益 | 171 | 116 | △55 | 6.1 | 4.1 | △2.0 |
| 営　業　外　収　益 | 35 | 33 | △2 | 1.2 | 1.2 | - |
| 営　業　外　費　用 | 70 | 73 | 3 | 2.5 | 2.5 | - |
| 経　常　利　益 | 136 | 76 | △60 | 4.8 | 2.7 | △2.1 |

　上記の事例では，売上高経常利益率が前期4.8％から当期2.7％と2.1ポイント下落しています。売上高経常利益率までの各段階の利益率の変化を見ると，売上高総利益率が前期30.3％から当期28.3％と2.0ポイント下落しており，売上高営業利益率は前期6.1％から当期4.1％とやはり2.0ポイント下落していることがわかります。この結果，売上高経常利益率の下落2.1ポイントのほとんどの原因が売上高総利益率の下落にあることがわかります。したがって，この事例の場合には，売上高総利益率の下落原因（すなわち売上原価

率の上昇原因）を確認することが重要です。

　なお，売上高利益率の変化を分析する際に，次の金融収益・費用に関する比率の変化を見ることも必要になりますので，ついでに覚えておきましょう。

【図表20-4】　金融収益・費用に関する比率

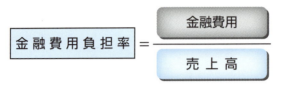

（注）金融費用＝支払利息＋手形売却損

（注）金融収益＝受取利息＋受取配当金

（注）分子は事業利益ともいいます。

　上記の**売上高純金利負担率**は，金融費用が金融収益をあまり上回っていない方がよいので，低いほど収益性が高いと判断されます。金融収益が金融費用を上回っている優良企業では，売上高純金利負担率はマイナスになります。

　**インタレスト・カバレッジ・レシオ**は，以前の「適債基準」（起債関係者が定めた社債発行の資格要件。1996年に撤廃されました）の中に含まれていた指標のひとつで，現在でも金融費用負担能力を判断するときには重要な指標です。インタレスト・カバレッジ・レシオが1倍になるということは，金融収益・金融費用以外の営業外損益がないと考えれば，経常利益＝0になるということですから，インタレスト・カバレッジ・レシオは最低でも1倍以上なければならないと考えられます。

```
インタレスト・カバレッジ・レシオ＝1倍の状況

営 業 利 益    100
金 融 収 益     30      インタレスト・      100＋30
金 融 費 用    130      カバレッジ・レシオ ＝ ─────── ＝ 1.0倍
経 常 利 益      0                            130
```

## 3　各種回転期間の分析

### (1)　回転率と回転期間

　以前学んだ資本回転率は，資本利益率の分解要素のひとつで，売上高／資本で示されます。資本回転率が高いということは，売上高を上げるために使わなければならない資本が少なくてすむということであり，資本を効率的に使用しているわけですから，その企業の収益性を向上させる原因と考えることができます。

　しかし，実務的に回転率が利用されることは，総資本回転率と有形固定資産回転率（売上高／有形固定資産）程度であり，実務ではむしろ「回転期間」の方がよく利用されます。

　回転期間は，【図表20-5】に示したように，回転率の分母と分子を逆にし，分母の売上高を平均月商（すなわち，売上高／12）に置き換えたものです。

【図表20-5】　回転率と回転期間

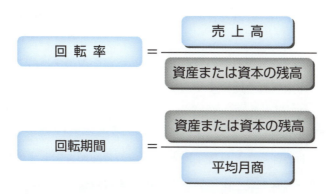

　せっかく，回転率を覚えたのに，わざわざそれを逆にして何のメリットがあるのか疑問に思う人もいるでしょうが，こちらの方がむしろ企業の資金効率を分析するときには，わかりやすいのです。

　具体的に，資本回転期間が用いられるのは，次の「**売上債権回転期間**」「**棚卸資産回転**

期間」「仕入債務回転期間」の3つが多いのですが、それぞれの算式は【図表20-6】に示すとおりです。

【図表20-6】 各種回転期間

　資本回転期間はそれぞれ月数で示され、たとえば、この中の売上債権回転期間は、期末の売上債権（受取手形と売掛金の合計額）が平均月商に置き直して何か月分に相当するかを示したものです。「○回転」という回転期間よりも「○か月分」という回転期間の方がわかりやすいので、こちらの方がよく用いられます。ちなみに、回転率は高いほど資金効率が良いと判断されますが、分母と分子を逆にした回転期間は低いほど資金効率が良いと判断されます。
　なお、資本回転期間は貸借対照表の数値と損益計算書の数値を比較した指標ですが、売上債権などの金額は期末残高を用います。

### (2) 売上債権回転期間

　前述のように、売上債権とは、受取手形と売掛金の合計額を指します。ここで気をつけていただきたいのは、受取手形の中には割引手形や裏書譲渡手形も含める点です。なぜかといえば、たとえば、割引手形は、手形を担保に入れて金融機関から資金を借り入れたことにほかならず、割引手形は金融機関に担保に入っているとはいえ、自社の受取手形に含めなければならないからです。しかし、貸借対照表には手持ち手形のみを表示し、割引手形の期末残高は個別注記表に注記することになっています。これは、手形の割引を金融機関に対する手形の譲渡と見ているからなのですが、これでは正確な売上債権回転期間を算

定することができません。なぜならば，手形担保借入（手形割引）の場合とそれ以外の借入の場合とで，売上債権回転期間が違ってしまうからです。そこで，受取手形の中に割引手形を加え，一方で「割引手形」という金融機関からの借入金があると考えて分析を行うのです（【図表20-7】参照）。

【図表20-7】　割引手形の取扱い

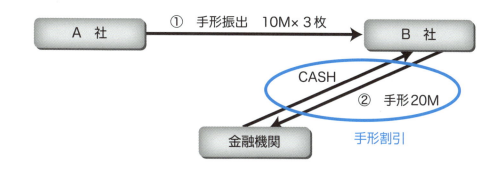

（注）受取手形割引高　20百万円

　さて，たとえば売上債権回転期間が前期末では1か月だった企業が，当期末において2倍の2か月になったとしたら，その原因としてどのようなことが考えられるでしょうか？

　この場合，真っ先に考えなければならないのは，「不良債権の発生」です。売上債権回転期間が長期化するということは，分母の平均月商の伸びよりも分子の売上債権残高の伸びの方が大きいということですから，規模の拡大に伴う売上債権の増加はその原因ではありません。その場合には，分母の平均月商も増加しますので，売上債権回転期間にはそんなに影響はないはずです。得意先から先月支払われる予定だった売掛金が先方からの依頼によって1か月先延ばしになった場合には，分子の売上債権だけが増加しますので，売上債権回転期間は長期化します。

　また，粉飾決算を行って売上高を水増しした場合にも，売上債権回転期間は長期化します。たとえば，期末近くになって

　　（借）売　　掛　　金　100百万円　（貸）売　　　　　上　100百万円

という仕訳を行った場合には，借方の売掛金は期末残高に含まれ，売上債権回転期間の分子にまるまる影響します。一方，貸方の売上はやはり売上債権回転期間の分母に影響しま

すが，分母は平均月商なので，その12分の1しか影響がありません。それまでの売上高と売掛金残高がいくらあるかによって影響は異なりますが，期末近くになって売上高を水増しした場合には，売上債権回転期間にも確実に影響があるはずです。

　もちろん，売上債権回転期間が長期化するのは，悪い理由ばかりとは限りません。たとえば，新しい得意先が見つかり，取引を開始したが，その得意先は会社に大きな利益をもたらしてくれるものの，支払が遅い場合には，売上債権回転期間は長期化します。

　いずれにせよ，売上債権回転期間が長期化した場合には，必ずその裏を取る必要があります。

### (3)　棚卸資産回転期間

　それでは，棚卸資産回転期間が長期化する原因として考えられることは何でしょう？
たとえば，販売不振で仕入れた商品が滞留している場合や，販売能力以上の過大仕入を行った場合，異常な返品があった場合，製造設備投資で増産したが，その製品の売行きが芳しくない場合など，いろいろな事情が推察されます。

　また，こちらでも粉飾決算を疑う必要があります。在庫の水増し（あるいは架空在庫の計上）は，粉飾決算の初歩の手口ですが，頻繁に行われています。この場合にも棚卸資産回転期間は長期化します。

### (4)　仕入債務回転期間

　仕入債務回転期間は，むしろ短期化した場合に注意が必要です。ちなみに，仕入債務とは支払手形と買掛金の合計額を指します。仕入債務はその企業に信用力がある場合に計上できます。すなわち，「つけ」で仕入れることができるということは後で払ってくれると相手が信じてくれたからです。たとえば，ある企業に倒産の噂が出ているとしましょう。その企業の購買担当者が商品を仕入にきました。あなたがその企業に商品を売っている企業の販売担当者だったら，今までどおりその企業に商品を販売しますか？　今までどおりということは「掛売」をするということです。おそらく，どの企業でも倒産の噂が出ている企業に掛売をするところはないでしょう。掛で販売してその売掛金が回収できなくなったら困るからです。しかし，倒産の噂が出ている企業に対しても1つだけ販売する方法があります。それは，先に現金をもらう方法です。先に現金さえもらえば，翌日倒産しても被害はありません。したがって，倒産の噂が出ているような信用力が低い企業は，ただでさえ資金繰りが厳しいのに，掛仕入がしにくくなってしまうのです。その結果，仕入債務回転期間は短期化します。

## (5) 経常運転資金

以上の説明は，一部感覚的なものが混じっていましたが，これを客観的に説明するには，次の**経常運転資金**を用いるとわかりやすいと思います。

$$\boxed{経常運転資金＝売上債権＋棚卸資産－仕入債務}$$

この経常運転資金は「日常的に本業で必要になる資金」という意味です。売上債権を売掛金，棚卸資産を仕入れる商品，仕入債務を買掛金として説明します。取引が拡大して売掛金が1,000万円増え，さらに在庫が1,000万円増加する予定の企業があったとします。つまり，今後この企業は合計2,000万円の資金を使わなければなりません（売掛金は取引先に対する貸付金だと思えばわかりやすいと思います）。しかし，買掛金（取引先からの借入金）は300万円しか増やすことができません。したがって，この企業は差額の1,700万円を何らかの形で調達しないと，資金繰りに窮してしまいます。この調達しなければならない資金が，経常運転資金です。銀行が「運転資金融資」といっているのは，これを指しています。

さて，経常運転資金は，平均月商でくくることによって，次のように分解することができます。

$$経常運転資金＝平均月商×\left[ \begin{array}{c} 売上債権 \\ 回転期間 \end{array} ＋ \begin{array}{c} 棚卸資産 \\ 回転期間 \end{array} － \begin{array}{c} 仕入債務 \\ 回転期間 \end{array} \right]$$

経常運転資金が不足し，金融機関に融資を求める企業には，「良い運転資金不足」の企業と「悪い運転資金不足」の企業があります。良い運転資金不足の企業の典型は，企業規模が拡大し，成長が著しい企業です。そのような企業は，上式のうち「平均月商」が大きく伸びます。一方，悪い運転資金不足の企業は，企業規模はあまり拡大していないのに，不良債権や滞留在庫の発生などで売上債権回転期間や棚卸資産回転期間が長期化し，信用が低下したため仕入債務回転期間が短期化する企業が挙げられます。そのような企業は上式の平均月商はあまり伸びず，カッコの中の値（**運転資金回転期間**といいます）が大きくなります。

このように考えると，各種回転期間の変化は企業の安全性を分析するときにも役立ちます。

# 4　オンデマンの財務分析

## (1)　対前期比較

オンデマンの総資本経常利益率のＸ３年３月期とＸ４年３月期の変化およびその分解要素である売上高経常利益率と総資本回転率の変化を見てみましょう。

(単位：％，回)

| 比率名 | X3/3期 | X4/3期 | 増減 |
|---|---|---|---|
| 総資本経常利益率 | 0.3 | △0.8 | △1.1 |
| 売上高経常利益率 | 0.3 | △0.8 | △1.1 |
| 総資本回転率 | 1.10 | 1.01 | △0.09 |

このように，総資本経常利益率は対前期比1.1ポイント下落していますが，その原因は売上高経常利益率，総資本回転率ともに下落していることにあります。

売上高経常利益率下落の原因を，それまでの売上高利益率の比較によって探ってみると，次のようになります。

(単位：％)

| 比率名 | X3/3期 | X4/3期 | 増減 |
|---|---|---|---|
| 売上高総利益率 | 7.4 | 5.9 | △1.5 |
| 売上高営業利益率 | 0.8 | △2.4 | △3.2 |
| 売上高経常利益率 | 0.3 | △0.8 | △1.1 |

このように，売上高総利益率は1.5ポイント下落しており，売上高経常利益率下落の大きな原因のひとつになっていることがわかります。この原因としては，製造効率の悪化，製品販売価格の下落などが考えられます。製造効率については，納期管理が順調に進まず，納期直前になって生産が間に合わないために割増工賃を支払って外注先に生産を依頼するなど，本来計画的に生産を行っていれば防ぐことができたロスの発生が考えられます。また，製品価格の下落については，最近の海外製品の影響や，価格競争激化により，従来の製造見積価格が発注元に受け入れられにくくなっていることも原因であると考えられますが，オンデマンは従来から高付加価値の製品を製造し，業界での評判も高いはずなので，もう少し強気の価格交渉を行うことが必要かもしれません。そもそも，同社は，正式な原価計算制度を導入しておらず，正確な製造単位原価を把握できないため，価格交渉でも相手を説得できないことがネックになっています。多少の費用はかかっても，原価計算制度の導入に取り組むべきだと思います。

また，売上高営業利益率は売上高総利益率の下落幅を上回る3.2ポイント下落しています。これは，比較損益計算書を見るとわかりますが，売上高が大幅に下落した（△105,937

千円，△16.1％）にもかかわらず，販売費及び一般管理費は増加している（2,082千円，4.8％）ことが原因です。特に旅費交通費と諸会費が増加していますが，これは中国からの技能実習生受入に伴う費用増加によるものです。販売費及び一般管理費は，そのほとんどが固定費のため，上述のように，売上高が激減したＸ4/3期においては，売上高営業利益率の下落はやむをえない変化である面も多いと思われますが，販売費及び一般管理費の44％を占める役員報酬について，多少でも減額をして責任をとるとともに，収益性の悪化に歯止めを掛けるべきではなかったかと思われます。

さらに，売上高経常利益率の減少幅は売上高営業利益率よりも少なくなっていますが，これは雇用調整助成金を受け取ったため，営業外収益中の雑収入が大幅に増加した（11,278千円）ことによります。

総資本回転率も0.09回低下していますが，その原因を各種回転期間の変化を見ることにより探ってみると，次のようになります。

（単位：月）

| 比率名 | X3/3期 | X4/3期 | 増減 |
|---|---|---|---|
| 売上債権回転期間 | 2.95 | 3.49 | 0.54 |
| 棚卸資産回転期間 | 3.25 | 3.16 | △0.09 |
| 仕入債務回転期間 | 1.59 | 1.73 | 0.14 |

このように，売上債権回転期間が長期化していることが目立っており，それが総資本回転率悪化の原因のひとつになっていると考えられます。「中小企業実態基本調査」から繊維工業の売上債権回転期間を算出すると2.15月となっており，オンデマンの売上債権回転期間は業界平均と比べて長めになっています。同社は，結局アパレルメーカーや商社の下請けの立場であるため，価格にしても入金条件にしても主導権をとることはきわめて困難ですが，このように回転期間が長期化すれば，資金繰りにも悪影響が生じますので，極力改善の努力を行うべきです。

また，棚卸資産回転期間は若干短期化しているとはいえ，「中小企業実態基本調査」から算出した繊維工業の平均値の1.99月と比較すると，やはりかなり長めになっています。これは，製造形態（材料支給生産か，材料仕入生産か）によって大きく影響され，ほとんど材料を仕入れたうえで生産を行っているオンデマンでは，棚卸資産回転期間の長期化はある程度やむをえないと思われます。しかし，実際に同社の材料倉庫へ行ってみると，ほとんど利用できない残糸（生産後残った糸）の山となっており，これらの中にはカシミヤのように高額な材料も含まれているので，不良在庫が回転期間の長期化に影響している可能性は高いと思われます。また，前述のように，同社では正確な原価計算制度が導入されておらず，仕掛品の進捗率の算定がかなりあいまいなため，正確な在庫計算にも支障が生じていると思われます。このような点は改善を行うべきです。

## (2) 業界平均との比較

オンデマンの収益性分析指標について，「中小企業実態基本調査－繊維工業」と比較してみましょう。

| 分析比率 | 単位 | オンデマン | 繊維工業 | 差異 |
|---|---|---|---|---|
| 総資本経常利益率 | ％ | △ 0.8 | 3.0 | △ 3.8 |
| 売上高経常利益率 | ％ | △ 0.8 | 3.1 | △ 3.9 |
| 総資本回転率 | 回 | 1.0 | 1.0 | 0.0 |
| 売上高総利益率 | ％ | 5.9 | 23.2 | △ 17.3 |
| 売上高営業利益率 | ％ | △ 2.4 | 2.1 | △ 4.5 |
| 売上債権回転期間 | 月 | 3.5 | 1.9 | 1.6 |
| 棚卸資産回転期間 | 月 | 3.2 | 1.8 | 1.4 |
| 仕入債務回転期間 | 月 | 1.7 | 1.1 | 0.6 |
| 運転資金回転期間 | 月 | 5.0 | 2.6 | 2.4 |

上記のように，総資本経常利益率はオンデマンが業界平均値と比べて3.8ポイント下回っており，しかも経常損失が計上されているので，オンデマンの総合的な収益性は低いと判断されます。総資本経常利益率の分解要素である総資本回転率は業界平均値と同じですが，売上高経常利益率が大きく下回っていることがその原因であると判断されます。

売上高経常利益率ではオンデマンが業界平均値を3.9ポイント下回っていますが，これは売上高総利益率の差△17.3ポイントが最も影響しています。オンデマンはアパレルメーカーや商社の下請けの地位にあり，いわゆる受注生産を行っているため，売れ残り在庫が発生することはほとんどありません。逆に言えばそのようなリスクを負わない分売上総利益率は，見込み生産を行っている企業が含まれている業界平均値と比べて低くなるのは当然です。しかし，それにしてもX3年3月期の売上高総利益率は7.4％あったので，1年間で1.5ポイントも下落しています。X4年3月期の売上高552,260千円にこれをかければ8,284千円となり，影響は大きいと言わざるを得ません。この原因としては，売上高の減少による固定費負担割合の増大，製造効率の悪化による製造原価アップ，売上価格競争力の低下など様々な要因が考えられます。

売上高営業利益率の段階では，業界平均値との差異が4.5ポイントに縮まっています。これは，オンデマンが受注生産業のため，業界平均と比べて製品を販売するための販売費コストがかからないことが原因です。

また，運転資金回転期間については，オンデマンは業界平均値のほぼ倍の長さになっています。売上債権回転期間，棚卸資産回転期間，仕入債務回転期間ともに大きく業界平均値を上回っており，資金効率が悪いと言わざるを得ません。オンデマンは下請企業のため，入金・支払条件を主体的に変更することは困難な面が多いと思いますが，棚卸資産については生産効率を向上させる等の改善により短期化させる余地があると思われます。

# 練習問題

【問題1】 下記の資料からG社の2期間の収益性を総合的に分析判断した記述について，誤っているものは次のうちどれか。なお，小数点以下第2位を四捨五入すること。

(単位：百万円)

| 期 | 売上高 | 経常利益 | 当期純利益 | 自己資本 | 総資本 |
|---|---|---|---|---|---|
| 前期 | 740 | 36 | 16 | 80 | 395 |
| 当期 | 824 | 42 | 16 | 87 | 406 |

(1) 売上高経常利益率，総資本回転率ともに上昇し，総合的な収益性は向上している。

(2) 売上高当期純利益率が2.2%から1.9%へと低下し，総合的な収益性は悪化している。

(3) 総資本経常利益率は9.1%から10.3%へと上昇し，総合的な収益性は向上している。

(4) 自己資本経常利益率は，45.0%から48.3%へと上昇し，これに自己資本比率を乗じた結果の総資本経常利益率から見ても，総合的な収益性は向上している。

(5) 当期純利益は横ばいであるが，経常利益による各収益性比率はいずれも向上しており，総合的に収益性は良化している。

(銀行業務検定試験財務3級試験問題より)

【問題2】 同業のE社，F社の損益計算書に示された金額は下記のとおりである。収益性に関する記述について，誤っているものは次のうちどれか。なお，営業外収益・費用は受取利息・支払利息だけである。

(単位：百万円)

| 会社 | 売上高 | 売上原価 | 販売管理費 | 営業外収益 | 営業外費用 |
|---|---|---|---|---|---|
| E社 | 1,000 | 850 | 120 | 20 | 30 |
| F社 | 800 | 672 | 94 | 17 | 37 |

(1) 売上高総利益率は，F社の方が優れている。

(2) 売上高経常利益率は，E社の方が優れている。

(3) 売上高営業利益率は，F社の方が優れているが，売上高経常利益率は，E社の方が優れている。

(4) 売上高営業利益率，売上高経常利益率とも，E社の方が優れている。

(5) 売上高総利益率，売上高営業利益率とも，F社の方が優れている。

(銀行業務検定試験財務3級試験問題より)

【問題3】 下記の資料により，売上債権回転期間を求めなさい。なお，小数点以下第2位を四捨五入すること。

```
                                    （単位：百万円）
平均月商  355   受取手形（注1）  140   売掛金   175
支払手形  220   割引手形（注2）  100   棚卸資産  210
買掛金   145   前受金     48
 （注1） 貸借対照表計上額
 （注2） 個別注記表記載額
```

【問題4】 棚卸資産回転期間が短期化するものは，次のうちどれか。
(1) 商品返品率の上昇
(2) 見込み生産から受注生産への変更
(3) 売上高の減少
(4) 販売計画以上の過剰仕入
(5) 製品製造期間の長期化

(銀行業務検定試験財務3級試験問題より)

【問題5】 下記の資料により，次期の増加運転資金所要額を求めなさい。

| 摘　　要 | 当　期 | 次　期 |
|---|---|---|
| 平　均　月　商 | 45百万円 | 55百万円 |
| 売 上 債 権 回 転 期 間 | 2.0月 | 2.5月 |
| 棚 卸 資 産 回 転 期 間 | 1.5月 | 1.7月 |
| 仕 入 債 務 回 転 期 間 | 1.5月 | 2.0月 |

（各回転期間とも，平均月商に対するものである）

(銀行業務検定試験財務3級試験問題より)

# 第21章 損益分岐点分析

―本章で学ぶこと―
1. 損益分岐点とは
2. 損益分岐点図表
3. 損益分岐点比率と経営安全率（安全余裕率）
4. 損益分岐点売上高の算出
5. 損益分岐点分析の応用
6. 営業レバレッジ
7. オンデマンの財務分析

## 1 損益分岐点とは

**損益分岐点**とは，利益も出ない損失も出ない売上水準を指し，数量で示されることもあれば，金額（すなわち売上高）で示されることもあります。

たとえば，自宅の軒先を使って夫婦2人でやっている八百屋を考えてみます。この八百屋は店舗を借りていないので賃借料はかかりませんし，従業員を雇っていないので人件費もかかりません。ようするに固定費のない八百屋を想定します（固定費とは，後で説明しますが，売上高に関係なく発生する費用のことです）。この八百屋はダイコンを100円で仕入れて，それを150円で販売しているダイコン専門の八百屋です。在庫も無視します。

さて，この八百屋はダイコンを1本売ると50円儲かります。2本売ると100円儲かり，10本売ると500円儲かりますが，1本も売れないと利益は0円となります。固定費がないので，赤字にはなりません。この八百屋はダイコンがあまりにも売れるので，夫婦2人ではさばききれなくなり，やむをえず従業員を1人雇いました。月給10万円です。今度はダイコンが1本も売れないと赤字になってしまいます。赤字額は10万円です。従業員の給料は売上高に関係なく発生する固定費だからです。

それでは，この八百屋が従業員に月給10万円を支払っても赤字にならないためには，ダイコンを月に何本売らなければならないでしょうか……？ 答は2,000本です。これは従業員に支払う月給10万円をダイコン1本の販売利益（これを**限界利益**といいます）50円で割って求めました。つまり，この八百屋は月にダイコンを最低2,000本売らないと赤字になってしまうことがわかります。この販売数量2,000本は，金額に直すと300,000円（＝2,000本×＠150円）となります。すなわち，この八百屋はダイコンを月2,000本

または300,000円販売しないと赤字に転落してしまうことになります。この「2,000本」または「300,000円」が損益分岐点です。

## 2　損益分岐点図表

### (1)　固定費と変動費

　損益分岐点分析では，費用を**固定費**と**変動費**に分解します。固定費は前述のとおり，売上高に関係なく発生する費用を指し，変動費は売上高に比例して発生する費用をいいます。たとえば，従業員の給料は歩合給制を採っていない限り，売上高に比例して発生しないので固定費ですが，先ほどの八百屋におけるダイコンの売上原価はまさに売上高に比例して発生するので変動費になります。

　固定費と変動費を図示すると，【図表21-1】のようになります。

【図表21-1】　固定費と変動費

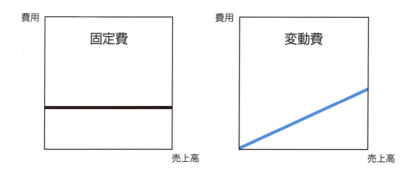

　ちなみに，正確に費用を固定費と変動費に分けることは難しい作業になります。たとえば，電気代は製造業では製品を生産するために使用し，その生産された製品が全部販売されると仮定すれば，売上高に比例して発生する変動費と見ることができますが，厳密にいえば，電気料金の中には基本料金部分が含まれています。基本料金は電気の使用量にかかわらず支払わなければならない費用なので，固定費に該当してしまいます。このように考えると，電気代は変動費と固定費が合算されたものであることがわかります。

　このように，実際に費用を固定費と変動費に区分することは困難なのですが，実際の損益分岐点分析では，費用の主な性格によって分類しています。つまり，電気代は基本料金部分もあるが，ほとんどが売上高に比例して発生するので変動費，従業員給与は中には歩合給が含まれているかもしれないが，そのほとんどが売上高とは無関係に発生するので固定費，という具合に分類しています。

### (2) 損益分岐点図表

　固定費の上に変動費の線を乗せると費用合計を示します（これが費用合計線です）。さらに縦軸に費用のみではなく，売上高もとると，45度の傾きをもった売上高線を引くことができます。この売上高線と費用合計線が交わったところが損益分岐点を表しています。

【図表21-2】　損益分岐点図表（その１）

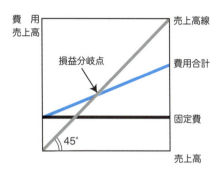

　なぜ，これが損益分岐点を示しているかといえば，売上高線までの高さは売上高を示し，費用合計線までの高さが費用合計を示しており，その両者が一致しているので，利益が０になるというわけです。損益分岐点分析は，現在の売上高が損益分岐点をどのくらい上回っているかによって収益性を判断するものです。

【図表21-3】　損益分岐点図表（その２）

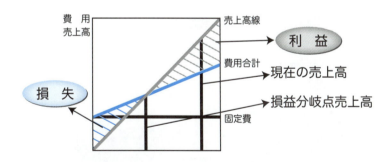

## 3　損益分岐点比率と経営安全率（安全余裕率）

　現在の売上高が損益分岐点売上高をどの程度上回っているかを判断するための指標としては，次の２つが考えられます。

```
損益分岐点分析の指標

損益分岐点比率 ＝ 損益分岐点売上高 / 現在の売上高

経営安全率     ＝ 現在の売上高 － 損益分岐点売上高 / 現在の売上高
（安全余裕率）
```

**損益分岐点比率**は，分母の現在の売上高が大きく，分子の損益分岐点売上高が小さい方が良いので，低ければ低いほど良い比率です。また，**経営安全率（安全余裕率）**は分子の現在の売上高と損益分岐点売上高の差額が大きければ良いので，高いほど良い比率です。経営安全率（安全余裕率）を書き換えると，「1－損益分岐点比率」となり，それを並べ替えれば「損益分岐点比率＋経営安全率（安全余裕率）＝1」となりますので，損益分岐点比率と経営安全率（安全余裕率）は，片方が高ければもう片方は低くなるという関係にあります。

## 4　損益分岐点売上高の算出

それでは，損益分岐点売上高はどのようにして求めるのでしょうか？　損益分岐点売上高は小学校の比例計算を理解している人であれば，誰でも簡単に求めることができます。しかし，そのためには【図表21-4】の限界利益の図を描くことが必要です。

【図表21-4】　限界利益図表

この図は，限界利益の部分を隠してもらえばよく理解できると思います。すなわち，売上高は「利益」「固定費」「変動費」の合計で構成されているのです。これはわかりますよね。ただし，限界利益の場所を間違えないでください。限界利益は次の2つの側面を持っています。

① **限界利益＝利益＋固定費**
② **限界利益＝売上高－変動費**

限界利益がこの2つの側面から計算できるのが「ミソ」なのです。

それでは、具体的に損益分岐点売上高を求めてみましょう。

> （事例1）
> 　D社は当期の売上高800百万円、固定費300百万円、変動費400百万円である。次期において固定費は20％増加し、**変動費比率**（＝変動費／売上高）は10ポイント上昇する見込みである。次期の損益分岐点売上高はいくらになるか。

これは、よく銀行業務検定試験で出題される典型的な問題です。この手の問題が出たら、何はともあれ、空いているスペースに先ほどの限界利益図表を書きます。そして、損益分岐点売上高をXとして、売上高欄に「X」と書きます。

当たり前ですが、損益分岐点売上高では利益＝0なので、利益のところへは0を、固定費のところには、次期において20％増加するので、300百万円×1.2＝360百万円と記入します。上記の①式より、限界利益は利益と固定費の合計なので、損益分岐点売上高が達成されたときには、限界利益は利益0＋固定費360百万円＝360百万円となりますので、それも記入します。

次は，変動費のところへ記入します。ここで気をつけてもらいたいのは，変動費のところは金額を入れるのではなく，変動費比率を入れることです。すなわち，売上高を1とすると，変動費はいくつになるのかという割合を記入するのです。この事例の場合には，当期の変動費比率は50％（＝400百万円／800百万円）でしたが，次期は10ポイント上昇するので60％になることがわかります。そこで，変動費のところへは「0.6」と記入しますが，これで終わりではありません。限界利益のところへも割合を記入してもらいます（この割合を**限界利益率**といいます）。上記の②式より，限界利益は売上高から変動費を引いて求められるので，割合でいえば，限界利益率＝1－変動費比率となり，結果として0.4（＝1－0.6）と求められます。

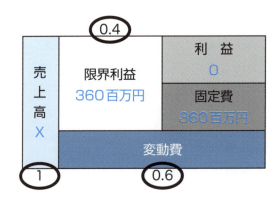

ここまで書くことができたら，Xは簡単に求めることができます。上図から，売上高Xと限界利益360百万円の関係は「1：0.4」であることがわかります。これを式で書くと，

X：360百万円＝1：0.4

小学校の比例計算の定理は，上式の外側のかけ算の結果と内側のかけ算の結果が一致するというものでした（覚えていますか？）。これを式で表すと，

0.4 X＝360百万円

したがって，Xは次のように求められます。

X＝360百万円／0.4＝900百万円

これが損益分岐点売上高です。

## 5　損益分岐点分析の応用

前述の損益分岐点の求め方は，いろいろな応用ができます。

### (1)　目標利益を達成するための売上高の算出

事業計画などで将来の目標売上高を策定する必要が生じることがあります。この場合，

一番やってはならないことは，現場の声のみを反映させて目標売上高を決めることです。人間は誰しも「怠け者」ですから，来年の売上目標を尋ねられたときに，相当努力が必要な数値を答えるとは限りません。そのような売上目標をもとに事業計画を作成すると，十分な利益が出なくなる可能性があります。事業計画を作成するときは，「目標売上高」ありきではなく，「目標利益」ありきでいかなければなりません。すなわち，目標利益をまず決定し，そのためにはいくら売らなければならないかを計算するのです。

この発想で事業計画を作成するときには，損益分岐点分析の考え方が利用できます。

> （事例2）
> （事例1）のD社が次期において目標利益30百万円を達成するためには，目標売上高をいくらにすればよいか。

この場合も，限界利益図表を作成すれば簡単に求めることができます。目標売上高をXとすれば，次の限界利益図表を描くことができます。

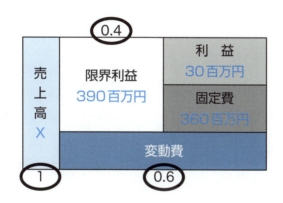

（事例1）と同様に，次の算式が成り立ちます。

　X：390百万円＝1：0.4

　0.4X＝390百万円

　∴X＝975百万円

このように，目標利益30百万円を達成するためには，目標売上高を975百万円とする必要があることがわかります。

### (2) 固定費圧縮額の計算

損益分岐点分析の考え方は，事業計画における固定費圧縮額の計算にも応用できます。

(事例3)
　(事例1)のD社の次期における損益状況が次のように予測される場合，固定費をいくら圧縮しなければならないか。
　① 予想売上高　700百万円
　② 予想変動費比率　60%
　③ 目標利益　30百万円

このケースは，次期の固定費をXとして限界利益図表を描きます。

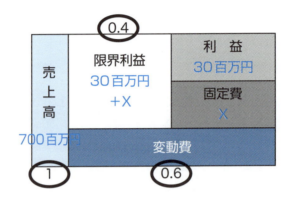

同じように，次の算式が成り立ちます。
700百万円：(30百万円＋X)＝1：0.4
30百万円＋X＝280百万円
∴X＝280百万円－30百万円＝250百万円
　当期の固定費は300百万円でしたから，次期はあと50百万円（＝300百万円－250百万円）の固定費圧縮が必要になります。

### (3) 予想変動費比率の計算
同様に，損益分岐点分析の考え方は，予想変動費比率を求める場合にも応用できます。

(事例4)
　(事例1)のD社の次期における損益状況が次のように予測される場合，次期の変動費比率を何%にしなければならないか。
　① 予想売上高　800百万円
　② 予想固定費　360百万円
　③ 目標利益　40百万円

次期の変動費比率をXとすると，次の損益分岐点図表を描くことができます。

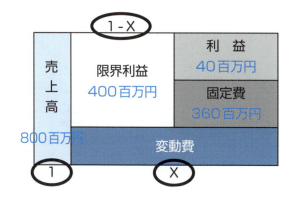

この場合には，次の式が成り立ちます。

800百万円：400百万円＝1：（1－X）

800百万円－800百万円×X＝400百万円

800百万円×X＝400百万円

∴X＝400百万円／800百万円＝50％

当期の変動費比率も50％でしたから，この前提の場合には，次期は当期の変動費比率を維持する必要があることがわかります。

このように，損益分岐点分析の考え方はいろいろな応用形態がありますが，たとえば融資担当者にとって最も重要なのは，これを使って融資先の事業計画をチェックできる点です。融資先が提出してきた事業計画にもとづいて限界利益図表を作成してみて，仮に固定費が大幅に圧縮されていたり，変動費比率が大きく減少する計画になっている場合には，それが本当に実現可能かどうか検証する必要があるでしょう。

## 6　営業レバレッジ

たとえば，地方都市の郊外で自分の家の軒先を使って夫婦ふたりでやっている八百屋と，都市の真ん中で事務所を借り，従業員も数人雇ってやっている会計事務所を比べてみましょう。

この両社（どちらも会社組織とします）の昨年度の売上高はまったく同額で，しかもその売上高は両社にとっての損益分岐点売上高でした。今年になって両社とも売上高が伸びたのですが，その増加額はぴったり同じでした。つまり，再び両社の売上高は一致しました。それでは，利益が大きく出たのはどちらでしょうか？

これは，次のような損益分岐点図表を比べてみるとよくわかります。

**【図表21-5】 八百屋と会計事務所**

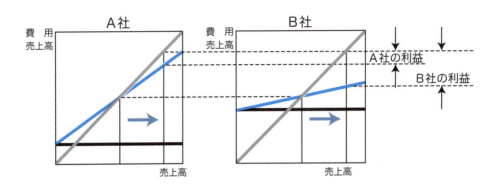

　上図では，A社が八百屋，B社が会計事務所を示しています。図を見るとわかりますが，A社は固定費が少なく，代わりに変動費比率（費用合計線の傾きで示されます）は大きくなっています。人件費や賃借料がかからない八百屋であっても，商品の売上原価はすべて変動費なので，このようになります。一方，B社は固定費が大きく，代わりに変動費比率は小さくなっています。会計事務所は八百屋に比べて人件費や賃借料負担が大きいものの，売上に比例して発生する変動費はあまり多くないからです。この結果，損益分岐点図表の売上高線と費用合計線の交わる角度は，A社は小さく，B社は大きくなっています。

　この交わる角度の違いから売上高の伸びに対する利益の伸びが異なってきます。つまり，A社（八百屋）は損益分岐点を超えて売上高が伸びても利益はあまり増加せず，B社（会計事務所）は損益分岐点を超えて売上高が伸びると利益も大きく増加します。いわゆる「濡れ手に粟」というやつです。

　しかし，逆に売上高が損益分岐点を下回った場合には，A社は損失があまり発生しませんが，B社は損失も大きくなってしまいます。つまり，A社は「ローリスク・ローリターン（low risk low return）」型ビジネスを，B社は「ハイリスク・ハイリターン（high risk high return）」型ビジネスをやっているということができます。不景気な環境にあっては，A社はしぶとく生き延びますが，B社はいつの間にか夜逃げしている可能性があります。

　このように，売上高線と費用合計線の交わる角度によって売上高の伸びに対する利益の伸びが違ってくる現象のことを，**営業レバレッジ**といいます。

# 7 オンデマンの財務分析

オンデマンの損益分岐点分析をやってみましょう。

まず，同社の費用を次のように固定費と変動費に分解します。

## (1) 当期総製造費用の分解

(単位：千円)

| 科　目 | X3/3期 | | X4/3期 | |
|---|---|---|---|---|
| | 固定費 | 変動費 | 固定費 | 変動費 |
| 材　料　費 | | 201,796 | | 164,954 |
| 労　務　費 | 175,337 | | 163,782 | |
| 外 注 加 工 費 | | 101,077 | | 101,889 |
| 製　造　経　費 | 86,693 | | 63,426 | |
| 合　計 | 262,030 | 302,873 | 227,208 | 266,843 |
| 割　合 | 46.4% | 53.6% | 46.0% | 54.0% |

　次に，売上原価を固定費と変動費に分解するのですが，上記の当期製造費用に仕掛品の増減および製品の増減を加えたものが売上原価ですので，これら在庫の固定費と変動費の割合も上記の割合と同じであるとして，売上原価を分解します。

## (2) 売上原価の分解

(単位：千円)

| 科　目 | X3/3期 | | X4/3期 | |
|---|---|---|---|---|
| | 固定費 | 変動費 | 固定費 | 変動費 |
| 売　上　原　価 | 282,761 | 326,637 | 239,081 | 280,661 |

X3/3期　売上原価（固定費）：609,398千円×46.4％＝282,761千円

X3/3期　売上原価（変動費）：609,398千円×53.6％＝326,637千円

X4/3期　売上原価（固定費）：519,742千円×46.0％＝239,081千円

X4/3期　売上原価（変動費）：519,742千円×54.0％＝280,661千円

この結果，オンデマンの費用は次のように固定費と変動費に分解できます。

## (3) 全体の分解

(注) 営業外費用は固定費，営業外収益は固定費のマイナス項目とみなします。

(単位：千円)

| 科　目 | X3/3期 | | X4/3期 | |
|---|---|---|---|---|
| | 固定費 | 変動費 | 固定費 | 変動費 |
| 売　上　原　価 | 282,761 | 326,637 | 239,081 | 280,661 |
| 販　売　管　理　費 | 43,455 | | 45,537 | |
| 営　業　外　収　益 | △1,752 | | △13,037 | |
| 営　業　外　費　用 | 5,393 | | 4,320 | |
| 合　計 | 329,857 | 326,637 | 275,901 | 280,661 |
| 変　動　費　比　率 | | 49.6% | | 50.8% |

X3/3期　変動費比率：326,637千円／売上高658,197千円＝49.6%

X4/3期　変動費比率：280,661千円／売上高552,260千円＝50.8%

このデータをもとに，次のように損益分岐点売上高等を求めます。

## (4) 損益分岐点分析

(単位：千円)

| 項　目 | X3/3期 | X4/3期 | 増　減 |
|---|---|---|---|
| 損益分岐点売上高 | 654,399 | 560,776 | △93,622 |
| 損　益　分　岐　点　比　率 | 99.4% | 101.5% | 2.1% |
| 経　営　安　全　率 | 0.6% | △1.5% | △2.1% |

X3/3期　損益分岐点売上高：329,857千円／(1−0.496)＝654,478千円

X3/3期　損益分岐点比率：654,478千円／658,197千円＝99.4%

X3/3期　経営安全率：(658,197千円−654,478千円)／658,197千円＝0.6%

X4/3期　損益分岐点売上高：275,901千円／(1−0.508)＝560,774千円

X4/3期　損益分岐点比率：560,774千円／552,260千円＝101.5%

X4/3期　経営安全率：(552,260千円−560,774千円)／552,260千円＝△1.5%

　オンデマンはX3/3期においては，かろうじて損益分岐点売上高を上回る売上高を計上していたものの，損益分岐点比率は99.4%ときわめて高く，収益性に問題がありました。X4/3期では，固定費が5,000万円以上減少し，損益分岐点売上高を大幅に引き下げることができましたが，それ以上に売上高が大幅に減少したため，とうとう損益分岐点比率は100%を上回ってしまいました。

# 練習問題

**【問題1】** 損益分岐点分析に関する記述について，誤っているものは次のうちどれか。

(1) 損益分岐点比率が高いほど，収益体質がよいことを示している。

(2) 損益分岐点比率が低下すると，安全余裕率（経営安全率）は上昇する。

(3) 固定費は一定であるが，変動費比率が上昇した場合，損益分岐点売上高は上昇する。

(4) 変動費比率は一定であるが，固定費が増加した場合，損益分岐点売上高は上昇する。

(5) 損益分岐点売上高は，利益も損失も発生しないときの売上高である。

（銀行業務検定試験財務3級試験問題より）

**【問題2】** 下記の資料から算出した，次期の目標利益600百万円を達成するために必要な売上高はいくらか。なお，変動費比率および固定費の額に変化はないものとし，百万円未満を四捨五入すること。

| | |
|---|---|
| 当期の変動費比率 | 60% |
| 当期の固定費 | 500百万円 |
| 当期の売上高 | 2,000百万円 |

（銀行業務検定試験財務3級試験問題より）

**【問題3】** 次ページのH社（年1回，3月末日決算）の損益計算書にもとづいて，次の設問に答えなさい。

(1) 次の諸項目および諸目標の数値を，計算過程を示して算出しなさい。なお，計算にあたっては，金額は百万円未満を，比率は小数点以下第2位を四捨五入すること。

① 固定費の金額（百万円）

② 変動費の金額（百万円）

③ 限界利益率（％）

④ 損益分岐点売上高（百万円）

(2) 次期は売上高が500百万円増加し，それに伴って変動費も増加（変動費比率に変化はない）する見込である。固定費の金額には変化がないとした場合，次期の安全余裕率（経営安全率）を計算過程を示して算出しなさい。なお，計算にあたっては，比率は小数点以下第2位を四捨五入すること。

損益計算書（抜粋）

（自X1年4月1日　至X2年3月31日）

（単位：百万円）

| | |
|---|---:|
| 売　上　高 | 4,000 |
| 売　上　原　価 | 2,800 |
| 売　上　総　利　益 | 1,200 |
| 販売一般管理費 | 700 |
| 営　業　利　益 | 500 |
| 営　業　外　費　用 | 300 |
| 経　常　利　益 | 200 |

売上原価のうち固定費は700百万円である。

販売一般管理費のうち固定費は400百万円である。

営業外費用は全額固定費である。

（銀行業務検定試験財務2級試験問題より）

# 第22章 利益増減分析

　利益増減分析は，売上高が「販売単価×販売数量」，売上原価が「仕入単価×販売数量」になることを利用して，売上総利益がどのように増減するかを分析する手法です。これも事業計画を作成するときの手法のひとつです。

　具体的な事例で説明しましょう。

---

（事例）

　A社の当期の売上高は1,000百万円，売上原価は800百万円であった。

　次期は販売単価が5％下落し，その結果販売数量は10％上昇すると予想される。また，仕入単価は4％下落すると予想している。

　次期の売上総利益はいくらになると予想されるか。

---

　これは中学校の数学レベルの問題です。

　当期の販売単価をP，販売数量をQ，仕入単価をRとすると，

　　$PQ＝1,000$百万円……①

　　$RQ＝　800$百万円……②　　となります。

　次期の売上高は，販売単価が5％下落し，販売数量が10％上昇するので，次のように計算されます。

　　$0.95P×1.1Q＝1.045×PQ$

　ここに①を代入すると，次期の売上高は次のように求められます。

　　$1.045×1,000$百万円＝1,045,000千円

　次期の売上原価は，仕入単価が4％下落するので，次のように計算されます。

　　$0.96R×1.1Q＝1.056×RQ$

　ここに②を代入すると，次期の売上原価は次のように求められます。

　　$1.056×800$百万円＝844,800千円

　よって，次期の売上総利益は次のように計算されます。

　　1,045,000千円－844,800千円＝200,200千円

# 練習問題

【問題1】 前期の売上高が2,850百万円，売上総利益率が35.3％であったC社が，当期において商品の構成割合を下記のように変更した場合の予想売上総利益の額はいくらになるか。なお，当期の予想売上高は3,530百万円である。

| 商品名 | 売上高総利益率 | 売上高構成割合 | |
|---|---|---|---|
| | | 前期 | 当期 |
| 商品A | 38％ | 55％ | 70％ |
| 商品B | 32％ | 45％ | 30％ |

(銀行業務検定試験財務3級試験問題より)

【問題2】 下記の資料から当期の売上総利益の額を算出しなさい。

```
前期の実績
　売上高　　　　　　1,500百万円
　売上高総利益率　　　　40％
当期の見込み
　取扱商品の構成比　　変化なし
　販売単価前期比　　　10％増加
　仕入単価前期比　　　12％増加
　販売数量前期比　　　8％減少
```

(銀行業務検定試験財務3級試験問題より)

# 第23章 生産性分析

―本章で学ぶこと―
1 生産性分析とは
2 付加価値の求め方
3 労働生産性の分解
4 従業員1人当たり人件費の分解
5 オンデマンの財務分析

## 1 生産性分析とは

よく,「あの会社は生産性が高い」といいます。ここにおける「生産性」とはいったいどのような内容を指しているのでしょうか？ **生産性**とは,経営資源をインプットした結果,どのくらいの付加価値がアウトプットされたかを示したものです。インプットされる経営資源としては3種類が考えられます。いわゆる「ヒト」「モノ」「カネ」です。「ヒト」の場合は「平均従業員数」,「モノ」の場合は「有形固定資産」,「カネ」の場合は「平均総資本額」を用い,それぞれ,労働生産性,設備生産性,資本生産性と呼ばれます。生産性分析とは,要するに,これらの経営資源が効率的に活用されているかどうかを分析する手法です。

【図表23-1】 生産性分析

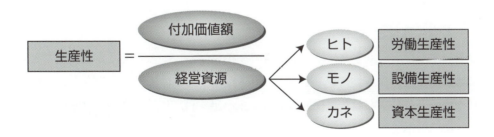

## 2　付加価値の求め方

　付加価値とは，新たに付け加えられた価値を指します。たとえば，ある企業が1,000円で原材料を購入し，それを加工して製品にして1,500円で販売したとすれば，その企業は原材料に500円の付加価値を付けて販売したことになります。この場合には，付加価値は売上高から原材料費を控除した金額として求められます。

　しかし，通常，付加価値額は，経営資源の提供者に対する分配面に注目して計算されます。従業員に対しては「人件費」，設備に対しては「賃借料，減価償却費」，資本に対しては「金融費用」，政府に対しては「税金」，株主に対しては「利益」が分配されると考えれば，付加価値額は次のように求められます。

【図表23-2】　付加価値額の計算

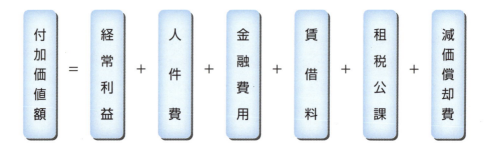

　なお，この付加価値額の求め方は「日銀方式」によるものであり，これ以外に「中小企業庁方式」（付加価値額＝経常利益＋労務費＋人件費＋支払利息・割引料－受取利息・配当金＋賃借料＋租税公課＋減価償却実施額）もあります。

## 3　労働生産性の分解

### (1)　労働生産性とは

　一般的に生産性というときには，ヒトを効率的に使っているかどうかを指すことが多いようです。つまり，生産性の高い企業とは，「ヒトを上手に使っている企業」という意味になります。これはすなわち，従業員1人が生み出す付加価値が高いということを示しますので，次の労働生産性が生産性分析で最も重要な指標になります。

【図表23-3】 労働生産性

$$労働生産性 = \frac{付加価値額}{平均従業員数}$$

上記のように，労働生産性は「〇〇円」という金額で示されます。

## (2) 労働生産性の分解

労働生産性が高い（あるいは低い）原因を分析するときに，間に「売上高」および「有形固定資産」を入れて労働生産性の式を分解する手法がよくとられます。

【図表23-4】 労働生産性の分解①

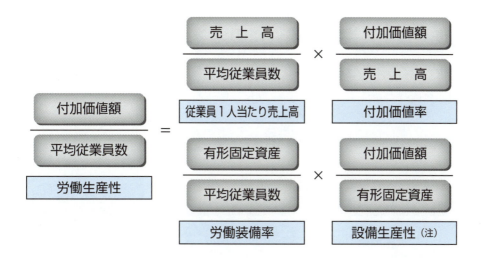

（注） 設備生産性は「設備投資効率」とも呼ばれます。

【図表23-4】における上の式の展開は，労働生産性が高い企業は，従業員1人当たりの売上高が大きいか，あるいはその売上高に含まれる付加価値額が大きいか，あるいはその両方ということを示しています。

また，下の式の展開は，労働生産性を上げるためには，従業員1人当たりの設備を大きくし，その設備が生み出す付加価値額を大きくする必要があることを示しています。たとえば，ある銀行が行員1人に1台ずつパソコンを支給すれば，その銀行の労働装備率は高くなります。そして，そのパソコンを使って行員がお客様に付加価値の高いサービスを提供すれば，その銀行の労働生産性は上がることになります。

下の式の展開は，さらに設備生産性の式に売上高を挟むことによって【図表23-5】のように分解することもできます。

【図表23-5】 労働生産性の分解②

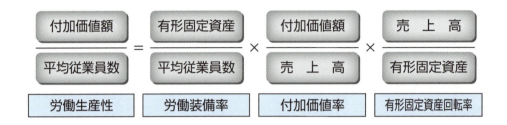

この式の展開は，労働生産性を高めるためには，労働装備率や付加価値率を高めるだけではなく，設備が売上獲得に貢献するよう努力しなければならないことを示しています。

## 4 従業員1人当たり人件費の分解

従業員1人当たり人件費は，人件費を平均従業員数で割って求められますが，この式に付加価値額を挟むことによって，次のように分解することができます。

【図表23-6】 従業員1人当たり人件費の分解

まず，この式における従業員1人当たり人件費は高い方がよいと思いますか，低い方がよいと思いますか？ この質問をすると，「低い方がよい」と答える人がけっこういます。しかし，よく考えていただきたいのですが，あなたが今会社に勤めているとして，その会社の給料が現在の半分だったら，そもそもあなたは現在の会社に入社しましたか？ おそらく答えは「ＮＯ」だと思います。要するに，従業員1人当たり人件費をある一定以上の高さにしないとあなたのような優秀な人材は会社に入ってくれないのです。つまり，優秀な人材を確保するためには従業員1人当たり人件費は高くなければならないのです。

上の式の展開からわかるように，従業員1人当たり人件費を高める方法として，2つが

考えられます。1つは労働生産性を高める方法，もう1つは労働分配率を高める方法です。よく春闘の賃上げ交渉時に経営者側が「労働分配率を高めるような賃上げには応じられない」と回答することがあります。これは，賃上げには応じてあげたいが，それは労働生産性の向上の範囲にとどめ，労働分配率を押し上げるようなことは避けたいということをいっているのです。

【図表23-7】　労働分配率を増大させる賃上げ

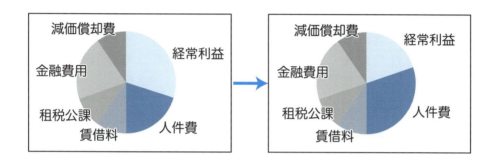

【図表23-8】　労働生産性向上に伴う賃上げ

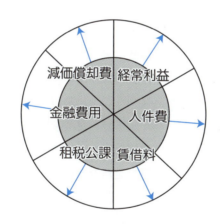

このように，労働生産性を向上させれば，従業員1人当たり人件費も増加しますが，同時に経常利益も増加します。これならば経営者側も異存がないというわけです。

# 5 オンデマンの財務分析

オンデマンの生産性分析指標について，「中小企業実態基本調査－繊維工業」と比較してみましょう。

| 分析比率 | 単位 | オンデマン | 繊維工業 | 差異 |
|---|---|---|---|---|
| 労 働 生 産 性 | 千円 | 4,016 | 4,738 | △ 722 |
| 従業員1人当たり売上高 | 千円 | 9,862 | 14,912 | △ 5,050 |
| 付 加 価 値 率 | ％ | 40.7 | 31.8 | 8.9 |
| 労 働 装 備 率 | 千円 | 2,348 | 4,957 | △ 2,609 |
| 設 備 生 産 性 | ％ | 171.1 | 95.6 | 75.5 |
| 有 形 固 定 資 産 回 転 率 | 回 | 4.2 | 3.0 | 1.2 |
| 従業員1人当たり人件費 | 千円 | 3,308 | 3,581 | △ 273 |
| 労 働 分 配 率 | ％ | 82.4 | 75.6 | 6.8 |

このように，オンデマンの労働生産性は業界平均値を722千円下回っています。これは付加価値率では業界平均値を8.9ポイントも上回っているものの，従業員1人当たり売上高が5,050千円も下回っていることが原因です。前述のように，現在のオンデマンは高付加価値製品の生産に特化しており，その結果として付加価値率は量販品を製造しているメーカーなどと比べて高くなっているのですが，下請けメーカーの地位にあるため，それが完全に売上高に転嫁されていないことが背景にあると思われます。

オンデマンの労働装備率は，業界平均値を大きく下回っていますが，設備生産性では逆に大きく上回っています。ニット製品製造業は，編み機などの設備投資を常に継続して行わなければならない産業なのですが，残念ながら，最近の業績悪化が設備投資にブレーキをかけており，労働装備率の低下につながっています。このことは全体として有形固定資産の帳簿価額を低下させ，結局設備生産性を高めています。有形固定資産回転率が業界平均値と比べて高くなっているのも，設備の更新遅れによる帳簿価額の下落が原因です。

また，オンデマンの従業員1人当たり人件費は業界平均値をやや下回っていますが，これは労働分配率が業界平均値を6.8ポイントも上回っているものの，労働生産性が業界平均値を大きく下回っていることが原因です。

最近，オンデマンでは独自のブランドで製品の生産販売を開始しており，まだ赤字状態ですが，このビジネスが成功すれば将来的に労働生産性の向上が期待できるかもしれません。

# 練習問題

**【問題1】** 労働生産性を向上させる方策として，誤っているものは次のうちどれか。

(1) 従業員1人当たりの売上高を高める。

(2) 付加価値率を高める。

(3) 労働装備率を低く抑える。

(4) 加工度の低いものに代えて，加工度の高いものを生産・販売する。

(5) 有形固定資産の利用度を高め，有形固定資産回転率を高める。

（銀行業務検定試験財務3級試験問題より）


**【問題2】** 下記の資料から労働生産性を求めなさい。なお，千円未満を四捨五入すること。

| | |
|---|---|
| 売上高 | 1,200百万円 |
| 人件費 | 550百万円 |
| 平均従業員数 | 75名 |
| 付加価値率 | 65％ |

（銀行業務検定試験財務3級試験問題より）


**【問題3】** 次ページのH社（製造業）の〈資料〉にもとづいて，次の設問に答えなさい。

(1) 第21期の下記①～⑤の各指標を，計算過程を示して算出しなさい。なお，比率は小数点以下第2位を四捨五入すること。

① 労働生産性（百万円）

② 付加価値率（％）

③ 従業員1人当たり売上高（百万円）

④ 有形固定資産回転率（回）

⑤ 労働装備率（百万円）

(2) 上記(1)で算出した各指標をもとに，H社の労働生産性について，同業水準と比較分析しなさい。

〈資料〉

I　第21期の状況

| 付加価値額 | 136百万円 |
|---|---|
| 売上高 | 300百万円 |
| 有形固定資産 | 200百万円 |
| 従業員数 | 40人 |

II　各指標の同業水準

| 労働生産性 | 5百万円 |
|---|---|
| 付加価値率 | 45.5% |
| 従業員1人当たり売上高 | 11百万円 |
| 有形固定資産回転率 | 2回 |
| 労働装備率 | 5百万円 |

（銀行業務検定試験財務2級試験問題より）

# 第24章 静態的安全性分析

―本章で学ぶこと―
1. 静態的安全性分析とは
2. 流動比率と当座比率
3. 負債比率と自己資本比率
4. 固定比率と固定長期適合率
5. オンデマンドの財務分析

## 1 静態的安全性分析とは

　安全性分析は，企業の支払能力や資金繰りの安全度を分析することを目的としています。

　安全性分析は，企業の一時点の財政状態から財務の安全性を把握する**静態的安全性分析**と，企業の一期間の財政状態の変化や資金の収支から財務の安全性を把握する**動態的安全性分析**の2つに分類されます。

　静態的安全性分析は，一時点の貸借対照表をもとに行われますが，その際の代表的比率は次の6つです。

【図表24-1】　静態的安全性分析比率

① 流動比率 ＝ $\dfrac{\text{流動資産}}{\text{流動負債}}$ （≧200%）

② 当座比率 ＝ $\dfrac{\text{当座資産（注）}}{\text{流動負債}}$ （≧100%）

③ 負債比率 ＝ $\dfrac{\text{負　債}}{\text{自己資本}}$

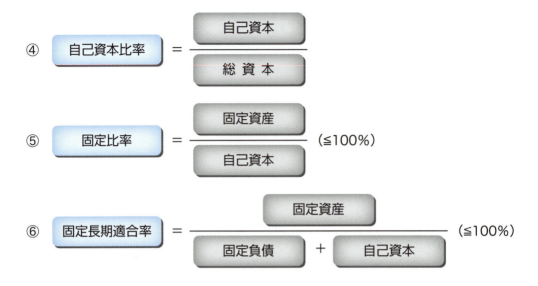

(注) 当座資産＝現金預金＋売上債権＋有価証券−貸倒引当金（流動）（簡便法＝流動資産−棚卸資産）

　これらの比率は，次の貸借対照表の資金の調達源泉と運用形態のそれぞれの性格付けを参考にすると分かりやすくなります。

【図表24-2】　貸借対照表の構造

## 2　流動比率と当座比率

### (1)　流動比率

**流動比率**は流動資産を流動負債で割った割合ですが，分母の流動負債はすぐに返済しなければならない負債なので，たとえば明日返済しなければならない借入金と考えてみま

しょう。また，分子の流動資産は現金およびすぐに現金が回収される資産なので，その借入金を返済するための手許現金と考えてみましょう。明日返済しなければならない借入金が1,000万円あるのに，そのための手許現金が800万円しかなければ，その企業は明日ほかの資金調達を行わない限り，借入金の全額を返済することはできません。この場合の流動比率は80％となります。

このように，流動比率はすぐ返済しなければならない流動負債を，流動資産が十分カバーしているかどうかを示した比率ですから，当然，流動資産＞流動負債となっていなければならず，流動比率は最低でも100％以上でなければなりません。

しかし，【図表24-1】の流動比率の式の隣に（≧200％）と出ています。これは，流動比率は理想的には200％以上が望ましいという意味です。今の考え方からすれば，流動比率は100％以上で問題はないと思うのですが，なぜ流動資産は流動負債の２倍以上なければならないのでしょうか？

それは，実は流動資産の中に「隠れ固定資産」が含まれているからです。つまり，取得の当初は流動資産だと思っていた資産が，実は回収するまでに時間を要する固定資産に変わってしまうリスクがあるので，流動比率を200％以上としたのです。それではこの「隠れ固定資産」の正体は何でしょう？

それは棚卸資産（在庫）です。たとえば洋服屋における棚卸資産は，販売するために仕入れた洋服ですが，洋服屋がこの洋服を仕入れるときに，「これはずっと売れ残るだろう」と思う洋服を仕入れると思いますか？　そのようなことはありえないはずです。洋服屋は，明日全部売れると思うからこそ洋服を仕入れてくるのです。したがって，その仕入れた洋服は流動資産として棚卸資産（商品）に計上されます。しかし，実際には，その仕入れた洋服がすべて短期間に売れることはありません。必ず，売れ残りが生じ，バーゲンセールで何とか売りさばく，あるいはそれでもダメで最後は処分するという事態になります。このような在庫リスクを考えたら，流動比率は200％以上が望ましいといっているのです。

しかし，実際に流動比率が200％以上ある会社はまれです。日本を代表する企業の最近の流動比率を示すと，次のようになります（連結ベース）。

| | |
|---|---|
| トヨタ自動車 | 104.1％ |
| パナソニック | 131.3％ |
| アサヒビール | 68.3％ |
| 日本製鉄 | 146.9％ |
| ＮＴＴドコモ | 156.0％ |

このように，上記のうちで流動比率が200％以上になっている企業はありません。200

％以上はあくまでも「理想の姿」だとご理解ください。

　ところで，上記のうちアサヒビールは流動比率が100％を大きく割り込んでおり，この状況はずっと以前から続いています。これは，流動負債をカバーできる流動資産が十分ないことを意味しており，この比率だけから見れば，アサヒビールの安全性には問題があることになります。しかし，アサヒビールは倒産するどころか，飛ぶ鳥を落とす勢いで伸びています。それでは，流動比率が100％を下回っているアサヒビールはなぜ倒産しないのでしょうか？　今度は流動負債の中に「隠れ固定負債」があるからです。たとえば，あなたが銀行の融資担当者で，アサヒビールに短期資金を融資していたとしましょう。返済期限が近づき，アサヒビール側から返済する旨の連絡がきました。あなたはおとなしく資金を返済してもらいますか？　おそらくそのようなことはしないはずです。「アサヒさん，そんなことはいわずにもう少し付き合ってください」といって，融資期限を延長するか，借換えをお願いするはずです。つまり，アサヒビールのように信用のある会社は，流動負債に計上されている借入金であっても，実は，ずっと借り入れていられる固定負債なのです。だから，流動比率が100％を下回っていても，安全性には問題がないのです。

### (2)　当座比率

　上記のように，流動比率は在庫リスクによる影響があるため，これを除いて安全性を判断する比率が当座比率です。当座資産は【図表24-1】に示したとおり，原則は「現金預金＋売上債権（受取手形と売掛金）＋有価証券−貸倒引当金（流動）」を指しますが，簡便法としては「流動資産−棚卸資産」で計算されます。

　当座比率は100％以上が望ましいことになりますが，簡便法によって計算した上記5社の当座比率は次のようになります。

| | |
|---|---|
| トヨタ自動車 | 90.5% |
| パナソニック | 101.0% |
| アサヒビール | 52.4% |
| 日本製鉄 | 66.1% |
| ＮＴＴドコモ | 150.9% |

　このように，上記5社の中では当座比率が100％以上になっているのはＮＴＴドコモとパナソニックだけです。これは前述のように，信用力の高い企業では「隠れ固定負債」があり，当座比率が100％未満でも安全性には問題がないからです。

# 3　負債比率と自己資本比率

## (1)　負債比率

　今度は貸借対照表の右側，すなわち資金の調達源泉に関する比率です。負債比率は，分母が安全な自己資本，分子が危険な負債なので，低いほどよい比率になります。

## (2)　自己資本比率

　自己資本比率は，調達源泉のうち超安全な自己資本がどの程度の割合になっているかを示した比率で，当然高いほど安全性が高いと判断されます。

　日本の企業の自己資本比率は，以前は欧米よりも低い水準でしたが，最近は肩を並べる高さになっています。これは，高度成長時代の財務レバレッジ（借入による投資でＲＯＥが向上）と手形取引の割合が欧米に比べて大きいことが影響して，自己資本比率は低かったのですが，日本の企業はバブル崩壊やリーマン・ショックに苦しみながらも利益を稼ぎ，内部留保を積みあげてきたため，最近の上場企業の平均値は40％を超えています。

　前記5社の自己資本比率を示すと，次のようになります。

| | |
|---|---|
| トヨタ自動車 | 40.3% |
| パナソニック | 34.7% |
| アサヒビール | 39.7% |
| 日本製鉄 | 40.3% |
| ＮＴＴドコモ | 70.0% |

　さすが一流企業です。

## 4　固定比率と固定長期適合率

### (1)　固定比率

　これは式を見ればわかるように，設備投資に充当する資金は超安全な自己資本が望ましいということを前提にしています。固定比率は，分母が自己資本，分子が固定資産なので，低いほど安全性が高いと判断され，理想的には100％以下が望ましい状態です。

　しかし，実際にはほとんどの企業で固定比率は100％を超えています。

| | |
|---|---|
| トヨタ自動車 | 160.2% |
| パナソニック | 129.1% |
| アサヒビール | 192.7% |
| 日本製鉄 | 155.5% |
| ＮＴＴドコモ | 91.4% |

### (2)　固定長期適合率

　設備産業のすべての固定比率が100％以下になってしまうと，どの企業も負債に頼らないで設備投資を行うことになり，金融機関はどこも設備資金融資ができないことになります。しかし，実際にはそのようなことはなく，多くの設備産業は負債による資金調達も行っています。負債による資金調達はある程度やむをえないが，安全な固定負債の範囲にとどめるべきであるというのが，固定長期適合率の意味です。分母の超安全な自己資本と安全な固定負債の合計額の範囲で分子の固定資産を賄うべきなので，固定長期適合率も100％以下が望ましいことになります。

| | |
|---|---|
| トヨタ自動車 | 99.3% |
| パナソニック | 77.2% |
| アサヒビール | 116.5% |
| 日本製鉄 | 84.0% |
| ＮＴＴドコモ | 83.2% |

# 5 オンデマンの財務分析

## (1) 対前期比較

オンデマンの静態的安全性分析比率を前期との比較で示すと，次のとおりです。

(単位：%)

| 比率名 | X3/3期 | X4/3期 | 増　減 |
|---|---|---|---|
| 流　動　比　率 | 184.2 | 248.4 | 64.2 |
| 当　座　比　率 | 94.7 | 137.6 | 42.9 |
| 負　債　比　率 | 163.3 | 139.6 | △23.7 |
| 自 己 資 本 比 率 | 38.0 | 41.7 | 3.7 |
| 固　定　比　率 | 95.6 | 87.7 | △7.9 |
| 固 定 長 期 適 合 率 | 55.5 | 49.1 | △6.4 |

それぞれの比率の算出方法は次のようになります。

《X3/3期》

① 流動比率＝367,221千円／199,394千円＝184.2%

② 当座比率＝188,860千円／199,394千円＝94.7%

棚卸資産＝26,336千円＋40,178千円＋111,471千円＋376千円＝178,361千円

当座資産（簡便法）＝367,221千円－178,361千円＝188,860千円

③ 負債比率＝357,552千円／218,941千円＝163.3%

④ 自己資本比率＝218,941千円／576,994千円＝38.0%

⑤ 固定比率＝209,273千円／218,941千円＝95.6%

⑥ 固定長期適合率＝209,273千円／(158,159千円＋218,941千円)＝55.5%

《X4/3期》

① 流動比率＝326,316千円／131,359千円＝248.4%

② 当座比率＝180,687千円／131,359千円＝137.6%

棚卸資産＝32,825千円＋31,362千円＋79,291千円＋2,151千円＝145,629千円

当座資産（簡便法）＝326,316千円－145,629千円＝180,687千円

③ 負債比率＝299,828千円／214,732千円＝139.6%

④ 自己資本比率＝214,732千円／514,560千円＝41.7%

⑤ 固定比率＝188,245千円／214,732千円＝87.7%

⑥ 固定長期適合率＝188,245千円／(168,468千円＋214,732千円)＝49.1%

上記のように，オンデマンの静態的安全性分析比率は，いずれもきわめて良好な状況を示しており，X3/3期からX4/3期にかけての変化もいずれも安全性が向上する方向に動いています。しかし，その実態は必ずしも良好ではありません。

まず，流動比率については，184.2％から248.4％と64.2ポイントも上昇しています。この原因としては，短期借入金の減少（X3/3期末31,200千円→X4/3期末0千円）と未払金の減少（同69,792千円→43,728千円）による流動負債の減少が挙げられます。しかし，短期借入金は減少しているものの，受取手形割引高は13,603千円増加（同4,038千円→17,641千円）しており，割引手形を手形担保借入金とみなして，受取手形と両建てにして流動比率を計算してみると，X3/3期182.5％→X4/3期230.8％と，上昇は48.3ポイントに止まります。

また，未払金が減少していますが，このうち最も大きく減少した金額は設備投資代金の未払金であり，編み機の購入代金未払額はX3/3期末32,888千円→X4/3期末0千円となっています。これは，確かに短期的な安全性向上には貢献していますが，X4/3期における本格的な設備投資が少なかったことを裏付けており，高付加価値製品を生産するために常に設備投資を継続しなければならないニット製品製造業にあっては気がかりな点です。これは，固定長期適合率の低下にも現れています。

さらに，当座比率を見ると，確かにX3/3期94.7％→X4/3期137.6％と42.9ポイント上昇しており，特にX4/3期では100％を上回ったので，表面的には好ましい変化ですが，従来から同社の流動比率と当座比率の乖離が大きい点が気になります。これは，既述のように，流動資産に占める棚卸資産の割合が大きいことが原因であり，不良在庫や在庫評価計算の正確性について検討が必要になると思います。

自己資本比率は，X3/3期38.0％→X4/3期41.7％と3.7ポイント上昇していますが，これは前述の負債（短期借入金と未払金）の減少によるものであり，自己資本自体は損失計上により減少しているので，完全に安全性が向上したと判定することはできません。

## (2)　業界平均との比較

オンデマンの安全性分析比率について，「中小企業実態基本調査－繊維工業」と比較してみましょう。

| 分析比率 | 単位 | オンデマン | 繊維工業 | 差異 |
|---|---|---|---|---|
| 流　動　比　率 | ％ | 248.4 | 219.3 | 29.1 |
| 当　座　比　率 | ％ | 137.6 | 162.6 | △ 25.0 |
| 自　己　資　本　比　率 | ％ | 41.7 | 48.8 | △ 7.1 |
| 固　定　比　率 | ％ | 87.7 | 92.1 | △ 4.4 |
| 固　定　長　期　適　合　率 | ％ | 49.1 | 60.0 | △ 10.9 |

このように，オンデマンは流動比率では業界平均値を上回っていますが，当座比率では下回ってしまいます。これは，前述のように在庫の影響によるもので，生産効率の向上等により在庫を減少させる余地があるかどうか，また，在庫の中に滞留在庫や不良在庫があ

るかどうか検証が必要です。

　オンデマンの自己資本比率は，業界平均値を7.1ポイント下回っていますが，比較的利幅の少ない下請企業でありながら，資本金の4倍以上の利益剰余金があって40％以上の自己資本比率を維持していることは賞賛すべきことかと思います。

　固定比率と固定長期適合率は業界平均値より低くなっており，一見好ましい状況のようにも見えますが，この値を低くしているのは有形固定資産の帳簿価額が低くなっていることにも原因があります。前述のように積極的に設備投資を行っていれば値はもう少し高くなっていた可能性がありますので，必ずしも好ましい状況とは言えません。

# 練習問題

【問題1】 下記の貸借対照表から算出した安全性諸指標として，誤っているものは次のうちどれか。ただし，純資産は株主資本のみである。なお，指標は小数点以下第2位を四捨五入し，回転期間は平均月商90百万円により算出のこと。

貸借対照表 （単位：百万円）

| | | | |
|---|---:|---|---:|
| 現金預金 | 35 | 支払手形 | 37 |
| 受取手形 | 72 | 買掛金 | 48 |
| 売掛金 | 50 | 短期借入金 | 36 |
| 棚卸資産 | 25 | 長期借入金 | 40 |
| 固定資産 | 93 | 純資産 | 114 |
| 合計 | 275 | 合計 | 275 |

(1) 売上債権回転期間　　1.4月
(2) 棚卸資産回転期間　　0.3月
(3) 当座比率　　　　　184.7%
(4) 流動比率　　　　　150.4%
(5) 自己資本比率　　　 41.5%

（銀行業務検定試験財務3級試験問題より）

【問題2】 固定比率および固定長期適合率に関する記述について，正しいものは次のうちどれか。
(1) 固定比率および固定長期適合率は，その数値が高いほど固定資産投資が安定的な資金で賄われていることを示している。
(2) 固定比率および固定長期適合率は，100%以上が絶対的な目安とされる。
(3) 増資は，固定比率および固定長期適合率を改善する要因である。
(4) 固定比率および固定長期適合率は，企業の短期的な支払能力を判定する指標である。
(5) 固定長期適合率は，固定資産と固定負債の割合を示す指標である。

（銀行業務検定試験財務3級試験問題より）

【問題3】下記のF社（年1回，3月末日決算）の比較貸借対照表および比較損益計算書にもとづいて，次の設問に答えなさい。

(1) 2期間における次の諸指標の数値を，計算過程を示して算出しなさい。なお，計算にあたっては，小数点以下第2位を四捨五入すること。

① 流動比率（％）

② 固定長期適合率（％）

③ 自己資本比率（％）

④ インタレスト・カバレッジ・レシオ（倍）

(2) 上記(1)で算出した諸指標の数値を中心に，同社の安全性について簡潔に述べなさい。

比較貸借対照表（抜粋）

（単位：百万円）

| 資　産 | 前　期 | 当　期 | 負債・純資産 | 前　期 | 当　期 |
|---|---|---|---|---|---|
| 現 金 預 金 | 1,200 | 1,400 | 仕 入 債 務 | 4,600 | 4,650 |
| 売 上 債 権 | 4,800 | 4,910 | 短 期 借 入 金 | 2,400 | 2,300 |
| 棚 卸 資 産 | 2,600 | 2,700 | 長 期 借 入 金 | 6,500 | 6,400 |
| 有 形 固 定 資 産 | 7,500 | 8,300 | 資 　 本 　 金 | 1,500 | 2,500 |
| 投資その他の資産 | 500 | 490 | 利 益 剰 余 金 | 1,600 | 1,950 |
| 合 　 計 | 16,600 | 17,800 | 合 　 計 | 16,600 | 17,800 |

比較損益計算書（抜粋）

（単位：百万円）

| 科 　 目 | 前　期 | 当　期 |
|---|---|---|
| 売 　 上 　 高 | 8,700 | 9,200 |
| 営 業 利 益 | 700 | 760 |
| 受 取 利 息 | 18 | 21 |
| 支 払 利 息 | 267 | 261 |

（銀行業務検定試験財務2級試験問題より）

# 第25章 キャッシュ・フロー分析はなぜ必要か

―本章で学ぶこと―
1 事例分析
2 資金表の種類

## 1 事例分析

### (1) うそつき？

　筆者は会計事務所もやっておりますので，たとえば，3月決算のお客様への決算報告は5月中旬過ぎに行います。社長にお会いして，決算報告の後，税務申告書を説明して，「今月末までに〇〇円の納税をお願いします」と納付書を渡します。ところが，ときどき，その場で私は「うそつき」といわれることがあります。筆者も聖人君子ではありませんから，うそをつくことだってあります。しかし，お客様の社長に対してうそをつくことは基本的にはありません。それでも，社長は筆者をうそつきと言い張ります。「なぜそこまでおっしゃるのですか？」と尋ねると，

（社長）「だって，考えても見ろ，おまえが作ってきた決算書は利益が相当出て，しかも多額の税金まで支払うことになっている。これがうそだ！」

（筆者）「お言葉ですが，私どもは御社の作成された伝票を正確に入力し，最終的に銀行の残高証明書とも全部合わせていますので，間違いはないはずです。」

（社長）「いいや，そんなことはない。だって，決算書でそんなに利益が出ているならば，なぜウチの現金預金が減っているんだ？」

　気持ちはわかります。この社長の感覚では，利益が出たらそれに見合う現金預金の増加があるはずなのです。ところが，現金預金は減る一方，そこに筆者が決算報告に来て「儲かっている」「税金を払え」というものですから，頭に血が上ったというわけです。

　しかし，金融機関で融資担当を勤めておられる方はよくおわかりだと思いますが，儲かっている会社であっても資金が増えるとは限らないのです。むしろ，儲かっている会社ほど資金が足りなくなるといった方が正確だと思います。

### (2) 「良い運転資金不足」と「悪い運転資金不足」

　上記のように，儲かっている会社はよく資金不足になります。これは，本業を経営するために必要な資金（これを**運転資金**といいます）が不足するのです。ところが，運転資金

不足になるのは，儲かっている会社ばかりとは限りません。倒産寸前のダメ会社でも運転資金は不足します。すなわち，運転資金が不足するという事象は，良い会社もダメ会社も同じなのです。金融機関にはこの良い会社もダメ会社も資金を借りに来ます。しかし，金融機関はビジネスで融資業務をやっているのですから，良い会社には資金を貸すが，ダメ会社には資金を貸してはいけないのです。つまり，金融機関は「良い運転資金不足」と「悪い運転資金不足」を区別し，「良い運転資金不足」の企業に資金を融資すべきなのです。それでは，この「良い」と「悪い」の区別をどうやって行うのでしょうか？

この区別をする際の判断材料を提供するのが，キャッシュ・フロー分析なのです。

## （3）　A社のキャッシュ・フロー

（事例）

次の各ケースによって，A社のキャッシュ・フローがどのようになっているか考えてみましょう。

〈前提条件〉

①　A社は4月に設立されて事業を開始した。

②　月次売上高は，4月100百万円，以下8月まで毎月10%ずつ増加。9月は30%増加。

③　費用（売上原価と営業費（販売費及び一般管理費）。その他は無視）

売上原価＝売上高×60%，営業費＝売上高×20%（全額変動費と仮定）

【ケース1】

①　入金条件：当月売上高→翌月入金

②　支払条件：当月発生費用→当月支払

《月次損益計算書》

（単位：百万円）

| 科　　目 | 4月 | 5月 | 6月 | 7月 | 8月 | 9月 | 合計 |
|---|---|---|---|---|---|---|---|
| 売　上　高 | 100 | 110 | 121 | 133 | 146 | 190 | 800 |
| 売　上　原　価 | 60 | 66 | 73 | 80 | 88 | 114 | 480 |
| 営　業　費 | 20 | 22 | 24 | 27 | 29 | 38 | 160 |
| 費　用　合　計 | 80 | 88 | 97 | 106 | 117 | 152 | 640 |
| 営　業　利　益 | 20 | 22 | 24 | 27 | 29 | 38 | 160 |

（注）　上記金額は百万円未満を四捨五入して示しており，合計が不一致になる部分があります（以下同様）。

このように，月次損益計算書ではみごとに利益が計上されています。4月は売上高100

百万円に対して，売上原価はその60％の60百万円，営業費はその20％の20百万円，費用合計額は80百万円ですから，営業利益は20百万円となります。5月はそれぞれ10％ずつ伸びて，売上高110百万円，売上原価66百万円，営業費22百万円，費用合計88百万円，営業利益22百万円となります。6月はさらに10％ずつ伸びますから，売上高121百万円，営業利益24百万円（百万円未満は四捨五入しています）となり，このまま8月まで順調に推移していき，9月はさらに30％売上が伸びますから，単月の売上高は190百万円となり，4月単月売上高のほぼ倍に達します。半年間の合計ベースでは，売上高800百万円，営業利益160百万円となり，設立早々多額の利益が計上されました。

このように順調に利益が伸びた会社は，世間では「左うちわの会社」といわれ，資金繰りも問題がないと思われがちです。しかし，本当に資金繰りには問題はないのでしょうか。そこで，A社の資金繰り実績表（収入合計と支出合計を示し，収支差額（＝収入－支出）も示した表）を作ってみましょう。

《資金繰り実績表》

（単位：百万円）

| 科　　目 | 4月 | 5月 | 6月 | 7月 | 8月 | 9月 | 合計 |
|---|---|---|---|---|---|---|---|
| 収　入　合　計 | 0 | 100 | 110 | 121 | 133 | 146 | 610 |
| 支　出　合　計 | 80 | 88 | 97 | 106 | 117 | 152 | 640 |
| 収　支　差　額 | △80 | 12 | 13 | 15 | 16 | △6 | △30 |

このように，損益計算書に比べて資金繰り実績表は「左うちわ」ではありません。合計の収支差額を見ると，△30百万円になっています。これは，半年間で現金預金が30百万円減少したことを表しています。半年間で160百万円も儲かっているのに，現金預金は30百万円も減少しているのです。筆者をうそつきという社長の気持ちもわかりますね。

A社は，なぜ現金預金が30百万円も減少したのでしょうか。前ページの入金条件と支払条件を見ればわかりますが，この会社は支払の方が1か月前になっています。つまり，A社は，仕入は現金仕入で，売上は掛売上，給料などの費用は当月分を当月に支払うという，きわめて「人の好い」会社なのです。

上記の資金繰り実績表では，4月の収入は0になっています。A社は4月に設立されたのですから，前月3月分の売上はありません。4月の売上代金は翌月の5月に入金されますから，5月の収入が100百万円になっています。4月の支出は，月次損益計算書の費用合計額80百万円に一致し，その結果，収支差額は△80百万円になっています。ここで倒産したらバカです。そのようなことのないように，資本金があるのです。資本金は，当面の運転資金に充当するためのものでもありますから，A社の資本金はおそらく相当な金額のはずです。

ところで，A社の収支差額が4月△80百万円のマイナスになったことはわかりますが，5月12百万円→6月13百万円→7月15百万円→8月16百万円と，順調に増加していた収支差額が9月に再び△6百万円とマイナスになってしまいました。これはどうしてでしょう？ 9月は売上が30％も伸びたのですから，収支差額はもっと増えてもよさそうですが？

実は，9月に売上が30％も伸びたことこそが収支差額がマイナスになった原因です。A社は商品を現金で仕入れて，それを掛売し，その代金は翌月入金になるのですから，売上が急激に増加する時期は多額の仕入資金を準備しなければならず，資金繰りは厳しくなるのです。これは，季節的変動商品を扱っている企業によく見られる現象です。冬場にスキー用品を扱う企業，夏場に水着を扱う企業，春先に教科書を扱う企業などは，その時期にきわめて資金繰りが厳しくなります。

【ケース2】
① 入金条件：当月売上高→翌月入金
② 支払条件：当月発生費用→当月支払
③ 当初商品を80百万円仕入（現金仕入）
④ 月末在庫は毎月20百万円とする。

今度は，在庫の存在を要件に入れてみましょう。当たり前ですが，商品を仕入れて販売している企業においては，必ず，在庫が発生します。つまり，商品を多く仕入れて，そのうちの一部が売れ残るという事態が生じます。この場合には，当初在庫になる分も含めて仕入れてこなければならず，資金繰りには大きく影響します。

上記の前提で，4月と5月の商品の動きおよび売上高との比較を図示すると，次のようになります。

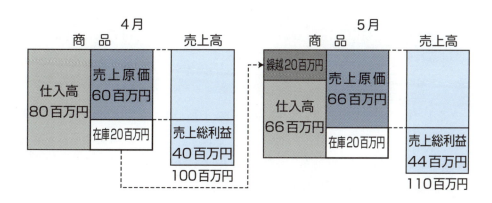

4月は，当初商品を80百万円現金仕入れし，そのうち60百万円が100百万円で販売さ

れ，在庫20百万円が残ります。5月は，前月からの繰越在庫20百万円があり，売上高は110百万円に増えます。売上原価は売上高の60％なので66百万円と計算され，月末在庫は20百万円と与えられているので，仕入高を逆算すると66百万円となります。

この前提で，損益計算書を作成すると，次のようになります。

《損益計算書》

(単位：百万円)

| 科 目 | 4月 | 5月 | 6月 | 7月 | 8月 | 9月 | 合計 |
|---|---|---|---|---|---|---|---|
| 売 上 高 | 100 | 110 | 121 | 133 | 146 | 190 | 800 |
| 月 初 商 品 残 | 0 | 20 | 20 | 20 | 20 | 20 | 0 |
| 商 品 仕 入 高 | 80 | 66 | 73 | 80 | 88 | 114 | 500 |
| 月 末 商 品 残 | 20 | 20 | 20 | 20 | 20 | 20 | 20 |
| 売 上 原 価 | 60 | 66 | 73 | 80 | 88 | 114 | 480 |
| 営 業 費 | 20 | 22 | 24 | 27 | 29 | 38 | 160 |
| 費 用 合 計 | 80 | 88 | 97 | 106 | 117 | 152 | 640 |
| 営 業 利 益 | 20 | 22 | 24 | 27 | 29 | 38 | 160 |

在庫は損益計算には反映されないので，【ケース２】においても半年間の売上高合計は800百万円，営業利益は160百万円となります。

ところが，資金繰り実績表は【ケース１】とまるで異なります。

《資金繰り実績表》

(単位：百万円)

| 科 目 | 4月 | 5月 | 6月 | 7月 | 8月 | 9月 | 合計 |
|---|---|---|---|---|---|---|---|
| 収 入 合 計 | 0 | 100 | 110 | 121 | 133 | 146 | 610 |
| 商 品 代 支 出 | 80 | 66 | 73 | 80 | 88 | 114 | 500 |
| 営 業 費 支 出 | 20 | 22 | 24 | 27 | 29 | 38 | 160 |
| 支 出 合 計 | 100 | 88 | 97 | 106 | 117 | 152 | 660 |
| 収 支 差 額 | △100 | 12 | 13 | 15 | 16 | △6 | △50 |

【ケース２】の支出合計額660百万円と【ケース１】の支出合計額640百万円の差額は20百万円です。これは毎月末の在庫金額に相当します。つまり，損益計算において在庫は利益に反映されませんが，資金繰り計算においては，在庫になろうが販売されようが現金仕入高が支出金額として計算されてしまうからです。

【ケース２】の状態は，A社では半年間で160百万円の利益が計上されましたが，資金は50百万円減少していることを表しています。

しかし，資金繰りに影響を与える事象はこんなものではありません。今度は入金条件を変えてみましょう。


【ケース３】
　①　入金条件：当月売上高→翌月手形入金（３か月サイト）
　②　支払条件：当月発生費用→当月支払
　③　当初商品を80百万円現金仕入
　④　手形割引は行わない。


　売上代金を現金でもらおうが，手形でもらおうが損益計算には影響はありません。したがって，【ケース３】の場合も，半年間の売上高合計800百万円，営業利益合計160百万円となります。
　しかし，資金繰り計算は様変わりしてしまいます。


《資金繰り実績表》

（単位：百万円）

| 科　目 | ４月 | ５月 | ６月 | ７月 | ８月 | ９月 | 合計 |
|---|---|---|---|---|---|---|---|
| 収　入　合　計 | 0 | 0 | 0 | 0 | 100 | 110 | 210 |
| 商　品　代　支　出 | 80 | 66 | 73 | 80 | 88 | 114 | 500 |
| 営　業　費　支　出 | 20 | 22 | 24 | 27 | 29 | 38 | 160 |
| 支　出　合　計 | 100 | 88 | 97 | 106 | 117 | 152 | 660 |
| 収　支　差　額 | △100 | △88 | △97 | △106 | △17 | △42 | △450 |


　A社は４月に設立されましたので，４月分の売上代金から収入金額に算入されます。入金条件によれば，当月売上高を翌月手形入金，その手形のサイトが３か月ということなので，４月分の売上代金100百万円の入金は結局８月になってしまいます。つまり，４月から７月までは収入がまったくありません。支出金額は【ケース２】と同じですから，半年間の収支差額合計額は，なんと△450百万円にもなってしまいます。くどいようですが，これは半年間で資金が450百万円減少したことを表しています。半年間で160百万円も利益を計上している会社の現金預金が450百万円も減少するのです。しかも，毎月の収支差額を見ると，収支差額がプラスになった月は１月もありません。毎月資金が出る一方です。
　資金繰りに影響を与える事象はまだまだあります。A社は毎月売上高が伸びていますので，おそらく，従業員は残業を相当行っていると思われます。筆者の事務所でもそうなの

ですが，なぜか残業したときに限ってお酒を飲みたくなる傾向があるようです（？）。A社も残業をした後，従業員同士がお酒を飲みに行き，いろいろな話が出てきます。その中で，次のような会話が交わされるかもしれません。

（従業員A）「いやー，ウチの会社は忙しいなあ。きっと相当儲かっているぜ。」

（従業員B）「当たり前だ。オレたちがこんなに働いているのだから。」

（従業員A）「だとしたら，今度の冬のボーナスは相当期待できるな。」

（一同）「そうだ，そうだ。」

　この会話に，A社の資金担当者が入っていたとしたら，もう酔いが覚めてしまいます。

（資金担当者）「何がボーナスだ。おまえたちはウチの資金繰りを知っているのか？　毎月資金が出る一方で，ボーナス資金などない。ボーナスを払うなら借金をしなければならない。」

こうなってしまいます。

　さらに，利益が出るとカネを払えという輩が2種類います。税務署と株主です。

　税務署には，利益の一部を税金として支払う必要がありますし，株主には配当金を支払わなければなりません。仮に税率を30％，配当性向（＝配当金／当期純利益）を50％とすれば，A社は税金を48百万円（＝160百万円×30％）と配当金を56百万円（＝（160百万円－48百万円）×50％），合計104百万円支払わなければなりません。月々資金が出る一方のA社でこれらの支出を賄うためには，資金を借りてくるしかありません。

　このように，順調に成長しているA社であっても，資金繰りはきわめて厳しいものになります。しかし，ほかに問題がない限り，金融機関にとってA社は格好の融資先です。なぜならば，A社の資金繰りが厳しくなっている原因が，A社がダメ会社だからではなく，順調に規模が拡大したために経常運転資金（＝売上債権＋棚卸資産－仕入債務）が大きくなったことによるからです。つまり，A社は収益計上のタイミングとその入金のタイミングがずれているから資金繰りが厳しいのであって，いつかその資金が回収された段階で金融機関からの借入金を返済することができるのですから，喜んで融資に応じればよいのです。A社のような状況が「良い運転資金不足」なのです。

　ところが，前述のとおり，「悪い運転資金不足」が生じている会社も金融機関に資金を借りに来ます。

　それでは，この「良い運転資金不足」と「悪い運転資金不足」を区別するためにはどのようなチェックを行えばよいのでしょうか。

## 2　資金表の種類

このチェックのために見なければならないのが，資金表です。資金表とは，資金の動きが示されている表の総称です。

資金表はどの立場で作成するかによって，【図表25-1】のように分類されます。

【図表25-1】　資金表の分類

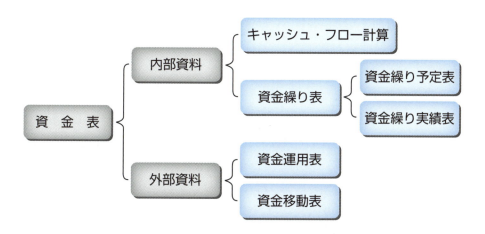

ここにおける「内部資料」とは，企業の内部の担当者（通常は経理・資金担当者）が作成する資料を指し，「外部資料」とは企業から見て外部の人間（たとえば金融機関の融資担当者）が作成する資料を指します。

### (1)　キャッシュ・フロー計算書

**キャッシュ・フロー計算書**は，有価証券報告書を公表している上場会社等が連結ベースで作成する「現金及び現金同等物（＝キャッシュ）」の増減を示した表です。キャッシュ・フロー計算書は「営業活動によるキャッシュ・フロー」「投資活動によるキャッシュ・フロー」「財務活動によるキャッシュ・フロー」の3区分に分けて示され，キャッシュの増減がどのような源泉によってもたらされたのかを明らかにした表です。

オンデマンは上場会社ではありませんので，キャッシュ・フロー計算書を作成する義務はありませんが，その作成基準に従って作成すると216・217ページのようになります。

### (2)　資金繰り表

**資金繰り表**は，資金繰り予定表と資金繰り実績表に分かれます。いずれも企業の経理または資金担当者が作成する表ですが，資金繰り予定表は今後の現金預金収支を予想したもの，資金繰り実績表は担当者が自ら作成した会計記録（会計伝票，総勘定元帳など）から

現金預金の収入と支出をまとめたものです。

　資金繰り表は内部管理資料として作成されますので，特に一定の様式が定められている
わけではなく，企業によってそのフォームは異なります。しかし，通常，中小企業が資金
繰り表を作成するときには，金融機関に指導を受けることが多く，その場合には，「銀行
様式」が用いられることが多いようです。この本では銀行様式の資金繰り表で説明しま
す。なお，オンデマンの資金繰り実績表は215ページをご覧ください。

### (3)　資金運用表

　資金運用表は，原則として貸借対照表勘定科目の増減でその企業の資金の調達と源泉を
明らかにした表です。原点に戻って考えれば，貸借対照表の右側はお金の出どころ，左側
はお金の使いみちを示しています。右側の負債・純資産が増えれば，お金の出どころが増
えたので，資金が入ってきた（資金の調達）と考え，左側の資産が増えれば，お金の使い
みちが増えたので，資金を使った（資金の運用）と考えることによって作成されるのが資
金運用表です。金融機関の融資担当者は，資金運用表を分析することによって，融資先が
なぜ資金が必要なのか，また，その理由は金融機関にとって安心して融資してもよい理由
かどうかを判断するときの有用な情報を得ることができます。

　オンデマンの資金運用表は213ページをご覧ください。

### (4)　資金移動表

　金融機関の融資担当者は，原則として現在または将来の融資先から資金繰り表を入手
し，その資金繰り状況を適時に把握することが必要です。しかし，事情によっては資金繰
り表を入手することが困難であったり，入手できたとしてもその内容が信頼できないケー
スが考えられます。このような場合に，融資先の財務諸表から資金繰り表の代わりに作成
されるのが資金移動表です。

　資金移動表を分析すると，資金繰り表と同様に，その企業の資金繰りが厳しかったの
か，楽だったのかを判断することができます。さらに，資金移動表は資金繰り状況を「経
常収支」「固定収支」「財務収支」の3区分に分けて表示するため，資金繰りが厳しい（あ
るいは楽な）原因も分析することができます。

　オンデマンの資金移動表は214ページをご覧ください。

# 練習問題

**【問題1】** 資金繰り表に関する記述について，正しいものは次のうちどれか。

(1) 資金の運用・調達に関する全体的な財務構造を把握することができる。

(2) 資金繰り表は，比較貸借対照表と当該期間の損益計算書から作成される。

(3) 資金繰り表の作成の際は，まず，当期純利益に非資金項目を加減する。

(4) 資金繰り実績表は，現金預金の会計記録より収入・支出を集計して作成される。

(5) 支払手形の振出は，資金繰り表の資金の支出となる。

（銀行業務検定試験財務3級試験問題より）

**【問題2】** 「損益」と「収支」がずれる原因として考えられる項目を3つ挙げなさい。

**【問題3】** 次の〈資料〉から，後掲の株式会社山田保険の資金繰り予定表（X1年1月～6月分）を作成しなさい。

〈資料〉

① 期首貸借対照表（X1年1月1日）

### 貸借対照表

（単位：千円）

| （資産の部） | | （負債の部） | |
|---|---|---|---|
| 流　動　資　産 | | 流　動　負　債 | |
| 　現　金　預　金 | 4,196 | 　未　　払　　金 | 1,958 |
| 　未　収　入　金 | 1,569 | 　預　　り　　金 | 91 |
| 　短　期　貸　付　金 | 1,547 | 　流動負債合計 | 2,049 |
| 　流動資産合計 | 7,312 | 固　定　負　債 | |
| 固　定　資　産 | | 　長　期　借　入　金 | 3,750 |
| 　車　両　運　搬　具 | 1,174 | 　固定負債合計 | 3,750 |
| 　工　具　器　具　備　品 | 141 | 　負　債　合　計 | 5,799 |
| 　固定資産合計 | 1,315 | （純資産の部） | |
| | | 株　主　資　本 | |
| | | 　資　　本　　金 | 3,000 |
| | | 　利　益　剰　余　金 | |
| | | 　　繰越利益剰余金 | △172 |
| | | 　純　資　産　合　計 | 2,828 |
| 資　産　合　計 | 8,627 | 　負債純資産合計 | 8,627 |

（注） 有形固定資産減価償却累計額　1,326千円

② 保険手数料計上見込み

1月　1,700千円

2月　1,800千円

3月　2,000千円　　保険手数料入金条件：月末締め翌月末日入金

4月　2,100千円

5月　2,300千円

6月　2,500千円

合計　12,400千円

（注）　期首の未収入金1,569千円は12月分の保険手数料である。

③　経費支払予定（単位：千円）

| 月 | 人件費 | その他 | 合　計 |
|---|---|---|---|
| 1 | 1,150 | 450 | 1,600 |
| 2 | 1,150 | 450 | 1,600 |
| 3 | 1,150 | 500 | 1,650 |
| 4 | 1,150 | 500 | 1,650 |
| 5 | 1,150 | 600 | 1,750 |
| 6 | 1,500 | 650 | 2,150 |
| 計 | 7,250 | 3,150 | 10,400 |

④　長期借入金返済予定（単位：千円）

| 月 | 元　本 | 利　息 | 合　計 |
|---|---|---|---|
| 1 | 87 | 6 | 93 |
| 2 | 87 | 6 | 93 |
| 3 | 87 | 6 | 93 |
| 4 | 87 | 6 | 93 |
| 5 | 87 | 5 | 92 |
| 6 | 87 | 5 | 92 |
| 計 | 522 | 34 | 556 |

⑤　4月に営業用車両2,500千円を購入する予定。取得資金は自己資金1,000千円，残額は5年間のオートローンで支払う予定。

《4月以降の返済計画》　　（単位：千円）

| 月 | 元　本 | 利　息 | 合　計 |
|---|---|---|---|
| 4 | 25 | 3 | 28 |
| 5 | 25 | 3 | 28 |
| 6 | 25 | 3 | 28 |
| 計 | 75 | 9 | 84 |

⑥　短期貸付金のうち1,000千円が6月に利息50千円とともに回収される予定。

⑦　期首の未払金および預り金は6月末までそのままの残高を維持するものとする。

⑧　半年間の減価償却費は次の金額である。

車両運搬具　447千円

工具器具備品　23千円

計　　　470千円

（解答欄）

## 資金繰り予定表

（単位：千円）

| 摘　　要 | 1月 | 2月 | 3月 | 4月 | 5月 | 6月 | 合計 |
|---|---|---|---|---|---|---|---|
| 前　月　繰　越　① | | | | | | | |
| 収　保　険　手　数　料 | | | | | | | |
| 　　受　取　利　息 | | | | | | | |
| 入　貸　付　金　回　収 | | | | | | | |
| 収入合計② | | | | | | | |
| 支　人　件　費　支　払　額 | | | | | | | |
| 　　その他経費支払額 | | | | | | | |
| 出　支　払　利　息 | | | | | | | |
| 　　設　備　投　資 | | | | | | | |
| 支出合計③ | | | | | | | |
| 差引過不足（①＋②－③） | | | | | | | |
| 財　短　期　借　入　金　借　入 | | | | | | | |
| 務　長　期　借　入　金　借　入 | | | | | | | |
| 収　短　期　借　入　金　返　済 | | | | | | | |
| 支　長　期　借　入　金　返　済 | | | | | | | |
| 次　月　繰　越 | | | | | | | |

293

# 第26章 資金繰り表

―本章で学ぶこと―
1　資金繰り表とは
2　資金繰り表の作り方
3　資金繰り表の見方
4　資金繰り表ではわからないこと
5　オンデマンドの財務分析

## 1　資金繰り表とは

### (1)　銀行様式の資金繰り表

　資金繰り表とは，企業の資金担当者が，実際の資金収支（またはその予想）にもとづいて作成する資金表で，資金繰り予定表と資金繰り実績表に分かれます。資金繰り表は企業の資金繰り状況を把握するために作成される内部管理資料ですので，特に様式が決まっているわけではありません。したがって，どのような様式で作成されてもよいのですが，一般的には，金融機関が指導して，その金融機関の様式に従ったものを作成することが多いようです。この様式は金融機関によって微妙に異なるのですが，それらを標準化したものが銀行様式と呼ばれる資金繰り表です（【図表26-1】参照）。

### (2)　資金繰り表の作成

　まず，資金繰り表で示されている「資金」の範囲を明確にしておかなければなりません。一般的には「資金＝現金＋預金」であり，現金は紙幣・硬貨・受取小切手・利札などを指しますし，預金は当座預金から定期預金まですべての種類の預金を指します。つまり，資金繰り表に示された資金は，原則として貸借対照表の現金預金と範囲が一致します。しかし，企業によってはこの預金の範囲を「流動性預金」に限定し，定期預金や定期積立金のような固定性預金を除外しているところもあります。固定性預金は，企業によっては担保に入っていることもあり，直ちに資金繰りに充当することが困難なケースもあるため，除外しているのでしょう。その場合には，資金繰り表の収入欄に「定期預金満期入金」，支出欄に「定期預金預入」などの項目が示されます。しかし，通常は固定性預金も含めた現金預金の動きを示すことが多いようです。

　また，【図表26-1】を見てもわかるように，資金繰り表は一般的には月単位で作成さ

れますが，資金繰りの忙しい企業の中には，10日単位や1日単位（この場合には日繰り表と呼ばれます）で作成しているところもあります。

　まず，企業はその年度の収入と支出の予想を立て，資金繰り予定表を作成します。そして，時の経過とともにそれが資金繰り実績表に塗り替わっていくことになります。

【図表26-1】　資金繰り表（銀行様式）

（単位：千円）

| 項　目 | | 4　月 | 5　月 | … | 合　計 |
|---|---|---|---|---|---|
| 前　月　繰　越 | | 35,000 | 25,500 | … | 35,000 |
| 収入 | 売　掛　金　回　収 | 30,000 | 36,000 | … | ××× |
| | （手　形　回　収） | (120,000) | (144,000) | （　…　） | ××× |
| | 手　形　取　立 | 45,000 | 54,000 | … | ××× |
| | 手　形　割　引 | 66,000 | 84,000 | … | ××× |
| | （割　引　落　込） | (63,000) | (63,000) | （　…　） | ××× |
| | 合　計 | 141,000 | 174,000 | … | ××× |
| 支出 | 買　掛　金　支　払 | 36,000 | 37,000 | … | ××× |
| | （支　手　振　出） | (72,000) | (105,000) | （　…　） | ××× |
| | 支　手　決　済 | 84,000 | 90,000 | … | ××× |
| | 人　件　費 | 19,500 | 21,000 | … | ××× |
| | 諸　経　費 | 9,000 | 9,500 | … | ××× |
| | 設　備　支　出 | 37,500 | 6,000 | … | ××× |
| | 合　計 | 186,000 | 163,500 | … | ××× |
| 差　引　過　不　足 | | △10,000 | 36,000 | … | ××× |
| 財務収支 | 短　期　借　入　金 | 45,000 | 0 | … | ××× |
| | 短期借入金返済 | 7,500 | 3,500 | … | ××× |
| | 長期借入金返済 | 2,000 | 2,000 | … | ××× |
| 次　月　繰　越 | | 25,500 | 30,500 | … | ××× |
| 売　　上　　高 | | 250,000 | 220,000 | … | ××× |
| 受取手形手許残高 | | 20,000 | 26,000 | … | ××× |
| 割　引　手　形　残　高 | | 80,000 | 101,000 | … | ××× |
| 売　掛　金　残　高 | | 50,000 | 90,000 | … | ××× |
| 仕　　入　　高 | | 150,000 | 130,000 | … | ××× |
| 棚　卸　資　産　残　高 | | 80,000 | 78,000 | … | ××× |
| 支　払　手　形　残　高 | | 90,000 | 105,000 | … | ××× |
| 買　掛　金　残　高 | | 40,000 | 28,000 | … | ××× |

## (3)　銀行様式の資金繰り表の特徴

銀行様式の資金繰り表には，大きく分けて次の３つの特徴があります。

① カッコ書がある

収入欄，支出欄ともにカッコ書があります。【図表26-1】では，（手形回収），（割引落込），（支手振出）の３箇所です。後述しますが，これらは収入・支出には該当せず，収入金額合計，支出金額合計には含まれていません。だからカッコ書なのです。

② 収入欄と支出欄が上と下に分かれており，間に**差引過不足**欄がある

よく見ると，収入は「売掛金回収」や「手形取立」などの「収入欄」に書かれているものと，「短期借入金」のように「財務収支欄」に書かれているものがあります。支出も「買掛金支払」や「支手決済」などの「支出欄」に書かれているものと，「短期借入金返済」や「長期借入金返済」のように「財務収支欄」に書かれているものに分かれます。そして，その間に「差引過不足」が示されています。

③ 下の３分の１に月次決算状況を示す欄がある

本来，資金繰り予定表のこの欄には月次決算予測を示し，資金繰り実績表のこの欄には月次決算結果を示すことになっているのですが，最近は，あまり利用されていないようです。

## (4)　資金繰り表の記載内容

資金繰り表に示されている項目の意味を，カッコ書も含めて示すと，【図表26-2】のようになります。

① 売掛金回収…売掛金を現金預金で回収した金額を示します。現金預金が増加するので，当然収入に該当します。

② 手形回収…売掛金を手形で回収した金額を示します。増加するのは受取手形であり，現金預金ではないので，収入には該当しません。したがって，カッコ書になっています。この金額を示すことによって，その月に回収した売掛金の総額がわかります（【図表26-2】（４月）では，30,000千円＋120,000千円＝150,000千円）。さらに，この金額で①の売掛金回収額を割れば，売掛金の現金回収割合を求めることができます（30,000千円／150,000千円＝20％）。逆に，②の手形回収額を割れば，売掛金の手形回収割合を求めることもできます（120,000千円／150,000千円＝80％）。資金繰り表は原則として月ごとに示されますので，この割合がどのように変化しているのかを見ることが可能になります。現金回収割合が徐々に減少するのであれば，資金繰りは厳しくなっていると推定することができます。

③ 手形取立…金融機関に取立依頼をしていた受取手形が期日を迎え，入金された額を示しています。

④ 手形割引…金融機関で割り引いた受取手形の額面金額を指します。通常，手形を割

【図表26-2】 資金繰り表の記載内容

(単位：千円)

| 項 目 | | 4 月 | 会計処理 | | | | |
|---|---|---|---|---|---|---|---|
| 前 月 繰 越 | | 35,000 | ― | | | | |
| 収入 | 売 掛 金 回 収 | 30,000 | (借)現金預金 | 30,000 | (貸)売 掛 金 | 30,000 | |
| | （手形回収） | (120,000) | (借)受取手形 | 120,000 | (貸)売 掛 金 | 120,000 | |
| | 手 形 取 立 | 45,000 | (借)現金預金 | 45,000 | (貸)受取手形 | 45,000 | |
| | 手 形 割 引 | 66,000 | (借)現金預金 | 66,000 | (貸)割引手形 | 66,000 | |
| | （割引落込） | (63,000) | (借)割引手形 | 63,000 | (貸)受取手形 | 63,000 | |
| | 合 計 | 141,000 | | | | | |
| 支出 | 買 掛 金 支 払 | 36,000 | (借)買 掛 金 | 36,000 | (貸)現金預金 | 36,000 | |
| | （支手振出） | (72,000) | (借)買 掛 金 | 72,000 | (貸)支払手形 | 72,000 | |
| | 支 手 決 済 | 84,000 | (借)支払手形 | 84,000 | (貸)現金預金 | 84,000 | |
| | 人 件 費 | 19,500 | (借)人 件 費 | 19,500 | (貸)現金預金 | 19,500 | |
| | 諸 経 費 | 9,000 | (借)諸 経 費 | 9,000 | (貸)現金預金 | 9,000 | |
| | 設 備 支 出 | 37,500 | (借)固定資産 | 37,500 | (貸)現金預金 | 37,500 | |
| | 合 計 | 186,000 | | | | | |
| 差 引 過 不 足 | | △10,000 | | | | | |
| 財務収支 | 短 期 借 入 金 | 45,000 | (借)現金預金 | 45,000 | (貸)短期借入金 | 45,000 | |
| | 短期借入金返済 | 7,500 | (借)短期借入金 | 7,500 | (貸)現金預金 | 7,500 | |
| | 長期借入金返済 | 2,000 | (借)長期借入金 | 2,000 | (貸)現金預金 | 2,000 | |
| 次 月 繰 越 | | 25,500 | | | | | |

り引くと割引料が差し引かれて入金されますが，この手形割引に示す金額は手形の額面金額で，割引料は支出欄に表示されます。

⑤ 割引落込…期日を迎え決済された割引手形の金額を示します。これは手形の振出人と金融機関との間の取引なので，手形を割り引いた企業の収支には関係ありません。しかし，手形の割引を「手形担保借入」と考えれば，④の手形割引は割引手形という借入金の増加，⑤の割引落込はその返済となります。この割引落込の金額が示されることによって，その月において割引手形が増加したか減少したかを把握することが可能になります。

⑥ 買掛金支払…現金預金による買掛金の支払額を示します。

⑦ 支手振出…手形による買掛金の支払額を示します。この金額を示すことによって，その月の買掛金支払総額（36,000千円＋72,000千円＝108,000千円）がわかり，現金支払割合（36,000千円／108,000千円＝33.3％）や手形支払割合（72,000千円／108,000千円＝66.7％）を計算することができます。

⑧ 支手決済…振り出していた手形が期日を迎えて当座預金から引き落とされた金額を

示します。

⑨　人件費，諸経費，設備支出…この欄には，⑥，⑧以外の支出項目を記載します。

⑩　差引過不足…「前月繰越」+「収入金額合計」−「支出金額合計」で求められます。差引過不足は収支差額ではなく，その下に財務収支の欄がありますので，財務収支考慮前の現金預金残高を示します。したがって，差引過不足がマイナスまたは少ない月は，原則としてきわめて厳しい資金繰り状況になっていた可能性が高いことがわかります。

⑪　財務収支…この欄には借入金の借入（財務収入）・返済額（財務支出）を記入します。

## 2　資金繰り表の作り方

繰り返しますが，資金繰り表は企業の内部管理資料ですので，通常は企業の経理・資金担当者が資金収支記録（会計伝票，総勘定元帳，通帳の記録など）をもとに作成します。つまり，資金繰り表は，企業の内部の担当者が会計記録などさまざまなデータを見て作成することができます。

具体的に簡単な資金繰り実績表の作成事例を示してみます。

《事例》

次の資料から，A社の期末貸借対照表，損益計算書および資金繰り実績表を作成しなさい。

期首貸借対照表　（単位：百万円）

| | | | |
|---|---|---|---|
| 現 金 預 金 | 100 | 買 掛 金 | 100 |
| 売 掛 金 | 200 | 短期借入金 | 200 |
| 商 品 | 300 | 資 本 金 | 300 |
| 建 物 | 400 | 繰越利益剰余金 | 400 |
| | 1,000 | | 1,000 |

①　期中取引

（取引1）商品600百万円を掛売りした。

　　　　　（借）売 掛 金　　600　　（貸）売　　　　　上　　600

（取引2）売掛金のうち450百万円を回収した。

　　　　　（借）現 金 預 金　　450　　（貸）売 掛 金　　450

（取引3）商品400百万円を掛仕入れした。

　　　　　（借）仕　　　　　入　　400　　（貸）買 掛 金　　400

（取引4）買掛金のうち380百万円を支払った。

(借) 買 掛 金 380 (貸) 現 金 預 金 380

（取引5）給料100百万円を支払った。

(借) 給 料 手 当 100 (貸) 現 金 預 金 100

（取引6）銀行から短期借入金200百万円を借り入れた。

(借) 現 金 預 金 200 (貸) 短 期 借 入 金 200

（取引7）短期借入金のうち100百万円を利息10百万円とともに返済した。

(借) 短 期 借 入 金 100 (貸) 現 金 預 金 110
　　　支 払 利 息 10

（取引8）建物を建築し，その代金100百万円を支払った。

(借) 建 物 100 (貸) 現 金 預 金 100

② 決算整理仕訳

（取引9）建物の減価償却費70百万円を計上した（直接法）。

(借) 減 価 償 却 費 70 (貸) 建 物 70

（取引10）期末商品棚卸高は350百万円であった。

(借) 仕 入 300 (貸) 繰 越 商 品 300
　　　繰 越 商 品 350 仕 入 350

## （1） 財務諸表の作成

以上の資料をもとに期末貸借対照表と損益計算書を作成すると，次のようになります。

### 期末貸借対照表 （単位：百万円）

| | | | |
|---|---|---|---|
| 現 金 預 金 | 60 | 買 掛 金 | 120 |
| 売 掛 金 | 350 | 短期借入金 | 300 |
| 商 品 | 350 | 資 本 金 | 300 |
| 建 物 | 430 | 繰越利益剰余金 | 470 |
| | 1,190 | | 1,190 |

## 損益計算書（単位：百万円）

| | | |
|---|---:|---:|
| 売　上　高 | | 600 |
| 売　上　原　価 | | |
| 　期首商品棚卸高 | 300 | |
| 　当期商品仕入高 | 400 | |
| 　　　計 | 700 | |
| 　期末商品棚卸高 | 350 | 350 |
| 　売上総利益 | | 250 |
| 販売費及び一般管理費 | | |
| 　給　料　手　当 | 100 | |
| 　減　価　償　却　費 | 70 | 170 |
| 　営　業　利　益 | | 80 |
| 営　業　外　費　用 | | |
| 　支　払　利　息 | | 10 |
| 　当期純利益 | | 70 |

### (2)　資金繰り実績表の作成

（取引1）～（取引10）の仕訳のうち，現金預金勘定が変化する取引をまとめると，次のようになります。

| 現金預金の増加（収入） | | | 現金預金の減少（支出） | | |
|---|---|---:|---|---|---:|
| 取引番号 | 取引内容 | 金　額 | 取引番号 | 取引内容 | 金　額 |
| 2 | 売 掛 金 入 金 | 450 | 4 | 買 掛 金 支 払 | 380 |
| 6 | 短 期 借 入 金 | 200 | 5 | 給 料 支 払 | 100 |
| | | | 7 | 短期借入金返済 | 100 |
| | | | 7 | 利 息 支 払 | 10 |
| | | | 8 | 建物建築費支払 | 100 |
| | 収 入 合 計 | 650 | | 支 出 合 計 | 690 |
| | 支 出 超 過 額 | 40 | | | |
| | 合 計 | 690 | | 合 計 | 690 |

この表をもとに銀行様式の資金繰り実績表を作成します。

資金繰り実績表（単位：百万円）

| 摘　　　要 | | 金　　額 |
|---|---|---|
| 前　期　繰　越　① | | 100 |
| 収入 | 売　掛　金　入　金 | 450 |
| | 収　入　合　計　② | 450 |
| 支出 | 買　掛　金　支　払 | 380 |
| | 給　料　支　払 | 100 |
| | 設　備　投　資 | 100 |
| | 支　払　利　息 | 10 |
| | 支　出　合　計　③ | 590 |
| 差引過不足①＋②－③ | | △40 |
| 財務収支 | 短　期　借　入　金 | 200 |
| | 短期借入金返済 | 100 |
| 次　期　繰　越 | | 60 |

## 3　資金繰り表の見方

資金繰り表を分析するときは，次のポイントに気をつけてください。

① 現金預金の増減傾向

　　現金預金が増加傾向にあれば，資金繰りは比較的楽であり，逆に減少傾向にあれば苦しいと推定できます。

② 差引過不足に注目

　　差引過不足は金融機関等との借入・借入返済実施前の現金預金残高を示します。この金額がマイナスまたは少なくなっているときは，金融機関等の手助けがなければ資金繰りが行き詰まる可能性があることを示しています。

③ 異常収支に注目

　　資金繰り表は原則として月別に左から右に並んでいますので，過去から現在・未来の資金収支を月別に比較することが可能です。その結果，異常に収支金額が多額または少額である月があれば，その原因を調査します。

④ 主要勘定残高の推移を分析

　　銀行様式の資金繰り表は，下の方に主要勘定残高を記入する欄があります。これも③と同様に，異常に増減しているものがないかチェックしてください。

⑤ 入金・支払状況の把握

　　手形入金・支払のある企業については，資金繰り表から売掛金の手形回収割合，買掛金の手形支払割合を計算することができますので，この割合の推移も注目すべきです。

## 4 資金繰り表ではわからないこと

　先ほどの《事例》で作成した資金繰り実績表では，現金預金は前期末100百万円から当期末60百万円と，40百万円も減少していますし，差引過不足額も△40百万円とマイナスになっていますので，Ａ社の資金繰りはきわめて厳しかったことがわかります。しかし，たとえばＡ社に融資を依頼された金融機関が，この資金繰り実績表を見て同社の資金繰りが厳しいことのみがわかっても融資判断はできません。なぜならば，金融機関に融資を依頼する企業はたいてい資金繰りが厳しいからです。そのような企業の融資依頼にすべて応じていたのでは，その金融機関は不良債権の山になってしまいます。金融機関が融資判断をするための情報としては，その資金繰りが厳しい原因が何であるかを突き止めなければなりません。さらに，その原因が融資に値するものかどうかを見極める必要があります。

　それでは，資金繰り表で資金繰りが厳しい原因を突き止めることができるでしょうか？

　《事例》のＡ社の資金繰り実績表を見ると，一見，設備投資100百万円が原因のように見えます。確かに，設備投資を行わなければ，Ａ社では100百万円の支出が抑えられたので，資金繰りは楽だったはずです。しかし，Ａ社の資金繰りの足を引っ張ったのは本当に設備投資でしょうか？　もっといえば，Ａ社はムダな設備投資を行ったのでしょうか？どのような企業でも設備投資は重要な意思決定です。設備投資を行うからには，その後売上が伸びたり，コストが削減できるなどの思惑があったはずです。さらに，そのための資金調達をまったく考えない経営者はほとんどいないはずです。つまり，Ａ社は確かに100百万円もの設備投資を行っていますが，そのための安全な資金調達は考えており，実際に安全な資金で設備投資は行われています。これは後で説明します。

　それでは，Ａ社の資金繰りを厳しくした原因はいったいなんでしょうか？　資金繰り表を作成した企業の内部担当者はその原因がよくわかっています。しかし，金融機関の融資担当者など外部の人間にはわかりにくいのです。Ａ社の資金繰りの足を引っ張っているのは，（取引１）と（取引２）です。298ページの仕訳一覧表を見てください。

　（取引１）では600百万円の商品を掛売りしています。これは得意先に売上代金を貸し付けたことと同じです。商品600百万円を現金売上し，その直後得意先から入金した現金をそのまま貸し付けたと考えればわかると思います。

　（取引２）はその貸し付けていた売掛金のうち，450百万円を回収したのです。貸し付けていた600百万円の全額を回収したのではありません。600百万円のうち450百万円しか回収していないのです。これでは資金繰りが厳しくなるに決まっています。皆さんだって，友達に600万円貸し付けて，そのうち450万円しか回収できなかったら資金繰りは厳しくなるでしょう？

　このように，Ａ社の資金繰りを厳しくしていたのは売掛金の増加なのですが，そのこと

は資金繰り実績表には示されていません。「売掛金入金450百万円」と出ているだけです。

　この事例からわかるように，資金繰り表のみからでは資金繰りが厳しい原因まで把握することはできません。しかし，それでは金融機関の融資担当者は勤まらないのです。

　それでは，資金繰りが厳しい原因を把握するためにはどうしたらよいのでしょうか？このために作成されるのが資金運用表です。資金運用表は，資金繰りが厳しい原因が明確に示されています。しかも，資金運用表を見ればその原因は一瞬でわかります。

　したがって，融資担当者は，企業の作成した資金繰り表を見るだけでは融資判断をしたり，融資判断をしてもらうための資料を作成することはできず，どうしても資金運用表を分析する必要があるのです。

　次章では，この資金運用表について説明しましょう。

## 5　オンデマンの財務分析

　215ページのオンデマンの資金繰り実績表（銀行様式）を分析すると，次の事項がわかります。

① 　期首の現金預金残高26,147千円に対して，期末の現金預金残高は27,912千円となっており，残高の大きい増減はなかった。

② 　月によって多少の増減はあるが，売掛金の手形回収割合が年間で77.7％であるのに対して，買掛金の手形支払割合は33.3％となっており，きわめて厳しい条件になっている。

③ 　①と関連して，手形割引によって資金繰りを回しており，割引手形残高は，年間13,603千円増加している。

④ 　収支差額（＝収入合計－支出合計）がマイナスになった月は，5月（△45,716千円），10月（△18,239千円），12月（△16,668千円），3月（△5,984千円）の4回あるが，5月は設備投資（34,685千円），10月・12月は手形割引を意図的に減少させたこと，3月は子会社への貸付（6,641千円）が原因である。

⑤ 　設備投資資金については，長期借入金により充当しているが，長短借入金は年間で合計20,891千円減少しており，借入金返済が資金繰りを圧迫している。

⑥ 　X4年3月期は，減収減益決算で，経常損失（△4,302千円）の計上となった。今後スムーズな資金調達ができるかどうか検討が必要である。

# 練習問題

【問題1】 下記の資金繰り表（抜粋）から10月末の売掛金残高を求めなさい。

資金繰り表（抜粋）（単位：百万円）

|  |  | 9月 | 10月 |
|---|---|---|---|
| 売　　上　　高 |  | 170 | 165 |
| 前 月 よ り 繰 越 |  | 40 | 35 |
| 収<br>入 | 売 掛 金 回 収 | 121 | 117 |
|  | （ 手 形 回 収 ） | (53) | (51) |
|  | 手 形 取 立 | 51 | 49 |
|  | 手 形 割 引 | 15 | 13 |
|  | （ 割 引 落 込 ） | (10) | (9) |
| 合　　　計 |  | 187 | 179 |

（注）8月末売掛金残高　　180

8月末受取手形残高　　54

（銀行業務検定試験財務3級試験問題より）

【問題2】　下記の資金繰り表から考察した資金繰り状況に関する記述について，誤っているものは次のうちどれか。

資金繰り表（単位：百万円）

| | | 12月 | 1月 |
|---|---|---|---|
| 前月より繰越① | | 62 | 50 |
| 収入 | 売 掛 金 回 収 | 160 | 162 |
| | （ 手 形 回 収 ） | (112) | (114) |
| | 手 形 取 立 | 75 | 83 |
| | 手 形 割 引 | 48 | 50 |
| | （ 割 引 落 込 ） | (42) | (43) |
| | 計　② | 283 | 295 |
| 支出 | 買 掛 金 支 払 | 143 | 130 |
| | （ 手 形 振 出 ） | (85) | (78) |
| | 手 形 決 済 | 76 | 73 |
| | 人 件 費 | 86 | 80 |
| | 諸 経 費 | 30 | 32 |
| | 設 備 支 出 | 20 | 5 |
| | 計　③ | 355 | 320 |
| 差引過不足（①＋②－③） | | △10 | 25 |
| 財務収支 | 借 入 金 | 70 | 20 |
| | 借 入 金 返 済 | 10 | 10 |
| 翌 月 へ 繰 越 | | 50 | 35 |

(1)　1月における売掛金の手形回収割合は，12月とほぼ同じである。

(2)　1月における買掛金の手形支払割合は，12月とほぼ同じである。

(3)　支払手形残高は12月に手形振出と手形決済の差である9百万円の増加，1月も5百万円の増加で合計14百万円の増加となる。

(4)　1月末の手持受取手形残高は，12月末と比べて8百万円増加している。

(5)　1月末の割引手形残高は，11月末に比べて13百万円増加している。

（銀行業務検定試験財務3級試験問題より）

【問題3】 I社の下記の資金繰り予定表および〈関連資料〉にもとづいて，次の設問に答えてください。

(1) 下記の各勘定の12月末の残高を，計算過程を示して算出しなさい。

　　① 売掛金　　② 割引手形　　③ 買掛金　　④ 支払手形

(2) ①売掛金の回収状況，買掛金の支払状況の変化について述べ，②12月の資金繰りの状況について述べなさい。

資金繰り予定表 （単位：百万円）

| 項　　目 | 11月 | 12月 |
|---|---|---|
| 前月より繰越① | 156 | 122 |
| 収入　売　掛　金　回　収 | 176 | 154 |
| 　　　（　手　形　回　収　） | (264) | (286) |
| 　　　手　形　取　立 | 115 | 175 |
| 　　　手　形　割　引 | 195 | 218 |
| 　　　（　割　引　落　込　） | (244) | (268) |
| 　　　計　② | 486 | 547 |
| 支出　買　掛　金　支　払 | 132 | 144 |
| 　　　（　手　形　振　出　） | (198) | (216) |
| 　　　手　形　決　済 | 280 | 290 |
| 　　　人　　件　　費 | 65 | 140 |
| 　　　諸　　経　　費 | 25 | 22 |
| 　　　計　③ | 502 | 596 |
| 差引過不足(①+②-③) | 140 | 73 |
| 財務収支　借　　入　　金 | - | 100 |
| 　　　　　借　入　金　返　済 | 18 | 18 |
| 翌　月　へ　繰　越 | 122 | 155 |

〈関連資料〉

（単位：百万円）

売上高・仕入高の推移

| | 10月 | 11月 | 12月 |
|---|---|---|---|
| 売上高 | 440 | 440 | 460 |
| 仕入高 | 330 | 360 | 410 |

10月までの回収・支払条件

① 原則として，前月売上・仕入分は当月に回収・支払をする。

② 回収内訳
　　現金40%，手形60%

③ 支払内訳
　　現金40%，手形60%

10月末残高

　　売　掛　金　　440
　　割　引　手　形　420
　　買　掛　金　　330
　　支　払　手　形　384

（銀行業務検定試験財務2級試験問題より）

# 第27章 資金運用表

―本章で学ぶこと―
1 資金運用表とは
2 資金運用表の作り方
3 資金運用表の見方
4 オンデマンの財務分析

## 1 資金運用表とは

### (1) 資金運用表の原理

**資金運用表**とは，原則として，2期間の貸借対照表を比較し，各科目間の残高の増減をとらえて，これを資金の調達と運用に分類し，それによって1事業年度における資金の動きを示した表です。

資金運用表は，きわめて単純な原理で作成されています。

貸借対照表の構造についておさらいをしましょう。貸借対照表の右側には「負債」と「純資産」が書かれていて，これらは企業の資金の出どころを示しています。また，貸借対照表の左側には「資産」が書かれていて，資金の使いみちを示しています。この原理がわかれば資金運用表は十分理解できます。

次の事例を見てください。

(事例)

前期末貸借対照表（単位：百万円）

| 現金預金 | 100 | 借 入 金 | 100 |
|---|---|---|---|
| 売 掛 金 | 200 | 資 本 金 | 100 |
|  |  | 利益剰余金 | 100 |
|  | 300 |  | 300 |

当期末貸借対照表（単位：百万円）

| 現金預金 | 110 | 借 入 金 | 110 |
|---|---|---|---|
| 売 掛 金 | 220 | 資 本 金 | 110 |
|  |  | 利益剰余金 | 110 |
|  | 330 |  | 330 |

前期末から当期末にかけて，この企業の現金預金は100百万円から110百万円と10百万円増加しています。それでは，現金預金が10百万円増加した原因は何でしょう？

実は，貸借対照表の構造に関する原理がわかると，現金預金が増減した原因を，現金預金以外の科目の増減で説明できることに気づくはずです。

右側の変化から見てみましょう。

まず，借入金が10百万円増加しています。これは何があったのでしょう？　お金を借りたのです。お金を借りれば当然借入金残高が増加し，お金が入ってきます。つまり，借入金の増加は収入と考えればよいのです。もちろん，実際には借入金を借りたり返したりしているかもしれませんが，あまり難しいことを考えず，10百万円を一度に借り入れたと考えましょう。

次に，資本金が10百万円増加しています。これは何があったのでしょう？　増資です。株主に増資をお願いしたら，快く応じてもらい，10百万円の資金が入ってきたのです。つまり，資本金の増加も収入になります。

さらに，利益剰余金も10百万円増加しています。これは何があったのでしょう？　利益が計上されたのです。利益が出たからといって，必ずしも同額の現金が増加するとは限らないのは前述のとおりですが，ここでは，現金主義で会計処理をして，利益＝現金の増加額と考えてください。

さて，今度は資産側です。現金預金以外の資産科目は，事例の場合には売掛金のみです。売掛金が20百万円増加していますが，これは何があったのでしょう？　売掛金といってわかりにくければ「得意先に対する貸付金」と思えばよいでしょう。売掛金が20百万円増えたということは，得意先に20百万円貸し付けたことと同じです。つまり，売掛金の増加額だけ支出があったと考えられます。

このように考えれば，事例の企業では，借入金で10百万円，増資で10百万円，利益で10百万円，合わせて30百万円の収入があったけれども，売掛金の増加により20百万円が支出され，結局，現金預金が10百万円増加したことがわかります。

## (2)　良い変化と悪い変化

繰り返しますが，金融機関の融資担当者が融資判断をするときに，まず，対象企業の資金繰り状況を把握する必要があります。これは，資金繰り表によって分析することができます。しかし，資金繰り表だけではなぜ資金繰りが苦しかったかの原因分析まではできません。そこで，資金運用表が登場するのですが，資金運用表で資金繰りが苦しい原因がわかるだけでは不十分で，さらにその原因が金融機関にとって良いのか悪いのかを判断する必要があります。この「良い」と「悪い」はどうやって区別するのでしょうか？

次の（ケース）を用いて説明します。

（ケース1）

| 前期末貸借対照表（単位：百万円） | | | |
|---|---|---|---|
| 現 金 預 金 | 100 | 資 本 金 | 200 |
| 建 物 | 100 | | |
| | 200 | | 200 |

| 当期末貸借対照表（単位：百万円） | | | |
|---|---|---|---|
| 現 金 預 金 | 100 | 短期借入金 | 100 |
| 建 物 | 200 | 資 本 金 | 200 |
| | 300 | | 300 |

　（ケース1）の前期末から当期末にかけての変化を見ると，左側の変化は建物の増加100百万円で，右側の変化は短期借入金の増加100百万円です。これはどのようなことがあったと推定されるでしょうか？

　この企業は設備投資100百万円をするための資金を金融機関等から，すぐ返さなければならない短期借入金で調達しています。この資金繰りは「良い」でしょうか「悪い」でしょうか？

　これは誰が考えてもわかると思います。悪い資金繰りです。なぜならば，建物（固定資産）からはなかなか資金が回収できないにもかかわらず，短期借入金はすぐ返済期限が到来し，その時点で再び資金調達ができなければ，この企業の資金繰りは行き詰まってしまう可能性があるからです。

（ケース2）

| 前期末貸借対照表（単位：百万円） | | | |
|---|---|---|---|
| 現 金 預 金 | 100 | 資 本 金 | 200 |
| 建 物 | 100 | | |
| | 200 | | 200 |

| 当期末貸借対照表（単位：百万円） | | | |
|---|---|---|---|
| 現 金 預 金 | 100 | 資 本 金 | 200 |
| 建 物 | 200 | 利益剰余金 | 100 |
| | 300 | | 300 |

　今度の左側の変化は建物の増加100百万円，右側の変化は利益剰余金の増加100百万円です。これはもうおわかりのように，100百万円の当期純利益が計上され（配当は無視しています），その資金で設備投資を行っています。当期純利益の計上によって得た資金はどこかに返済する必要はなく，自由に使うことができる資金です。その超安全な資金で設備投資を行っているので，この企業の資金繰りはきわめて安全なものであることがわかります。（ケース1）と比べたら「月とスッポン」です。

（ケース3）

| 前期末貸借対照表（単位：百万円） | | | |
|---|---|---|---|
| 現 金 預 金 | 100 | 資 本 金 | 200 |
| 建 物 | 100 | | |
| | 200 | | 200 |

| 当期末貸借対照表（単位：百万円） | | | |
|---|---|---|---|
| 現 金 預 金 | 100 | 資 本 金 | 300 |
| 建 物 | 200 | | |
| | 300 | | 300 |

このケースも建物が100百万円増加していますが，右側は資本金が100百万円増加しています。これは，増資によって設備投資が行われている場合の変化です。増資によって得た資金は，原則として企業をやめるまで返済する必要のない「もらいっぱなし」のお金ですから，これも（ケース2）と同様に，きわめて安全な資金繰りだと判断されます。ただし，増資の場合には，その後の株主に対する配当金負担が増加しますので，（ケース2）と比べればやや劣りますが，それでも良い資金繰りには違いありません。

### (3) 資金運用表の資金区分

（ケース4）

前期末貸借対照表（単位：百万円）

| 現 金 預 金 | 100 | 買 掛 金 | 150 |
|---|---|---|---|
| 売 掛 金 | 200 | 短期借入金 | 300 |
| 短期貸付金 | 150 | 資 本 金 | 200 |
| 建 物 | 350 | 利益剰余金 | 150 |
| | 800 | | 800 |

当期末貸借対照表（単位：百万円）

| 現 金 預 金 | 150 | 買 掛 金 | 180 |
|---|---|---|---|
| 売 掛 金 | 270 | 短期借入金 | 360 |
| 短期貸付金 | 100 | 資 本 金 | 200 |
| 建 物 | 450 | 利益剰余金 | 230 |
| | 970 | | 970 |

資金運用表（単位：百万円）

| 資金の運用 | | 資金の調達 | |
|---|---|---|---|
| 現 金 預 金 | 50 | 買 掛 金 | 30 |
| 売 掛 金 | 70 | 短期借入金 | 60 |
| 短期貸付金 | △50 | 資 本 金 | 0 |
| 建 物 | 100 | 利益剰余金 | 80 |
| 合 計 | 170 | 合 計 | 170 |

さあ今度は科目が増えました。（ケース1）〜（ケース3）のように単純な変化ではありません。そこで，真ん中に前期末から当期末にかけての貸借対照表科目の残高変化をまとめて示しました。これが資金運用表です。この表では，たとえば現金預金は50百万円増えた，短期貸付金は50百万円減ったと見ます。

しかし，この資金運用表では，この企業の資金繰りが良かったのか悪かったのかを判断することは困難です。もう少し工夫が必要になります。ここで，貸借対照表の変化をもう少し細分化して示してみましょう。【図表27-1】をご覧ください。

【図表27-1】 資金運用表の構造

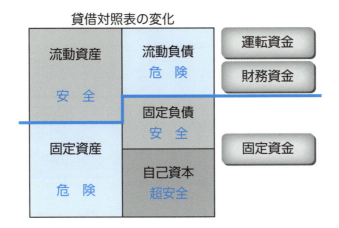

　この表は，たとえば流動資産が増えたら安全なお金の使いみちだった，流動負債が増えたら危険な形で資金を調達したという具合に見ます。そして，これらの変化の組合せを次の3つの資金区分に分類します。
① **固定資金**…固定負債，自己資本，固定資産による資金調達・運用を示したものです。固定資産の増加が固定負債と自己資本の増加を上回れば固定資金不足，下回れば固定資金余剰となります。固定資金不足の状態が数期間継続すると，企業はその存続が危ぶまれる状態に陥る可能性があります。
② **財務資金**…流動資産と流動負債による資金調達・運用のうち，「現金預金」「短期借入金」「割引手形」の変化を示したものです。要するに，金融機関等との間の資金の変化を示しています。
③ **運転資金**…財務資金以外の流動資産・流動負債による資金調達・運用を示したものです。主として営業上（本業上）の資金の変化を表しています。

## (4)　固定資金不足と固定資金余剰

　固定資金不足はなぜ悪い資金繰りなのでしょうか？ 【図表27-2】をご覧ください。これは固定資金余剰の状態を示しています。

【図表27-2】　固定資金余剰

貸借対照表の変化

| 流動資産 安全 | 流動負債 危険 |
| | 固定負債（例：長期借入）80百万円 |
| 固定資産（例：設備投資）100百万円 | 自己資本（例：当期純利益）50百万円 |

固定資金余剰
30百万円

　ある企業が設備投資を100百万円行いました。設備投資は危険な資金の使いみちなので，そのための資金調達方法として一番良いのは，超安全な自己資本によって資金を集めることです。この企業では，当期純利益が50百万円計上されています。しかし，これだけではまだ設備投資資金を賄うのに十分ではありません。そこで，メインバンクであるA銀行に設備資金の融資をお願いしたら，「御社なら喜んでお貸しします」といわれ，80百万円を調達することができました。この結果，安全な資金が合計130百万円集まり，その資金で設備投資100百万円を行いました。この状態が固定資金余剰です。

　固定資金余剰の状態では，安全な資金調達額が危険な資金運用額を上回り，その金額を買掛金の支払などの運転資金繰りや短期借入金の返済などの財務資金繰りに充当することができ，安心して見ていられる資金繰り状況ということができます。

　一方，固定資金不足の状態は【図表27-3】をご覧ください。

【図表27-3】　固定資金不足

貸借対照表の変化

| 流動資産 安全 | 流動負債 危険 |
| 危険 固定資産（例：設備投資）100百万円 | 固定負債（例：長期借入）30百万円 |
| | 自己資本（例：当期純利益）40百万円 |

危険と危険の組合せ！

固定資金不足
30百万円

このケースは，設備投資資金額100百万円に対して，超安全な資金である当期純利益が40百万円と安全な資金である長期借入金が30百万円の合計70百万円しかありませんので，設備投資資金を安全な資金で賄うことができませんでした。これが固定資金不足状態です。不足額の30百万円は，結果的に短期資金で充当されましたので，危険な資金調達によって危険な資金運用が行われ，まさに「危険と危険の組合せ」が生じています。このような状態が継続すれば，企業はいつか破綻してしまいます。

### (5)　運転資金不足と運転資金余剰

　本来運転資金は，「本業を遂行するために必要になる資金」を指し，企業の規模が大きくなるほど必要運転資金も大きくなります。この場合，資金運用表では「運転資金不足」の状態になります。したがって，運転資金の場合は，不足になったからといって，必ずしも悪い状態であるとは限りません。むしろ，成長企業はたいていの場合，運転資金不足になります。しかし，第20章で触れたように，運転資金（第20章では「経常運転資金」で説明しました）が大きくなる原因としては，企業規模の拡大（平均月商の増加）以外に，**運転資金回転期間**（下の式のカッコ内の回転期間のこと）の長期化が考えられます。

$$経常運転資金＝平均月商×\left(\begin{array}{c}売上債権\\回転期間\end{array}＋\begin{array}{c}棚卸資産\\回転期間\end{array}－\begin{array}{c}仕入債務\\回転期間\end{array}\right)$$

　前述のとおり，平均月商が伸びて運転資金不足が生じている企業は，ほかに問題がない限り「良い運転資金不足」の可能性が高いのですが，カッコの中の運転資金回転期間が長期化している場合には，不良債権の発生，不良・滞留在庫の発生，粉飾決算，信用不安による掛仕入の減少など，いろいろ悪い理由が考えられますので，必ず「裏」をとる必要があります。

### (6)　ケース4の資金運用表

　上記の資金区分に従って（ケース4）の資金運用表を作成してみると，次のようになります。

資金運用表 （単位：百万円）

| | 資金の運用 | | 資金の調達 | |
|---|---|---|---|---|
| 固定資金 | 建　　　　物 | 100 | 利 益 剰 余 金 | 80 |
| | | | 固 定 資 金 不 足 | 20 |
| | 合　　計 | 100 | 合　　計 | 100 |
| 運転資金 | 売　掛　金 | 70 | 買　掛　金 | 30 |
| | 短 期 貸 付 金 | △50 | | |
| | 運 転 資 金 余 剰 | 10 | | |
| | 合　　計 | 30 | 合　　計 | 30 |
| 財務資金 | 固 定 資 金 不 足 | 20 | 運 転 資 金 余 剰 | 10 |
| | 現　金　預　金 | 50 | 短 期 借 入 金 | 60 |
| | 合　　計 | 70 | 合　　計 | 70 |

　この資金運用表で一番問題なのは，固定資金不足が20百万円発生していることです。固定資金が不足するということは，安全な資金調達（固定負債＋自己資本，このケースの場合固定負債はありませんので，自己資本すなわち利益剰余金の増加（つまり当期純利益の計上）のみとなります）で固定資産投資金額100百万円を賄えておらず，その資金は結局，運転資金および財務資金の短期資金に頼らざるをえなくなっていることがわかります。これが「危険と危険の組合せ」状態です。

　また，運転資金の部においては，10百万円の余剰が生じており，一見好ましい資金繰りのようですが，その期にたまたま短期貸付金を50百万円回収していることによる余剰なので，これがなければ買掛金の増加30百万円を売掛金の増加70百万円が上回り，運転資金不足が生じていたところでした。ただし，この運転資金不足が「良い」か「悪い」かは，平均月商や運転資金回転期間の変化を分析する必要があります。

　財務資金の部の書き方は，上の固定資金の部と運転資金の部の書き方と異なっています。財務資金の部なのに，固定資金不足と運転資金余剰が示されています。これはいったい何なのでしょう？

　310ページの資金運用表を見るとわかりますが，資金の調達合計が170百万円で，資金の運用合計も170百万円なので，収支が一致しており，結局，運用表上の資金は1円も増減していません（運用表上では現金預金の増加も資金の運用に含めているため）。つまり，最終的には資金の増減は「チャラ」なのです。ところが，固定資金では20百万円の不足が生じ，運転資金では余剰が生じて，その半分の10百万円の穴埋めを行いました。それでは，財務資金で後いくら穴埋めが必要になるでしょうか？　これが財務資金に「固定資金不足20百万円」と「運転資金余剰10百万円」が示されている理由です。

　財務資金の部では，あと10百万円の穴埋めをすれば良かったところ，短期借入金を60百万円も借り入れたため，結局，現金預金が50百万円も増加しています。この経緯を確

認する必要があるでしょう。

【図表27-4】 ケース4

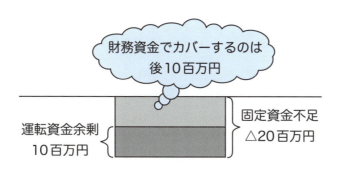

## 2 資金運用表の作り方

### (1) 資金運用表の作成ルール

資金運用表の作り方は比較的簡単です。なぜならば，前述のようにその作成原理は次の内容のみだからです。

### (2) 資金運用表の作成

それでは，298ページの《事例》の場合の資金運用表を作成してみましょう。

（ステップ1） 前期末と当期末の貸借対照表を比較し，各勘定残高の増減額を求める。

比較貸借対照表　　　　　　　　　（単位：百万円）

| 科　目 | 前期末 | 当期末 | 増減額 | 科　目 | 前期末 | 当期末 | 増減額 |
|---|---|---|---|---|---|---|---|
| 現 金 預 金 | 100 | 60 | △40 | 買　掛　金 | 100 | 120 | 20 |
| 売　掛　金 | 200 | 350 | 150 | 短期借入金 | 200 | 300 | 100 |
| 商　　　品 | 300 | 350 | 50 | 資　本　金 | 300 | 300 | 0 |
| 建　　　物 | 400 | 430 | 30 | 利益剰余金 | 400 | 470 | 70 |
| 合　計 | 1,000 | 1,190 | 190 | 合　計 | 1,000 | 1,190 | 190 |

（ステップ2）　資金の運用と調達を分類するとともに，3つの資金区分にも分類する。

（単位：百万円）

| 科　目 | 固定資金 | 運転資金 | 財務資金 | 合　計 |
|---|---|---|---|---|
| 現 金 預 金 | | | △40 | △40 |
| 売 　掛　 金 | | 150 | | 150 |
| 商 　　　 品 | | 50 | | 50 |
| 建　　　　物 | 30 | | | 30 |
| 運用合計 | 30 | 200 | △40 | 190 |
| 買 　掛　 金 | | 20 | | 20 |
| 短 期 借 入 金 | | | 100 | 100 |
| 利 益 剰 余 金 | 70 | | | 70 |
| 調達合計 | 70 | 20 | 100 | 190 |

（ステップ3）　資金運用表（簡易型）を作成する。

資金運用表　　　（単位：百万円）

| | 資金の運用 | | 資金の調達 | |
|---|---|---|---|---|
| 固定資金 | 建 　　　 物 | 30 | 利 益 剰 余 金 | 70 |
| | 固 定 資 金 余 剰 | 40 | | |
| | 合 　　 計 | 70 | 合 　　 計 | 70 |
| 運転資金 | 売 　掛　 金 | 150 | 買 　掛　 金 | 20 |
| | 商 　　　 品 | 50 | 運 転 資 金 不 足 | 180 |
| | 合 　　 計 | 200 | 合 　　 計 | 200 |
| 財務資金 | 運 転 資 金 不 足 | 180 | 固 定 資 金 余 剰 | 40 |
| | 現 　金 預 金 | △40 | 短 期 借 入 金 | 100 |
| | 合 　　 計 | 140 | 合 　　 計 | 140 |

　このように，固定資金の部を見ると，建物に対する投資額30百万円に対して利益剰余金（この事例では当期純利益の計上額に一致します）70百万円が計上されていますから，固定資金余剰40百万円が生じています。このことから，この事例では，設備投資に充当するための資金は超安全な利益の中から捻出されており，設備投資が資金繰りの足を引っ張っているのではないことがわかります。

　それでは，資金繰りを厳しくした原因はいったい何でしょうか？　それは，運転資金の部を見れば一目瞭然です。運転資金は何と180百万円も不足になっており，その最も大きい原因は，売掛金の増加150百万円にあることがわかります。ついでに，商品の増加50百万円も運転資金不足に影響していることもわかります。

このように，資金運用表を見ることによって，資金繰り表ではわからなかった資金繰りが苦しかった（あるいは楽だった）原因を瞬時に把握することができます。


（ステップ4）　キャッシュ・フローがわかる様式の資金運用表を作成する。

（ステップ3）の簡易型資金運用表でも，その年度の資金繰り状況を分析することは十分可能ですが，もう少し専門的に分析するときには，資金運用表の作り方に工夫が必要になります。

たとえば，簡易型資金運用表では設備投資額（建物増加額）は30百万円になっていますが，事例の（取引8）を見ると，設備投資額は30百万円ではなく，100百万円となっています。それでは，簡易型資金運用表ではなぜ設備投資額が30百万円になったかといえば，（取引9）で建物の減価償却費を70百万円計上したからです。

建物増加額

| | |
|---|---|
| 設備投資額 | 100百万円 |
| 減価償却費 | △70百万円 |
| 差引増加額 | 30百万円 |

このように，本来の設備投資額は100百万円ですから，固定資金の運用額には「建物（あるいは設備投資）100百万円」と書き，その代わり，固定資金の調達額として「減価償却費70百万円」を記載するという方法が考えられます。

減価償却費がなぜ資金の調達になるのか疑問に思う人がいると思いますが，これは次の《事例1》のように考えればわかります。


《事例1》

次の前提から，この企業で増加した資金（キャッシュ・フロー）を求めなさい。なお，下記に示した以外の収益・費用はないものとする。

①　売上高（全額現金売上と仮定）：100百万円

②　給料（現金主義で計上）：40百万円

③　減価償却費：20百万円

④　法人税等（現金主義で計上）：12百万円

⑤　配当金支払額：14百万円

【図表27-5】 キャッシュ・フローの求め方

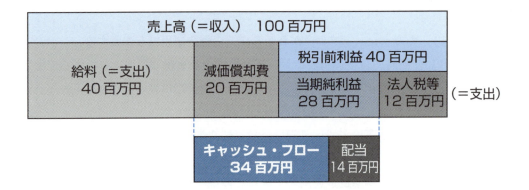

　増加資金（キャッシュ・フロー）は，収入から支出を引けば求められますので，次のように計算できます。

① 直接法

　キャッシュ・フロー
　＝売上高100百万円－給料40百万円－法人税等12百万円－配当金14百万円
　＝34百万円

　しかし，図をよく見ればわかりますが，このキャッシュ・フロー34百万円は，次の間接法によっても求めることができます。

② 間接法

　キャッシュ・フロー
　＝当期純利益28百万円＋減価償却費20百万円－配当金14百万円
　＝34百万円

　つまり，減価償却費を当期純利益に加えることによって，その企業で増加した資金を求めることができるのです。

　キャッシュ・フローは，その企業が自由に使うことができる超安全な資金ですから，その範囲内で設備投資を行っていれば，きわめて安全な資金繰り状況であることがわかります。このような分析をしたい場合には，資金運用表上でキャッシュ・フローがわかるように表示されます。

　当期純利益は，税引前当期純利益から法人税等を控除した額なので，この事例の資金運用表（固定資金）は，次のように表示されます。

資金運用表（一部）　　　（単位：百万円）

| | 資金の運用 | | 資金の調達 | |
|---|---|---|---|---|
| 固定資金 | 税 金 支 払 額 | 12 | 税引前当期純利益 | 40 |
| | 配　　当　　金 | 14 | 減 価 償 却 費 | 20 |
| | | | | |

（注）　キャッシュ・フロー

　　　　＝税引前当期純利益40百万円－税金支払額12百万円

　　　　＋減価償却費20百万円－配当金14百万円

　　　　＝34百万円

このような調整を行うと，先ほどの資金運用表は次のように表示できます。

資金運用表　　　　（単位：百万円）

| | 資金の運用 | | 資金の調達 | |
|---|---|---|---|---|
| 固定資金 | 税 金 支 払 額 | 0 | 税引前当期純利益 | 70 |
| | 配　　当　　金 | 0 | 減 価 償 却 費 | 70 |
| | 固 定 資 産 投 資 | 100 | | |
| | 固 定 資 金 余 剰 | 40 | | |
| | 合　　計 | 140 | 合　　計 | 140 |
| 運転資金 | 売　　掛　　金 | 150 | 買　　掛　　金 | 20 |
| | 商　　　　　品 | 50 | 運 転 資 金 不 足 | 180 |
| | 合　　計 | 200 | 合　　計 | 200 |
| 財務資金 | 運 転 資 金 不 足 | 180 | 固 定 資 金 余 剰 | 40 |
| | 現　金　預　金 | △40 | 短 期 借 入 金 | 100 |
| | 合　　計 | 140 | 合　　計 | 140 |

　事例では，法人税等と配当金支払額が0なので，資金運用表にその項目を記載する必要はないのですが，わかりやすくするために表示してあります。

　このような表示にしても，固定資産投資額（建物の増加額）と減価償却費が両建てになっただけで，固定資金余剰の金額40百万円は変わりませんから，結論は同じです。しかし，このようにキャッシュ・フローがわかる表示にすると，より正確に資金繰り状況を把握することができるのです。

　このような正式な資金運用表を作成するときには，次の3箇所の調整（両建て処理）が必要になります。

　①　固定資産投資額と減価償却費

　②　税金支払額と法人税等

③ 配当金支払額と当期純利益

②の法人税等と③の当期純利益は，合わせて「税引前当期純利益」と表示されます。

これらの金額を計算する場合には，【図表27-6】のように各勘定の動きを示す図を書いてみると簡単です。

【図表27-6】 資金運用表の作り方

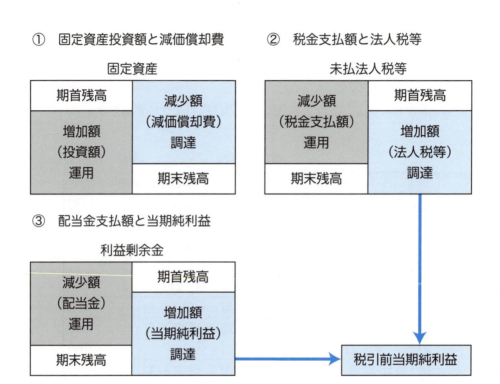

なお，割引手形や裏書譲渡手形がある場合には，これらを含めたところで売上債権の増減額を算出し，代わりに，割引手形の増減額は財務資金の部に，裏書譲渡手形の増減額は（仕入債務の増減額として）運転資金の部に表示します。

## (3) 演 習

実際に，財務諸表から資金運用表を作成してみます。

《事例2》

次のB社のデータより，後掲の資金運用表を作成しなさい。

① 貸借対照表

(単位：千円)

| 資　産 | 前期末 | 当期末 | 負債・純資産 | 前期末 | 当期末 |
|---|---|---|---|---|---|
| 現　金　預　金 | 37,650 | 30,450 | 買　　掛　　金 | 81,750 | 89,400 |
| 受　取　手　形 | 46,900 | 54,280 | 短　期　借　入　金 | 15,000 | 40,500 |
| 売　　掛　　金 | 31,400 | 44,420 | 未　払　法　人　税　等 | 1,800 | 1,650 |
| 商　　　　品 | 26,550 | 30,900 | その他流動負債 | 64,500 | 69,750 |
| その他流動資産 | 22,500 | 24,000 | 流動負債計 | 163,050 | 201,300 |
| 流動資産計 | 165,000 | 184,050 | 長　期　借　入　金 | 69,000 | 82,500 |
| 建　　　　物 | 80,000 | 116,450 | その他固定負債 | 25,500 | 27,750 |
| 土　　　　地 | 100,000 | 100,000 | 固定負債計 | 94,500 | 110,250 |
| 固定資産計 | 180,000 | 216,450 | 負債合計 | 257,550 | 311,550 |
|  |  |  | 資　　本　　金 | 50,000 | 50,000 |
|  |  |  | 利　益　剰　余　金 | 37,450 | 38,950 |
|  |  |  | 純資産合計 | 87,450 | 88,950 |
| 合　　計 | 345,000 | 400,500 | 合　　計 | 345,000 | 400,500 |
| 割　引　手　形 | 42,600 | 60,900 |  |  |  |

② 損益計算書

(単位：千円)

| 科　目 | 前　期 | 当　期 |
|---|---|---|
| 売　　上　　高 | 675,000 | 780,000 |
| 売　上　原　価 | 506,250 | 585,000 |
| 売　上　総　利　益 | 168,750 | 195,000 |
| 減　価　償　却　費 | 9,000 | 13,200 |
| その他販管費 | 139,500 | 165,300 |
| 販売一般管理費 | 148,500 | 178,500 |
| 営　業　利　益 | 20,250 | 16,500 |
| 営　業　外　収　益 | 4,500 | 5,250 |
| 営　業　外　費　用 | 12,750 | 14,250 |
| 経　常　利　益 | 12,000 | 7,500 |
| 特　別　利　益 | 750 | 0 |
| 特　別　損　失 | 8,250 | 1,500 |
| 税引前当期純利益 | 4,500 | 6,000 |
| 法　人　税　等 | 2,250 | 3,000 |
| 当　期　純　利　益 | 2,250 | 3,000 |

第27章　資金運用表

③　株主資本等変動計算書

（単位：千円）

| 科　目 | 資本金 | 利益剰余金 | | | | 純資産合計 |
| | | 利益準備金 | 別途積立金 | 繰越利益剰余金 | 合　計 | |
|---|---|---|---|---|---|---|
| 前 期 末 残 高 | 50,000 | 7,000 | 10,000 | 20,450 | 37,450 | 87,450 |
| 当 期 変 動 額 | | | | | | |
| 剰 余 金 の 配 当 | | 150 | | △1,650 | △1,500 | △1,500 |
| 当 期 純 利 益 | | | | 3,000 | 3,000 | 3,000 |
| 当期変動額合計 | 0 | 150 | 0 | 1,350 | 1,500 | 1,500 |
| 当 期 末 残 高 | 50,000 | 7,150 | 10,000 | 21,800 | 38,950 | 88,950 |

資金運用表

（単位：千円）

| | 資金の運用 | | 資金の調達 | |
|---|---|---|---|---|
| 固定資金 | 税 金 支 払 額 | | 税引前当期純利益 | |
| | 配 当 金 | | 減 価 償 却 費 | |
| | 固 定 資 産 投 資 | | 長 期 借 入 金 増 加 | |
| | | | その他固定負債増加 | |
| | | | 固 定 資 金 不 足 | |
| | 合 計 | | 合 計 | |
| 運転資金 | 売 上 債 権 増 加 | | 仕 入 債 務 増 加 | |
| | 棚 卸 資 産 増 加 | | その他流動負債増加 | |
| | その他流動資産増加 | | 運 転 資 金 不 足 | |
| | 合 計 | | 合 計 | |
| 財務資金 | 固 定 資 金 不 足 | | 短 期 借 入 金 増 加 | |
| | 運 転 資 金 不 足 | | 割 引 手 形 増 加 | |
| | 現 金 預 金 減 少 | | | |
| | 合 計 | | 合 計 | |

**（解答へのアプローチ）**

先ほどの各勘定の動きの図に金額を記入します。

（注）　太字の部分が絞り出し計算で求められる金額です。

① 固定資産投資と減価償却

固定資産

| 期首 180,000 | 減少額<br>（減価償却費）<br>13,200 |
|---|---|
| **増加額<br>（投資額）<br>49,650** | 期末 216,450 |

② 税金支払額

未払法人税等

| **減少額<br>（税金支払額）<br>3,150** | 期首 1,800 |
|---|---|
| 期末 1,650 | 増加額<br>（法人税等）<br>3,000 |

③ 配当金支払額

利益剰余金

| 減少額<br>（配当金）<br>1,500 | 期首 37,450 |
|---|---|
| 期末 38,950 | 増加額<br>（当期純利益）<br>3,000 |

税引前当期純利益
6,000

事例の場合は割引手形がありますので，売上債権と両建て調整を行います。

＜売上債権の動き＞

（単位：千円）

| 科　目 | 前期末残高 | 当期末残高 | 増減額 | |
|---|---|---|---|---|
| 受 取 手 形 | 46,900 | 54,280 | 7,380 | |
| 割 引 手 形 | 42,600 | 60,900 | 18,300 | →財務資金 |
| 売 掛 金 | 31,400 | 44,420 | 13,020 | |
| 合 計 | 120,900 | 159,600 | 38,700 | →運転資金 |

このような調整を行って資金運用表を作成すると，次ページのようになります。

資金運用表

（単位：千円）

| | 資金の運用 | | 資金の調達 | |
|---|---|---|---|---|
| 固定資金 | 税 金 支 払 額 | 3,150 | 税引前当期純利益 | 6,000 |
| | 配 当 金 | 1,500 | 減 価 償 却 費 | 13,200 |
| | 固 定 資 産 投 資 | 49,650 | 長 期 借 入 金 増 加 | 13,500 |
| | | | その他固定負債増加 | 2,250 |
| | | | 固 定 資 金 不 足 | 19,350 |
| | 合 計 | 54,300 | 合 計 | 54,300 |
| 運転資金 | 売 上 債 権 増 加 | 38,700 | 仕 入 債 務 増 加 | 7,650 |
| | 棚 卸 資 産 増 加 | 4,350 | その他流動負債増加 | 5,250 |
| | その他流動資産増加 | 1,500 | 運 転 資 金 不 足 | 31,650 |
| | 合 計 | 44,550 | 合 計 | 44,550 |
| 財務資金 | 固 定 資 金 不 足 | 19,350 | 短 期 借 入 金 増 加 | 25,500 |
| | 運 転 資 金 不 足 | 31,650 | 割 引 手 形 増 加 | 18,300 |
| | 現 金 預 金 減 少 | △7,200 | | |
| | 合 計 | 43,800 | 合 計 | 43,800 |

# 3 　資金運用表の見方

　前述のとおり，資金繰り状況が良かったか悪かったかは，資金繰り表を分析すれば，把握することができます。しかし，その原因を分析するためには，資金運用表を見なければなりません。さらに，資金運用表を見て資金繰りが厳しい原因がわかったとしても，それが「良い原因」か「悪い原因」かまで分析しなければなりません。その原因分析まで含めた資金運用表の見方は次の2点です。

## （1）　固定資金不足は生じているか

　固定資金不足が生じているということは，前述の「危険と危険の組合せ」が生じていることと同じことですので，原則として良い状況ではありません。固定資金不足の原因はいろいろ考えられますが，下記が代表的なものです。

　①　キャッシュ・フローによって設備投資資金を賄うことができなかった。

　②　赤字決算のため，キャッシュ・フローがマイナスになった。

　③　キャッシュ・フローによって長期借入金の返済等を賄うことができなかった。

　固定資金不足の背景には，何らかの思惑違いが考えられます。たとえば，設備投資資金を賄うだけのキャッシュ・フローが得られなかった場合を考えてみましょう。私達がマイホームを購入する場合に，資金調達のことをまったく考えない人はいません。「自己資金

がいくらで，住宅ローンをいくら組んで取得する」と決めてから売買契約書にサインする
はずです。企業が設備投資する場合も同様です。設備資金なんか何とかなると考えて，安
全な資金調達を考えずに設備投資に踏み切る経営者はおそらく皆無でしょう。そうする
と，設備投資を行った結果，固定資金不足になっている企業は，当初予定していた安全な
資金調達計画が狂ったことになります。たとえば，「設備投資の結果新製品が発売され，
それが相当な利益をもたらす予定だったが，それほど売れなかった」「設備投資のために
株主に増資を依頼したら快い返事をもらったが，直前になって断られた」「銀行に設備資
金融資を申し込み，長期の資金を調達する予定になっていたが，結局取りやめになった」
など，今後の経営に重大な影響がある事象が生じている可能性もあります。

　ただし，固定資金不足が生じているからといって，その企業は必ずしも「ダメ会社」と
は限りません。たとえば，設備投資資金を調達するために，前期において増資を行い，当
期になってから投資を行っている場合には，当期の固定資金の部は大幅な不足になります
（手許現金預金の取崩しによって設備投資を行ったことになります）。しかし，前期と当期
を１事業年度と考えれば，増資によって得た超安全な資金で設備投資を行ったので，問題
のある資金繰りではありません。

　企業会計はどうしても１年という会計期間で区切って報告をしなければなりませんの
で，資金運用表もその１年間の状況を示すことになります。分析を行う場合には，必ずそ
の前後の状況も加味して実施すべきです。

## (2)　運転資金不足は良いか悪いか

　成長している企業は，まず間違いなく資金運用表上の運転資金が不足します。たとえ
ば，新たに出店した小売店は，当然そのために売上も伸びますが，それに比例して在庫や
売掛金残高も増加します。もちろん，仕入金額も増加しますので，買掛金などの仕入債務
も増加するでしょうが，在庫や売上債権の増加と比べたら少ないのが普通ですから，経常
運転資金（＝売上債権＋棚卸資産−仕入債務）は，企業の規模が大きくなるほど増大し，
資金運用表上の運転資金不足額も大きくなるはずです。したがって，固定資金と違って，
運転資金は不足しているからといって必ずしも「ダメ会社」ではないのです。

　ところが，本当の「ダメ会社」も運転資金は不足します。たとえば，極端な話ですが，
倒産の噂が出ている企業は，商品が売れませんから在庫は増えるでしょうし，回収可能性
の薄い相手先にも商品を売ることもあるでしょうから，売上債権も増えるでしょう。場合
によっては，「押し込み販売」をやっているかもしれません。また，逆に仕入債務はあま
り増加しなくなります。倒産の噂が出ている企業の購買担当者が，商品を仕入れに来たと
きに，そこに「掛売り」する人はあまりいないと思います。しかし，いくら倒産の噂が出
ていても，現金販売ならば問題はありません。したがって，このようなダメ会社は，掛仕
入が困難になり，現金仕入をしなければならなくなってしまうのです。ただでさえ，資金

繰りが苦しいのに，掛仕入ができなくなったら，資金繰りに行き詰まるのは時間の問題になってしまいます。このような企業の資金運用表上の運転資金は当然不足することになります。

つまり，運転資金不足は成長している優良会社にも，倒産寸前のダメ会社にも生じるのです。それでは，運転資金不足が「良いか悪いか？」を判定するにはどうしたらよいかといえば，前述のように，次の経常運転資金の計算式がヒントになります。

$$\text{経常運転資金} = \text{平均月商} \times \left( \frac{\text{売上債権}}{\text{回転期間}} + \frac{\text{棚卸資産}}{\text{回転期間}} - \frac{\text{仕入債務}}{\text{回転期間}} \right)$$

運転資金不足の原因が，主として平均月商の増加にあるならば，その企業は規模の拡大によって運転資金不足が生じていると判断することができ，ほかに問題がない限り，良い運転資金不足と考えることができます。しかし，運転資金不足の原因が，運転資金回転期間（上式のカッコの中の値）の増加にあるならば，不良債権や不良在庫の発生，粉飾決算，信用低下による掛仕入取引の減少など悪い原因も考えられますので，必ずその原因分析を行うべきです。

### (3) 事例の資金繰り状況について

《事例２》の資金運用表を分析しコメントすると，次のようになります。

### ① 固定資金について

固定資金不足が19,350千円も生じています。この原因は，設備投資金額49,650千円に対して，キャッシュ・フロー（＝税引前当期純利益－税金支払額＋減価償却費－配当金）が14,550千円しかなく，長期借入金の増加額13,500千円と合わせても足りなかったことにあります。

B社は，年間の当期純利益が2,000千円〜3,000千円の会社です。その会社が50,000千円近くの設備投資を行ったのですから，よほどの「もくろみ」があったと思われます。つまり，この設備投資によって，B社の当期以降の利益は大幅に増加するはずだったのです。しかし，少なくとも当期において利益増加はほとんどありません。それならば別の安全な資金調達を行わなければならなかったのですが，増資は行われていませんし，長期借入金の借入も設備投資資金を賄うだけの金額になっていません。この背景にある原因を追究する必要があるでしょう。

## ② 運転資金について

平均月商や各種回転期間の変化を分析すると，次のようになります。

《各種回転期間等の変化》

| # | 科　目 | 単位 | 前　期 | 当　期 | 増　減 | 増減率 | |
|---|---|---|---|---|---|---|---|
| ① | 平　均　月　商 | 千円 | 56,250 | 65,000 | 8,750 | 15.6% | |
| ② | 売上債権回転期間 | 月 | 2.15 | 2.46 | 0.31 | 14.4% | |
| ③ | 棚卸資産回転期間 | 月 | 0.47 | 0.48 | 0.01 | 2.1% | |
| ④ | 仕入債務回転期間 | 月 | 1.45 | 1.38 | △0.07 | △4.8% | |
| ⑤ | 運転資金回転期間 | 月 | 1.17 | 1.56 | 0.39 | 33.3% | (注1) |
| ⑥ | 経　常　運　転　資　金 | 千円 | 65,700 | 101,100 | 35,400 | 53.9% | (注2) |

（注1）　運転資金回転期間＝②＋③−④
（注2）　経常運転資金＝①×⑤

　上記のように，経常運転資金は前期に比べて53.9％も増加しています。この原因として，平均月商の増加（増減率15.6％）も考えられますが，運転資金回転期間の長期化（増加率33.3％）の方が大きく影響していることがわかります。その中でも特に売上債権回転期間が長期化していることが問題です。しかし，一見するとその増減幅は0.31月であり，あまり大きな変化ではないように感じます。これが1月，2月と長期化していたら問題なのですが，何か誤差の範囲のような気もしないではありません。ただ，この0.31月の売上債権回転期間の長期化は，金額に直したらいくらに相当するかといえば，65,000千円×0.31＝20,150千円になります。これは，もし，B社の売上債権回転期間が前期と同じであれば，B社は約20,000千円の資金を使わずに済んだことを意味しています。2,000千円〜3,000千円程度の利益しか出ていないB社にとって，これは大きな金額です。売上債権回転期間長期化の原因分析を行うべきでしょう。

　このように，資金運用表を見ることによって，資金繰りの問題点をある程度把握することができますが，最終的に融資判断等の結論を出すためには，企業側に問い合わせてその原因を分析する必要があります。つまり，資金繰り表も資金運用表も，企業の資金繰りの状況を把握するための「手段」であって，「結論」ではありません。最終結論を導き出すためには，分析者がそのコミュニケーション能力を磨く必要があります。

# 4　オンデマンの財務分析

213ページのオンデマンの資金運用表を分析すると，次の事項がわかります。

①　固定資金不足5,639千円が生じており，これは設備投資資金支出39,068千円および投資その他の資産増加額4,419千円（うち子会社に対する資金貸付額7,281千円）に対し，キャッシュ・フローが27,538千円（＝税引前当期純利益△4,049千円＋減価償却費31,747千円－税金支払額160千円）しかなかったことが原因である。

②　運転資金では25,000千円の余剰が生じており，その原因は棚卸資産の減少32,733千円によるところが大きい。棚卸資産の減少額はそのほとんどが仕掛品の減少額であり，このように著しく仕掛品が減少した原因を追究すべきである。さらに，期末仕掛品の評価計算が正確に行われているかどうかについても検証すべきである。

③　財務資金では，運転資金余剰と固定資金不足の差額19,361千円および割引手形の増加額13,603千円で，短期借入金を返済（△31,200千円）しており，結果的に固定資金不足額を運転資金余剰と割引手形で充当している。長期資金の導入（増資，長期借入など）が十分できなかった原因を追究する必要がある。

# 練習問題

【問題1】 下記の資金運用表による資金繰り状況の説明について，誤っているものは次のうちどれか。

### 資金運用表

(単位：百万円)

| 資金の運用 | | | 資金の調達 | | |
|---|---|---|---|---|---|
| 固定資金 | 法 人 税 等 支 払 | 14 | 税引前当期純利益 | 32 |
| | 配 当 金 支 払 | 5 | 減 価 償 却 費 | 6 |
| | 固 定 資 産 投 資 | 16 | 長 期 借 入 金 増 加 | 2 |
| | 固 定 資 金 余 剰 | 5 | | |
| | 合　計 | 40 | 合　計 | 40 |
| 運転資金 | 売 上 債 権 増 加 | 12 | 仕 入 債 務 増 加 | 5 |
| | 棚 卸 資 産 増 加 | 3 | 運 転 資 金 不 足 | 10 |
| | 合　計 | 15 | 合　計 | 15 |
| 財務資金 | 運 転 資 金 不 足 | 10 | 固 定 資 金 余 剰 | 5 |
| | 現 金 預 金 増 加 | 16 | 短 期 借 入 金 増 加 | 14 |
| | | | 割 引 手 形 増 加 | 7 |
| | 合　計 | 26 | 合　計 | 26 |

(1) 留保利益の額は13百万円となった。

(2) 運転資金の不足が固定資金の余剰でも賄いきれず，不健全な資金繰り状況であった。

(3) 売上債権と棚卸資産の増加が仕入債務の増加を上回ったため，運転資金の不足が生じた。

(4) 税引前当期純利益の範囲内で社外流出が行われている。

(5) 留保利益と減価償却費の範囲内で固定資産投資が行われている。

(銀行業務検定試験財務3級試験問題より)

【問題2】　下記の比較貸借対照表および付属資料から，当期の資金運用表における固定資産投資額および法人税等支払額を求めなさい。

比較貸借対照表　　　　　（単位：百万円）

| 資　　産 | 前期末 | 当期末 | 負債・純資産 | 前期末 | 当期末 |
|---|---|---|---|---|---|
| 現　金　預　金 | 216 | 194 | 仕　入　債　務 | 178 | 166 |
| 受　取　手　形 | 168 | 175 | 短　期　借　入　金 | 185 | 186 |
| 棚　卸　資　産 | 145 | 137 | 未　払　法　人　税　等 | 8 | 13 |
| 有　形　固　定　資　産 | 190 | 234 | 長　期　借　入　金 | 156 | 198 |
| 無　形　固　定　資　産 | 32 | 41 | 純　　資　　産 | 224 | 218 |
| 合　　計 | 751 | 781 | 合　　計 | 751 | 781 |

＜付属資料＞　　　　　（単位：百万円）

| 科　目 | 前　期 | 当　期 |
|---|---|---|
| 売　　上　　高 | 1,537 | 1,829 |
| 税引前当期純利益 | 28 | 42 |
| 法　人　税　等 | 12 | 20 |
| 株　主　配　当　金 | 5 | 6 |
| 減　価　償　却　費 | 19 | 18 |

（銀行業務検定試験財務3級試験問題より）

【問題3】　次ページのⅠ社の比較貸借対照表および〈付属資料〉にもとづいて，次の設問に答えなさい。

(1)　当期の資金運用表を，解答用紙の書式に従って作成しなさい。なお，記入の必要がない箇所については「－」を記入すること。

(2)　当期の資金繰り状況について，①固定資金，②運転資金，③財務資金に分けてそれぞれ簡潔に述べなさい。

比較貸借対照表　　　　　　　　（単位：百万円）

| 資　　産 | 前期末 | 当期末 | 負債・純資産 | 前期末 | 当期末 |
|---|---|---|---|---|---|
| 現 金 預 金 | 631 | 678 | 仕 入 債 務 | 778 | 860 |
| 売 上 債 権 | 747 | 788 | 短 期 借 入 金 | 404 | 508 |
| 棚 卸 資 産 | 341 | 391 | 未 払 法 人 税 等 | 65 | 24 |
| その他流動資産 | 41 | 61 | その他流動負債 | 59 | 81 |
| 有 形 固 定 資 産 | 822 | 1,006 | 長 期 借 入 金 | 326 | 430 |
| その他固定資産 | 170 | 160 | 純 　 資 　 産 | 1,120 | 1,181 |
| 合 　 計 | 2,752 | 3,084 | 合 　 計 | 2,752 | 3,084 |

＜付属資料＞　　　　　　（単位：百万円）

| 科 　 目 | 前 　 期 | 当 　 期 |
|---|---|---|
| 売 　 上 　 高 | 4,307 | 4,587 |
| 税引前当期純利益 | 227 | 141 |
| 法 　 人 　 税 　 等 | 97 | 65 |
| 当 期 純 利 益 | 130 | 76 |
| 株 主 配 当 金 | 15 | 15 |
| 減 価 償 却 費 | 76 | 82 |
| 割引手形期末残高 | 413 | 471 |

（銀行業務検定試験財務2級試験問題より）

〔解答用紙〕

## 資金運用表

(単位：百万円)

| | 資金の運用 | | 資金の調達 | |
|---|---|---|---|---|
| 固定資金 | 法 人 税 等 支 払<br>配 当 金 支 払<br>固 定 資 産 投 資<br>(　　　　　　) | | 税引前当期純利益<br>減 価 償 却 費<br>長 期 借 入 金 増 加<br>(　　　　　　) | |
| | 合　計 | | 合　計 | |
| 運転資金 | 売 上 債 権 増 加<br>棚 卸 資 産 増 加<br>その他流動資産増加<br>(　　　　　　) | | 仕 入 債 務 増 加<br>その他流動負債増加<br>(　　　　　　) | |
| | 合　計 | | 合　計 | |
| 財務資金 | (　　　　　　)<br>(　　　　　　)<br>現 金 預 金 増 加 | | (　　　　　　)<br>(　　　　　　)<br>短 期 借 入 金 増 加<br>割 引 手 形 増 加 | |
| | 合　計 | | 合　計 | |

# 第28章 資金移動表

―本章で学ぶこと―
1　資金移動表とは
2　資金移動表の資金収支区分
3　資金移動表の作り方
4　資金移動表の見方
5　オンデマンの財務分析

## 1　資金移動表とは

　**資金移動表**は，外部分析者が分析対象企業の現金預金（または現金預金＋市場性のある一時所有の有価証券）の一期間における動きを把握し，その安全性を判断するために作成されます。実務的には，資金移動表は資金繰り表の代替物として利用されることが多いと思います。つまり，たとえば金融機関が融資先から資金繰り表を入手できなかった場合，あるいは入手できたがその内容が信用できない場合に，財務諸表から資金移動表を作成して分析することによってその企業の資金繰り状況を把握することができます。

　資金移動表の見本は【図表28-1】に示すとおりです。

　前出298ページの《事例》で考えてみましょう。

　比較貸借対照表を示すと，次のとおりです。

比較貸借対照表　　　　　　　　　　　　　　（単位：百万円）

| 科　目 | 前期末 | 当期末 | 増減額 | 科　目 | 前期末 | 当期末 | 増減額 |
|---|---|---|---|---|---|---|---|
| 現 金 預 金 | 100 | 60 | △40 | 買　掛　金 | 100 | 120 | 20 |
| 売　掛　金 | 200 | 350 | 150 | 短期借入金 | 200 | 300 | 100 |
| 商　　　品 | 300 | 350 | 50 | 資　本　金 | 300 | 300 | 0 |
| 建　　　物 | 400 | 430 | 30 | 利益剰余金 | 400 | 470 | 70 |
| 合　　　計 | 1,000 | 1,190 | 190 | 合　　　計 | 1,000 | 1,190 | 190 |

　資金運用表は，現金預金以外の科目の変化でなぜ現金預金が増減したかを表したもので，この事例の現金預金は40百万円減少していますが，その原因を分析すると次のようになります。

**【図表28-1】 資金移動表（見本）**

## 資金移動表

（単位：千円）

| | 支　　出 | | 収　　入 | |
|---|---|---|---|---|
| 経常収支 | 営 業 支 出 | | 営 業 収 入 | |
| | 売 上 原 価 | 235,124 | 売 上 高 | 354,741 |
| | 棚 卸 資 産 増 加 | 15,993 | 売 上 債 権 増 加 | △29,362 |
| | 仕 入 債 務 増 加 | △18,705 | 営 業 収 入 計 | 325,379 |
| | 販売・一般管理費 | 89,504 | 営 業 外 収 入 | |
| | 減 価 償 却 費 | △5,934 | 営 業 外 収 益 | 3,756 |
| | その他流動資産増加 | 1,680 | | |
| | その他流動負債増加 | △250 | | |
| | 営業支出計 | 317,412 | | |
| | 営 業 外 支 出 | | | |
| | 営 業 外 費 用 | 10,406 | | |
| | 経常支出合計 | 327,818 | | |
| | 経常収入超過 | 1,317 | | |
| | 合　　計 | 329,135 | 経常収入合計 | 329,135 |
| 固定収支 | 利 益 処 分 | | 固 定 収 入 | |
| | 配 当 金 支 払 | 2,800 | その他固定負債増加 | 4,680 |
| | 税 金 支 払 | 10,500 | 固定収入合計 | 4,680 |
| | 固 定 資 産 投 資 | 58,650 | 固定支出超過 | 67,270 |
| | 固定支出合計 | 71,950 | 合　　計 | 71,950 |
| 財務収支 | 財務収入超過 | 78,600 | 財 務 収 入 | |
| | | | 長 期 借 入 金 増 加 | 50,000 |
| | | | 短 期 借 入 金 増 加 | 20,000 |
| | | | 割 引 手 形 増 加 | 8,600 |
| | 合　　計 | 78,600 | 財務収入合計 | 78,600 |
| 総合収支 | 経常収支差額 | 1,317 | 期首現金預金残高 | 27,654 |
| | 固定収支差額 | △67,270 | 期末現金預金残高 | 40,301 |
| | 財務収支差額 | 78,600 | 現金預金増減額 | 12,647 |
| | 合　　計 | 12,647 | 経常収支比率 | 100.4% |

① 売掛金増加　　　　　△150百万円

② 商品増加　　　　　　△50百万円

③ 建物増加　　　　　　△30百万円

④ 買掛金増加　　　　　 20百万円

⑤ 短期借入金増加　　　100百万円

⑥ 利益剰余金増加　　　 70百万円

　　合計　　　　　　　△40百万円

前ページの①〜⑤の要因は，資金ポジションの変化による資金繰りへの影響額で，**資金要因**といいます。

一方，⑥の利益剰余金の変化額は，結果的に当期純利益を示しており，**損益要因**といいます。外部分析者であっても，貸借対照表と損益計算書は入手することができます。資金運用表は，原則としてこのうち貸借対照表を用いて資金繰り状況を分析するものでしたが，資金移動表は，さらに損益計算書も用いて分析する資料です。具体的には，⑥の損益要因がなぜ生じたかについては損益計算書に懇切丁寧に表示されていますから，それを収益と費用にブレイクダウンし，資金収支を損益要因と資金要因の両方から分析することができます。たとえば，上記①の売掛金の増加△150百万円は，売掛金が増加したので，資金を貸し付けた（すなわち資金の運用）と考えて資金運用表に示したのですが，損益計算書の売上高600百万円を加味すると，次のような売掛金勘定の動きを推定することができます。

【図表28-2】 売掛金勘定の動き（推定）

売掛金

| 期首残高　200 | （減少額）<br>回 収 額　450 |
| --- | --- |
| （増加額）<br>売 上 高　600 | 期末残高　350 |

このように，貸借対照表と損益計算書があれば，その企業が年間いくら売掛金を回収したかを推定することができます。上記の事例では次のように求められます。

売掛金回収額

＝売上高600百万円＋売掛金期首残高200百万円−売掛金期末残高350百万円

＝売上高600百万円−（売掛金期末残高350百万円−売掛金期首残高200百万円）

＝売上高600百万円−売掛金の増加額150百万円

＝損益要因600百万円−資金要因150百万円

＝450百万円

《事例》の資金繰り表を見ればわかりますが，この450百万円は資金繰り表上の売掛金回収額に一致します。

このように，資金繰り表がない場合であっても，貸借対照表と損益計算書から資金移動表を作成することによって，収支金額を推定することができるのです。

## 2 資金移動表の資金収支区分

一般的な資金移動表では，次の3つの資金収支区分を用います。

① **経常収支**…企業の経常的な活動による収支を表します。具体的には，経常利益までの損益項目（売上高，売上原価，販売費及び一般管理費，営業外収益，営業外費用）とそれに関連する資金項目の増減を示します。経常収入が経常支出を上回っていれば，経常的な活動を通じて資金が増加していることを示しており，良い状況であると判断できます。逆に経常支出超過が継続して生じていれば，資金繰りはきわめて悪い状況であると判断されます。

② **固定収支**…利益処分による配当金，法人税等の支払，固定資産投資支出，固定資産売却収入など，企業の経常的な活動以外の資金収支で，③を除いたものを表示します。固定収入が固定支出を上回ることはまれで，固定収支差額はマイナスになることが一般的です。

③ **財務収支**…借入金，社債，割引手形の増減や増減資など資金調達に伴う収支を表示します。

一般的には，①～③をまとめて，「**総合収支**」を示します。総合収支は，結局現金預金の増減額に一致します。また，経常収入を経常支出で割った**経常収支比率**は必ず示されます。当たり前ですが，経常収支比率が100％を下回っていれば，資金繰り状況は良くないと判断されます。

## 3 資金移動表の作り方

298ページの事例（資金繰り表を作ってもらった事例）の資金移動表を作成してみましょう。資金運用表は，原則として貸借対照表のみを利用して作成されましたが，資金移動表では，貸借対照表に加えて損益計算書も用います。

### (1) 経常収支の部

まず，経常収支の部は，右側（収入の部）に「経常収入」，左側（支出の部）に「経常支出」を記入します。経常収入は，さらに「営業収入」と「営業外収入」に分かれ，経常支出は，「営業支出」と「営業外支出」に分かれます。

営業収入は，要するに売上債権の回収額を示していますので，【図表28-2】の売掛金の動きを把握できれば営業収入を計算することができます。資金移動表上は，損益要因の売上高（600百万円）と資金要因の売上債権増加額（△150百万円）に分けて表示しています。

営業外収入は，通常は営業外収益の金額をそのまま記入します。事例の場合には，営業

外収益がないので，記入はありません。

　さて，問題は営業支出です。営業支出は，さらに，「仕入債務の支払額」と「販売費及び一般管理費の支払額」に区分されます。【図表28-3】に事例の商品勘定と買掛金勘定の動きを示しました。

【図表28-3】　資金移動表の作り方

| 買掛金 | | 商品 | |
|---|---|---|---|
| （減少額）**支 払 額 380** | 期首残高　100 | 期首残高　300 | （減少額）売上原価　350 |
| 期末残高　120 | （増加額）仕 入 高　400 | （増加額）仕 入 高　400 | 期末残高　350 |

（買掛金と商品の間に「＝」）

　まず，買掛金勘定からいきましょう。買掛金はなぜ増加するかといえば，商品を掛仕入れするからです。また，なぜ減少するかといえば，支払うからです。資金移動表では，この買掛金（仕入債務）の支払額を示したいので，上図の左側に示した買掛金勘定のうち，増加額がわかれば，その金額に買掛金の期首残高を足し，期末残高を引いて，支払額を計算することができます。しかし，買掛金の増加額そのものは，貸借対照表にも損益計算書にも示されていません。

　ここで頭をひねります。今度は，右側の商品勘定を見てください。商品はなぜ減少するかといえば，売れるからです。売上げた商品の仕入原価は売上原価のことですから，商品の減少額は，損益計算書の売上原価の金額と一致します。したがって，商品の増加額は売上原価に商品の期末残高を足し，期首残高を引けば求めることができます。

　さて，商品はなぜ増加するかといえば，仕入れるからです。一方で，買掛金はなぜ増加するかといえば，掛仕入するからです。現金仕入があったら両者が一致しないと考える人がいるかもしれませんが，ものは考えようです。現金仕入の場合も，いったん掛仕入をして直ちにその買掛金を支払ったと考えればよいのです。この場合，現金仕入額は，当然のことながら買掛金の支払額に加算されます。このように考えれば，実は商品仕入高＝買掛金増加額になってしまうのです。すると，事例の買掛金の支払額380百万円を求めることができます。【図表28-4】の資金移動表の営業支出欄を見てください。上から3行の金額を加えてみます。

337

| 売上原価 | 350百万円 |
|---|---|
| 棚卸資産増加 | 50百万円 |
| 仕入債務増加 | △20百万円 |
| 合計 | 380百万円 |

このように，上の3行の情報は，買掛金（仕入債務）の支払額を示していたのです。

**【図表28-4】 事例の資金移動表**

### 資金移動表

（単位：百万円）

| | 支 出 | | | 収 入 | |
|---|---|---:|---|---|---:|
| 経常収支 | 営 業 支 出 | | 営 業 収 入 | | |
| | 売 上 原 価 | 350 | 売 上 高 | | 600 |
| | 棚 卸 資 産 増 加 | 50 | 売 上 債 権 増 加 | | △150 |
| | 仕 入 債 務 増 加 | △20 | 経 常 収 入 計 | | 450 |
| | 販 売・一 般 管 理 費 | 170 | 経 常 支 出 超 過 | | 40 |
| | 減 価 償 却 費 | △70 | | | |
| | 営業支出計 | 480 | | | |
| | 営 業 外 支 出 | | | | |
| | 営 業 外 費 用 | 10 | | | |
| | 経常支出合計 | 490 | 合 計 | | 490 |
| 固定収支 | 固定資産投資 | 100 | 固定支出超過 | | 100 |
| | 固定支出合計 | 100 | 合 計 | | 100 |
| 財務収支 | 財務収入超過 | 100 | 財 務 収 入 | | |
| | | | 短 期 借 入 金 増 加 | | 100 |
| | 合 計 | 100 | 財務収入合計 | | 100 |
| 総合収支 | 経常収支差額 | △40 | 期首現金預金残高 | | 100 |
| | 固定収支差額 | △100 | 期末現金預金残高 | | 60 |
| | 財務収支差額 | 100 | 現金預金増減額 | | △40 |
| | 合 計 | △40 | 経常収支比率 | | 91.8% |

　次に，販売費及び一般管理費の支払額は，まず損益計算書の販売費及び一般管理費計上額から求めます。ところが，販売費及び一般管理費の中には支出を伴わない費用（これを**非資金費用**といいます）があります。代表的なものは減価償却費です。減価償却費は，費用ではありますが，支出を伴いません。つまり，計算上の費用です。資金移動表では，販売費及び一般管理費としていくら支出したかを求めたいのですから，非資金費用は，支出額から控除しなければなりません。だから，販売費及び一般管理費の下に減価償却費を記

入し，△を付けて支出金額から控除しているのです。非資金費用には，減価償却費以外に，貸倒引当金繰入額や賞与引当金繰入額などがあります。

本事例の場合には，引当金繰入額はありませんので，販売費及び一般管理費支出額は次のように求められます。

| 販売費及び一般管理費 | 170百万円 |
|---|---|
| 減価償却費 | △70百万円 |
| 合計 | 100百万円 |

営業外支出は，一般的には営業外費用の金額をそのまま記入します。

本事例の経常収支の部を作成してみると，経常収入合計額＝450百万円に対して，経常支出合計額＝490百万円となり，経常支出超過額が40百万円も生じていることがわかります。これでは，資金繰りが厳しいのは当たり前ですね。ちなみに，この結果から経常収支比率（＝経常収入／経常支出）を求めると，91.8％となります。この状態は100円の支出を行ったのに，収入は91.8円しかないことを示しています。

このように経常収支がきわめて厳しい状況になったのは，損益要因では経常利益が70百万円も計上されて十分儲かっているにもかかわらず，売上債権（売掛金）が150百万円，棚卸資産（商品）が50百万円も増加しており，資金要因の方が資金繰りの足を引っ張る原因になっていることがわかります。

## (2) 固定収支の部

前述のように，固定収支は，配当金や法人税等の支払，固定資産の売却収入，設備投資支出などを示します。固定資産の売却収入は滅多にありませんから，固定収支は通常支出超過になります。

本事例の場合には，固定資産（建物）は前期末残高400百万円から当期末残高430百万円と30百万円増加していますが，既述したように減価償却費を70百万円計上しており，この金額は損益計算書に出ているので，次の固定資産勘定記入を行うことによって，固定資産投資額100百万円を推定することができます。

【図表28-5】 固定資産勘定記入

固定資産（建物）

| 期首 400 | 減少額（減価償却費）70 |
|---|---|
| 増加額（投資額）100 | 期末 430 |

本事例の場合には，固定収入はなく，固定支出はこの固定資産投資額100百万円のみなので，固定収支では，固定支出超過100百万円となります。

### (3)　財務収支

これも前述のように，資金調達に伴う資金収支を表しています。念のためですが，資金運用表の財務資金では，短期資金（現金預金，短期借入金，割引手形）の動きを示しますが，資金移動表では，長期資金（長期借入金，社債，増減資など）の動きも含まれます。

本事例では，短期借入金が100百万円増加しているので，その分が財務収入超過となります。実際には，短期借入金を200百万円借り入れ，100百万円返済しているので，資金繰り実績表では，それぞれが表示されますが，外部分析者が貸借対照表と損益計算書のみから作成する資金移動表では，残念ながらそこまではわからず，増減差額を表示することになります。

### (4)　総合収支

資金運用表とは異なり，資金移動表では，財務収支の部でも財務収支差額を表示し，最終的に現金預金がいくら増減したかを総合収支の部で示します。

本事例では，経常収支差額が△40百万円，固定収支差額が△100百万円，財務収支差額が100百万円で，結局，現金預金残高は合計で40百万円減少したことがわかります。それが正しいことを示すために，右側に前期末と当期末の現金預金残高を示し，確かに40百万円減少していることを表示します。さらに，その下に先ほどの経常収支比率も示します。

### (5)　資金移動表を作成するための精算表

最近は，キャッシュ・フロー分析のためのシステムがあり，財務諸表を入力すると，資金運用表や資金移動表が出力されるしくみを利用しているところが多いと思いますが，コンピュータの中では，次のような精算表を作成して，最終的に資金移動表をアウトプットしています。

【図表28-6】 資金移動表作成のための精算表

(単位：百万円)

| 科　目 | 前期末残高 | | 当期末残高 | | 増減額 | | 修正仕訳 | | 資金移動表 | |
|---|---|---|---|---|---|---|---|---|---|---|
| | 借方 | 貸方 | 借方 | 貸方 | 借方 | 貸方 | 借方 | 貸方 | 支出 | 収入 |
| 現 金 預 金 | 100 | | 60 | | △40 | | | | △40 | |
| 売 掛 金 | 200 | | 350 | | 150 | | | | 150 | |
| 商 品 | 300 | | 350 | | 50 | | | | 50 | |
| 建 物 | 400 | | 430 | | 30 | | | 30 | 0 | |
| 買 掛 金 | | 100 | | 120 | | 20 | | | | 20 |
| 短 期 借 入 金 | | 200 | | 300 | | 100 | | | | 100 |
| 資 本 金 | | 300 | | 300 | | 0 | | | | 0 |
| 利 益 剰 余 金 | | 400 | | 470 | | 70 | 70 | | | 0 |
| 売 上 高 | | | | | | 600 | | | | 600 |
| 売 上 原 価 | | | | | 350 | | | | 350 | |
| 給 料 | | | | | 100 | | | | 100 | |
| 減 価 償 却 費 | | | | | 70 | | | 70 | 0 | |
| 支 払 利 息 | | | | | 10 | | | | 10 | |
| 当 期 純 利 益 | | | | | 70 | | | 70 | 0 | |
| 固 定 資 産 投 資 | | | | | | 100 | | | 100 | |
| 合計 | 1,000 | 1,000 | 1,190 | 1,190 | 790 | 790 | 170 | 170 | 720 | 720 |

## (6) 資金繰り実績表との比較

　このようにして作成された資金移動表は，「資金繰り表の代替物」であるといいました。それでは，本当に資金繰り表を代替しているのかを確認してみましょう。【図表28-7】を見てください。

　前述のように，短期借入金の借入額と返済額が資金移動表上では相殺表示になっていますが，それ以外は資金繰り表の情報がそのまま資金移動表にも表されています。

**【図表28-7】 資金繰り表と資金移動表の比較**

（単位：百万円）

| 資金繰り表 | |
|---|---|
| 科　目 | 金　額 |
| 前　期　繰　越 | 100 |
| | |
| 売　掛　金　入　金 | 450 |
| | |
| | |
| 買　掛　金　支　払 | 380 |
| | |
| 給　料　支　払 | 100 |
| 支　払　利　息 | 10 |
| 設　備　投　資 | 100 |
| 短　期　借　入　金 | 200 |
| 短期借入金返済 | △100 |

（単位：百万円）

| 資金移動表 | |
|---|---|
| 科　目 | 金　額 |
| 売　　上　　高 | 600 |
| 売　上　債　権　増　加 | △150 |
| 営　　業　　収　　入 | 450 |
| 売　　上　　原　　価 | 350 |
| 棚　卸　資　産　増　加 | 50 |
| 仕　入　債　務　増　加 | △20 |
| 合　　計 | 380 |
| 販売費及び一般管理費 | 170 |
| 減　価　償　却　費 | △70 |
| 合　　計 | 100 |
| 営　業　外　支　出 | 10 |
| 固　定　資　産　投　資 | 100 |
| 短　期　借　入　金　増　加 | 100 |

## 4　資金移動表の見方

資金移動表を分析するときには，次のポイントに注意してください。

### （1）　経常収支の部

　経常収支が支出超過（すなわち，経常収支比率が100％未満）の場合には，企業が経常的な活動を行った結果，資金が減少したことを示していますから，当然資金繰り状況は好ましい状況ではないと判断されます。ただし，経常支出超過になるのは，赤字企業だけではなく，急成長企業で運転資金需要が旺盛な場合にも発生しますので，同時に資金運用表を分析する必要があります。

### （2）　固定収支の部

　既述のように，固定収入はあまりないので，通常，固定収支は支出超過になります。この固定支出超過額は，本来，経常収入超過額によって補填されることが理想ですが，固定資産投資額については，増資あるいは長期借入金によってカバーされることもあり，その場合には，特に悪い資金繰りではありません。いずれにせよ，固定収支については他の収支との関連を見る必要があります。

### (3) 財務収支の部

　資金移動表における財務収支は，長期資金と短期資金の収支を示していますから，どの収支区分の資金不足をカバーしているかによって，その適否が異なります。たとえば，固定資産投資金額を短期借入金によって賄っているのであれば，資金繰りはきわめて無謀であると考えられますが，これが経常支出超過を補うものである場合には，やむをえない資金調達であると解釈されます。

　資金繰り表のところでも触れましたが，資金繰り表はその企業の資金繰り状況が良いか悪いかを的確に判断することができるものの，その明確な原因まではわかりにくいものでした。資金移動表は確かに資金繰り表の代替物ではありますが，資金繰り表には表示されていない「売上債権増減」「棚卸資産増減」「仕入債務増減」「減価償却費」などの情報が示されていますので，よく見れば資金繰り状況変化の原因分析を行うことは可能です。しかし，それを短時間のうちに明確に把握するためには，やはり資金運用表と各種回転期間の変化を分析する必要があります。

## 5　オンデマンの財務分析

　214ページのオンデマンの資金移動表および212ページの財務諸表分析結果を見ると，次の事項がわかります。

① 経常収支の部では，経常収入超過52,699千円が生じており，経常収支比率は110.3％と良好な結果となっている。

② 経常収支比率は，過去3年間100％を上回っている（X2年3月期109.2％，X3年3月期108.1％）。

③ 経常収支の部が良好な結果となったのは，棚卸資産（特に仕掛品）が大きく減少したこと（△32,733千円）および減価償却費の31,747千円の計上により，赤字決算にもかかわらず，資金的にはゆとりがあったためである。

④ しかし，仕掛品が大きく減少した原因は分析する必要がある。

⑤ 固定収支では，設備投資39,068千円および投資その他の資産（特に子会社に対する貸付金）の増加4,419千円があったため，43,646千円の支出超過となった。

⑥ 財務収支では，短期借入金を31,200千円も減少させており，割引手形の増加13,603千円および長期借入金の増加10,310千円で賄いきれず，7,287千円の支出超過となった。短期借入金は当座借越額であると思われる。

# 練習問題

【問題1】 下記の資金移動表「経常収支の部」に関する記述について，誤っているものは次のうちどれか。なお，小数点以下第2位を四捨五入すること。

資金移動表「経常収支の部」

(単位：百万円)

| 支　出 | | | 収　入 | | |
|---|---|---|---|---|---|
| 仕 入 支 出 | | | 売 上 収 入 | | |
| 　売 上 原 価 | 486 | | 　売 上 高 | 684 | |
| 　棚卸資産増減 | 7 | | 　売上債権増減 | △108 | 576 |
| 　仕入債務増減 | △37 | 456 | 営 業 外 収 入 | | |
| 営 業 費 支 出 | | | 　営 業 外 収 益 | 9 | 9 |
| 　販 管 費 | 116 | | | | |
| 　減 価 償 却 費 | △28 | | | | |
| 　諸引当金増減 | △13 | 75 | | | |
| 営 業 外 支 出 | | | | | |
| 　営 業 外 費 用 | 12 | 12 | | | |
| 経 常 支 出 合 計 | | 543 | | | |
| (　　　　　　) | | 42 | | | |
| 合　　計 | | 585 | 経常収入合計 | | 585 |

(1) 経常収入が経常支出を上回り，資金繰りは順調である。

(2) 損益計算書上の経常利益は82百万円であると推定される。

(3) 経常収支比率は107.7％である。

(4) 経常収支尻は42百万円の収入超過である。

(5) 売上高営業利益率は12.0％であると推定される。

(銀行業務検定試験財務3級試験問題より)

【問題2】 次ページのL社（年1回，3月末日決算）の比較貸借対照表，比較損益計算書および資料にもとづいて，次の設問に答えなさい。

(1) 当期の資金移動表「経常収支の部」を作成しなさい（後掲の解答用紙に記入すること）。

(2) 上記（1）にもとづき，同社の当期の経常収支比率を，計算過程を示して算出しなさい。なお，計算にあたっては，小数点以下第2位を四捨五入すること。

(3) 同社の当期の資金繰り状況について，簡潔に述べなさい。

## 比較貸借対照表

(単位：千円)

| 資　産 | 前期末 | 当期末 | 負債・純資産 | 前期末 | 当期末 |
|---|---|---|---|---|---|
| 現 金 預 金 | 17,220 | 16,980 | 仕 入 債 務 | 131,663 | 112,487 |
| 売 上 債 権 | 133,066 | 141,977 | 短 期 借 入 金 | 87,236 | 65,549 |
| 棚 卸 資 産 | 47,900 | 55,103 | 未 払 法 人 税 等 | 3,741 | 1,141 |
| 固 定 資 産 | 648,187 | 654,565 | 諸 引 当 金 | 4,777 | 5,188 |
|  |  |  | 長 期 借 入 金 | 320,445 | 389,440 |
|  |  |  | 純 資 産 | 298,511 | 294,820 |
| 合　計 | 846,373 | 868,625 | 合　計 | 846,373 | 868,625 |

## 比較損益計算書

(単位：千円)

| 科　目 | 前　期 | 当　期 |
|---|---|---|
| 売 上 高 | 1,149,514 | 1,081,022 |
| 売 上 原 価 | 919,611 | 869,035 |
| 販 売 管 理 費 | 215,855 | 203,839 |
| 営 業 外 収 益 | 6,373 | 5,145 |
| 営 業 外 費 用 | 5,408 | 9,523 |
| 経 常 利 益 | 15,013 | 3,770 |
| 法 人 税 等 | 7,482 | 1,885 |
| 当 期 純 利 益 | 7,531 | 1,885 |

<資料>

(単位：千円)

|  | 前　期 | 当　期 |
|---|---|---|
| 販売管理費のうち |  |  |
| 　減 価 償 却 費 | 2,235 | 1,473 |
| 　諸 引 当 金 繰 入 額 | 531 | 411 |

〔解答用紙〕

## 資金移動表「経常収支の部」

(単位：千円)

| 支　　出 | | | 収　　入 | | |
|---|---|---|---|---|---|
| 仕 入 支 出 | | | 売 上 収 入 | | |
| 　　売 上 原 価 | | | 　　売　　上　　高 | | |
| 　　棚卸資産増減 | | | 　　売上債権増減 | | |
| 　　仕入債務増減 | | | 営 業 外 収 入 | | |
| 営 業 費 支 出 | | | 　　営 業 外 収 益 | | |
| 　　販　　管　　費 | | | 　　経常収入合計 | | |
| 　　減 価 償 却 費 | | | （　　　　　　） | | |
| 　　諸引当金増減 | | | | | |
| 営 業 外 支 出 | | | | | |
| 　　営 業 外 費 用 | | | | | |
| 経常支出合計 | | | 合　　計 | | |

（銀行業務検定試験財務2級試験問題より）

# 第29章 キャッシュ・フロー計算書

―本章で学ぶこと―
1 キャッシュ・フロー計算書とは
2 営業活動によるキャッシュ・フロー
3 投資活動によるキャッシュ・フロー
4 財務活動によるキャッシュ・フロー
5 キャッシュ・フロー計算書の見方
6 資金4表の関連
7 オンデマンドの財務分析

## 1 キャッシュ・フロー計算書とは

　すでに学んだように，企業に多額の利益が計上されているからといって，資金が潤沢にあるとは限りませんし，逆に損失を計上している企業であっても資金繰りは大丈夫ということが生じます。発生主義会計によって作成される損益計算書では，たとえば，代金が回収されなくても商品を引き渡した段階で売上に計上しますし，固定資産を取得したときにその支出額が支出時の費用として計上されるわけではありません。このように，資金収支と損益の間には「ずれ」が生じてしまい，極端な話ですが，利益は計上されているが資金がショートして倒産するといった黒字倒産の事例も散見されます。

　そこで，貸借対照表や損益計算書とともに，利害関係者に企業の実態を把握してもらうために公表されるのが**キャッシュ・フロー計算書**です。キャッシュ・フロー計算書は，企業の1年間の「キャッシュ＝現金および現金同等物」の増減（収入・支出）を示した表で，内容は資金繰り表とほぼ同様のものです。

　ただし，キャッシュ・フロー計算書は，上場企業等が連結ベースで作成して公表することを義務づけられている財務諸表で，逆にいえば，非上場企業ではその作成が義務づけられているわけではありません。

　なお，前述の「現金および現金同等物」とは，次のものを指します。

現金および現金同等物
　現金…手元現金＋流動性預金（当座預金，普通預金，通知預金）
　現金同等物…たとえば，取得日から満期日または償還日までの期間が3か月以内

の短期投資である定期預金，譲渡性預金，コマーシャルペーパー，売戻し条件付現先，公社債投資信託など

キャッシュ・フロー計算書は，キャッシュを次の３種類に分け，それぞれの動きを示しています。

営業活動によるキャッシュ・フロー

投資活動によるキャッシュ・フロー

財務活動によるキャッシュ・フロー

キャッシュ・フロー計算書は，「直接法によるもの」と「間接法によるもの」があります。㈱オンデマンのキャッシュ・フロー計算書を216・217ページに示しておきましたので，ご覧ください。ご覧になればわかりますが，キャッシュ・フロー計算書の金額表示は独特です。正数で書かれている金額は収入を示し，負数（△）で書かれている金額は支出を示しています。

## 2 営業活動によるキャッシュ・フロー

「営業活動によるキャッシュ・フロー」とは，主として本業による資金の出入りのことです。「主として」と断っているのは，すべてが本業に関するものではなく，利息や配当金の受取額，利息や法人税等の支払額なども含まれているからです。

次の事例で説明します。

《事例①》

ある企業の損益計算書を示します。

損益計算書

（単位：百万円）

| | | |
|---|---:|---:|
| 売　上　高 | | 1,000 |
| 販売費一般管理費 | | |
| 　給　料　手　当 | 300 | |
| 　減　価　償　却　費 | 200 | 500 |
| 　営　業　利　益 | | 500 |
| 営　業　外　費　用 | | |
| 　支　払　利　息 | | 100 |
| 　税引前当期純利益 | | 400 |
| 　法　人　税　等 | | 120 |
| 　当　期　純　利　益 | | 280 |

この損益計算書を図示すると，次のようになります。

| 売　上　高　1,000 | | | | |
|---|---|---|---|---|
| 給料手当<br>300 | 支払利息<br>100 | 減価償却費<br>200 | 税引前当期純利益　400 | |
| | | | 当期純利益<br>280 | 法人税等<br>120 |

この企業の費用は全部で4種類（給料手当，支払利息，減価償却費，法人税等）あります が，減価償却費を除く3種類の費用は，いずれも現金主義によって計上されているもの とします。また，売上高も現金主義によって計上されていると考えます。

さて，それでは，この企業でいくらキャッシュが増加したかを考えてみましょう。

まず，収入は売上高の1,000百万円です。また，支出合計額は，給料手当300百万円＋ 支払利息100百万円＋法人税等120百万円＝520百万円と求められますから，この企業 のキャッシュは，結局480百万円（＝1,000百万円－520百万円）増加したことがわかり ます。これが営業活動によるキャッシュ・フローです。

第29章 キャッシュ・フロー計算書

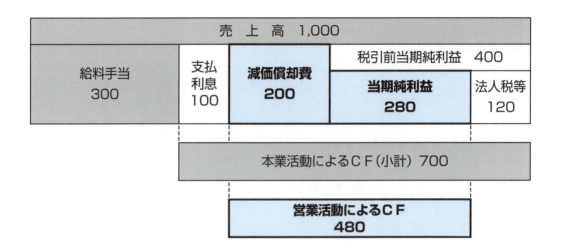

営業活動によるキャッシュ・フローは，本業の収入1,000百万円から本業の支出である給料手当300百万円を差し引いて計算された資金増加額700百万円より，利息支払額100百万円と法人税等支払額120百万円を控除して計算されています。

これをキャッシュ・フロー計算書に示すと，次のようになります。

| キャッシュ・フロー計算書 | |
|---|---:|
| | （単位：百万円） |
| 営業活動によるキャッシュ・フロー | |
| 　営業収入（売上代金回収額） | 1,000 |
| 　人件費支出 | △300 |
| 　　小　計 | 700 |
| 　利息支払額 | △100 |
| 　法人税等支払額 | △120 |
| 　営業活動によるキャッシュ・フロー | 480 |

このキャッシュ・フロー計算書における「小計」は，本業のキャッシュ・フロー（すなわち利息と税金を支払う前のキャッシュ・フロー）を示しています。

ところで，上図を見ると，営業活動によるキャッシュ・フロー480百万円は，「営業収入1,000百万円から給料手当支払額300百万円，利息支払額100百万円および法人税等支払額120百万円を控除して」求められますが，もうひとつの計算方法があることがわかります。それは，「当期純利益280百万円と減価償却費200百万円を合計する」方法です。

前者のように，収入金額から支出金額を直接控除してキャッシュ・フローを示す方法を「直接法」，後者のように間接的にキャッシュ・フローを示す方法を「間接法」といいま

す。なお，間接法の場合にも本業のキャッシュ・フロー（直接法の「小計」で示されている金額）を示したいので，一般的に間接法によるキャッシュ・フロー計算書は次のように表されます。

キャッシュ・フロー計算書

（単位：百万円）

| | |
|---|---:|
| 営業活動によるキャッシュ・フロー | |
| 　税引前当期純利益 | 400 |
| 　減価償却費 | 200 |
| 　支払利息 | 100 |
| 　　小　計 | 700 |
| 　利息支払額 | △100 |
| 　法人税等支払額 | △120 |
| 　営業活動によるキャッシュ・フロー | 480 |

支払利息が小計の前で加算され，さらに小計の後で控除されていて，変な表示になっていますが，これはあくまでも「本業のキャッシュ・フロー（＝小計の金額）」を示すための便法だと考えてください。なお，受取利息がある場合には，逆に小計の前で減算し，小計の後で加算します。

なお，現在のところ，一般的なキャッシュ・フロー計算書は間接法で示されるケースがほとんどですが，ＩＦＲＳが導入されると，直接法によるものがメインになると思います。

実際の損益計算は，現金主義ではなく，実現主義および発生主義によって行われていますから，売上高＝営業収入にはなりません。すなわち，掛売上があるからです。たとえば，損益計算書における売上高が1,000百万円でも，期首売掛金残高が300百万円で，期末売掛金残高が400百万円だったとしたら，営業収入（売掛金回収額）は次のように計算されます。

　営業収入＝売上高1,000＋期首売掛金300－期末売掛金400＝900百万円

この式を書き換えると，次のようになります。

　営業収入＝売上高1,000－（期末売掛金400－期首売掛金300）

　　　　　＝売上高1,000－売掛金の増加額100

　　　　　＝900百万円

これを図示すると，次のようになります。

売掛金

| 期首残高　300 | |
|---|---|
| | **営業収入　900** |
| 売上高　1,000 | |
| | 期末残高　400 |

　　上記の売上高は損益計算書，売掛金残高は貸借対照表にそれぞれ示されていますから，営業収入は，財務諸表から推定できることになります（これは資金移動表のところで学びました）。

　　同じように，営業支出（＝仕入代金支出＋販売費及び一般管理費支出）も，財務諸表から推定することができます（これも資金移動表の考え方と同じです）。

　　次の《事例②》で説明しましょう。

《事例②》

期首貸借対照表（単位：百万円）

| 現 金 預 金 | 100 | 買　　掛　　金 | 150 |
|---|---|---|---|
| 売　　掛　　金 | 300 | 未払法人税等 | 20 |
| 商　　　　　品 | 100 | 資　　本　　金 | 200 |
| 固 定 資 産 | 400 | 利 益 剰 余 金 | 530 |
| | 900 | | 900 |

期末貸借対照表（単位：百万円）

| 現 金 預 金 | 50 | 買　　掛　　金 | 50 |
|---|---|---|---|
| 売　　掛　　金 | 400 | 未払法人税等 | 80 |
| 商　　　　　品 | 200 | 資　　本　　金 | 200 |
| 固 定 資 産 | 350 | 利 益 剰 余 金 | 670 |
| | 1,000 | | 1,000 |

損益計算書（単位：百万円）

| 売 　上　 高 | | 1,000 |
|---|---|---|
| 売 上 原 価 | | 500 |
| 売 上 総 利 益 | | 500 |
| 販売・一般管理費 | | |
| 給 料 手 当 | 190 | |
| 減 価 償 却 費 | 50 | 240 |
| 営 業 利 益 | | 260 |
| 営 業 外 費 用 | | |
| 支 払 利 息 | | 20 |
| 税引前当期純利益 | | 240 |
| 法 人 税 等 | | 100 |
| 当 期 純 利 益 | | 140 |

まず，前述の方法に従って営業収入を計算します。

　営業収入＝売上高1,000－売掛金の増加額100＝900百万円

次に，買掛金の支払額である「仕入代金支出」は，次のように計算されます。

　商品仕入高＝売上原価500＋(期末商品200－期首商品100)
　　　　　　＝売上原価500＋商品の増加額100
　　　　　　＝600百万円

　仕入代金支出＝商品仕入高600＋(期首買掛金150－期末買掛金50)
　　　　　　　＝商品仕入高600＋買掛金の減少額100
　　　　　　　＝700百万円

この計算にあたって，ポイントになるのは，商品の増加額は商品仕入高であり，商品仕入高は同時に買掛金の増加額にも一致するため，商品の増加額＝買掛金の増加額になる点です。

また，同様に，損益計算書における「法人税等」は，当期に支払われた法人税等を示しているのではなく，「当期の利益が負担すべき法人税等」を表しています。つまり，損益計算書における法人税等の中には，これから支払われる（すなわち期末日現在未払になっている）税額が含まれているのです。したがって，当期において支払われた法人税等は次のように計算されます。

　法人税等支払額＝法人税等100＋(期首未払法人税等20－期末未払法人税等80)
　　　　　　　　＝法人税等100－未払法人税等の増加額60
　　　　　　　　＝40百万円

未払法人税等

| 法人税等支払額40 | 期首残高　20 |
|---|---|
| 期末残高　80 | 法人税等　100 |

資金移動表のところで説明しましたが，販売費及び一般管理費支出額は，損益計算書計上額から減価償却費などの非資金費用を控除して求めます。

$$販売費及び一般管理費支出額＝販売費及び一般管理費240－減価償却費50$$
$$＝190百万円$$

　これらを元に，直接法と間接法によりキャッシュ・フロー計算書（営業活動によるキャッシュ・フローの部）を作成すると，次のようになります。

---

### キャッシュ・フロー計算書（直接法）

（単位：百万円）

| | |
|---|---:|
| 営業活動によるキャッシュ・フロー | |
| 　営業収入 | 900 |
| 　仕入代金支出 | △700 |
| 　販売費及び一般管理費支出 | △190 |
| 　　小　計 | 10 |
| 　利息支払額 | △20 |
| 　法人税等支払額 | △40 |
| 　営業活動によるキャッシュ・フロー | △50 |

---

### キャッシュ・フロー計算書（間接法）

（単位：百万円）

| | |
|---|---:|
| 営業活動によるキャッシュ・フロー | |
| 　税引前当期純利益 | 240 |
| 　減価償却費 | 50 |
| 　売上債権の増加額 | △100 |
| 　棚卸資産の増加額 | △100 |
| 　仕入債務の減少額 | △100 |
| 　支払利息 | 20 |
| 　　小　計 | 10 |
| 　利息支払額 | △20 |
| 　法人税等支払額 | △40 |
| 　営業活動によるキャッシュ・フロー | △50 |

## 3 投資活動によるキャッシュ・フロー

企業のキャッシュ・フローは，営業活動によるキャッシュ・フローのみではありません。どのような企業でも設備投資や有価証券運用を行うこともあるでしょう。投資活動に関する資金の出入りを示した区分が「**投資活動によるキャッシュ・フロー**」です。

投資活動によるキャッシュ・フローには，次の項目が含まれます。

《投資活動によるキャッシュ・フロー》
① 有価証券の購入による支出，売却による収入
② 設備投資やその他の固定資産の購入による支出，売却による収入
③ 資金貸付による支出，回収による収入
④ 投資その他の資産への支出，回収による収入　など

次の《事例③》によって投資活動によるキャッシュ・フローの部の作成例を示します。

《事例③》

次の前提に従ってキャッシュ・フロー計算書の「投資活動によるキャッシュ・フロー」を示しなさい。

① 有形固定資産　期首残高：200百万円，期末残高：500百万円
② 減価償却費：50百万円（有形固定資産に対する金額のみ）
③ 有形固定資産売却益：70百万円（売却原価：80百万円）
④ 貸付金回収額：40百万円
⑤ 投資有価証券　期首残高：120百万円，期末残高：200百万円
⑥ 投資有価証券売却損：30百万円（売却原価：100百万円）

### (1) 有形固定資産に関する資金収支の推定

有形固定資産

| 期首残高　200 | 減価償却費　50<br>売却原価　　80 |
|---|---|
| **設備投資額**<br>**430** | 期末残高　500 |

有形固定資産売却収入＝売却原価80＋有形固定資産売却益70＝150百万円

## (2)　投資有価証券に関する資金収支の推定

投資有価証券

| 期首残高　120 | 売却原価　100 |
|---|---|
| **投資有価証券取得額 180** | 期末残高　200 |

投資有価証券売却収入＝売却原価100－投資有価証券売却損30＝70百万円

## (3)　キャッシュ・フロー計算書

この結果，キャッシュ・フロー計算書（投資活動によるキャッシュ・フローの部）は，次のようになります。

### キャッシュ・フロー計算書

（単位：百万円）

| 投資活動によるキャッシュ・フロー | |
|---|---|
| 貸付金回収額 | 40 |
| 投資有価証券売却による収入 | 70 |
| 投資有価証券取得による支出 | △180 |
| 有形固定資産売却による収入 | 150 |
| 有形固定資産取得による支出 | △430 |
| 投資活動によるキャッシュ・フロー | △350 |

## 4　財務活動によるキャッシュ・フロー

　企業は，営業活動，投資活動以外に，資金の借入や増資，社債の発行など資金調達に関連した活動も行っています。この資金調達関連の資金の出入りを示したのが，「**財務活動によるキャッシュ・フロー**」です。

　財務活動によるキャッシュ・フローには，次の項目が含まれます。

> 《財務活動によるキャッシュ・フロー》
> ①　短期借入金の借入・返済
> ②　長期借入金の借入・返済
> ③　社債の発行・償還
> ④　株式の発行
> ⑤　自己株式の取得
> ⑥　剰余金の配当　など

## 5　キャッシュ・フロー計算書の見方

　キャッシュ・フロー計算書は，基本的には資金繰り表と同様な内容になっていますので，その見方も資金繰り表と類似しています。しかし，通常，資金繰り表は月別に作成されるのに対して，キャッシュ・フロー計算書は年間ベースで作成されますし，予定表は作成されません。しかも，正式なキャッシュ・フロー計算書は，主として上場企業が，連結ベースで作成するものなので，いわゆる中小企業では作成していません。

　しかし，オンデマンのように，上場企業に準じてキャッシュ・フロー計算書を作成している場合には，次のポイントに注意して分析する必要があります。

### (1)　営業活動によるキャッシュ・フロー

営業活動によるキャッシュ・フローは，さらに次の内容に分類されます。

①　営業損益計算の対象となった取引にかかるキャッシュ・フロー
②　営業活動にかかる債権・債務から生じるキャッシュ・フロー
③　投資活動および財務活動以外の取引によるキャッシュ・フロー

　営業活動によるキャッシュ・フローは，その企業の活動の根本源泉ですから，当然プラスになっている必要があります。しかし，プラスになっているとしても，その基になっている原因が主として上記③の場合には，良好な状態と判断することはできません。③に属するキャッシュ・フローには，たとえば災害による保険金収入，損害賠償金の支払，巨額

の特別退職金の支給，取引先からの前受金や営業保証金の収入，取引先への前渡金や営業保証金の支出などが挙げられます。

①については，要するに利益が計上されていればキャッシュ・フローはプラスになります。しかし，①がプラスであっても，前期と比較して売上債権や棚卸資産が大きく増加している場合には，②が①を打ち消すほどのマイナスになる可能性もあります。

理想としては，①によって確実に利益が計上されており，②の債権・債務から生じるキャッシュ・フローによって大きく減額することがない状態で，かつ，全体としての営業活動によるキャッシュ・フローが，次の「投資活動によるキャッシュ・フロー」および「財務活動によるキャッシュ・フロー」を十分賄える水準になっていることが望ましい状態です。

## (2) 投資活動によるキャッシュ・フロー

投資活動によるキャッシュ・フローは，積極的な設備投資や有価証券運用を行っている企業ではマイナスになることが一般的です。だからこそ，これをカバーするだけの営業活動によるキャッシュ・フローが必要になります。ちなみに，営業活動によるキャッシュ・フローと投資活動によるキャッシュ・フローの合計額（投資活動によるキャッシュ・フローは前述のとおり通常はマイナスになりますので，営業活動によるキャッシュ・フローから設備投資や有価証券投資などによるキャッシュ・アウト・フローを控除した金額になります）を一般的に**フリー・キャッシュ・フロー**といいます。このフリー・キャッシュ・フローは，企業に資金を提供してくれた債権者・株主に対するリターンの原資なので，この金額が大きいほど，債権者・株主にとっては安心材料になります。

## (3) 財務活動によるキャッシュ・フロー

財務活動によるキャッシュ・フローは，営業活動によるキャッシュ・フロー（運転資金），投資活動によるキャッシュ・フロー（設備資金等）との関連での資金調達が多いはずなので，それらとの対応関係がきちんとしているのであれば，問題はないと考えられます。しかし，計画外または予期しない資金調達であれば，その内容を吟味する必要があります。

# 6 資金4表の関連

資金4表とは，「資金繰り表」「資金運用表」「資金移動表」「キャッシュ・フロー計算書」を指します。いずれの表も企業の資金繰りを示した表なので，その基本原理は同じです。

以下，298ページの《事例》を用いて，各表の関連を示します。

すでに，資金繰り表，資金運用表，資金移動表は次のように作成しました。

### 資金繰り実績表（単位：百万円）

| 適　　用 | | 金　額 |
|---|---|---|
| 前　期　繰　越　① | | 100 |
| 収入 | 売　掛　金　入　金 | 450 |
| | 収　入　合　計　② | 450 |
| 支出 | 買　掛　金　支　払 | 380 |
| | 給　料　支　払 | 100 |
| | 設　備　投　資 | 100 |
| | 支　払　利　息 | 10 |
| | 支　出　合　計　③ | 590 |
| 差引過不足①＋②－③ | | △40 |
| 財務収支 | 短　期　借　入　金 | 200 |
| | 短期借入金返済 | 100 |
| 次　期　繰　越 | | 60 |

### 資金運用表（単位：百万円）

| | 資金の運用 | | 資金の調達 | |
|---|---|---|---|---|
| 固定資金 | 税　金　支　払　額 | 0 | 税引前当期純利益 | 70 |
| | 配　　当　　金 | 0 | 減　価　償　却　費 | 70 |
| | 固　定　資　産　投　資 | 100 | | |
| | 固　定　資　産　余　剰 | 40 | | |
| | 合　計 | 140 | 合　計 | 140 |
| 運転資金 | 売　　掛　　金 | 150 | 買　　掛　　金 | 20 |
| | 商　　　　品 | 50 | 運　転　資　金　不　足 | 180 |
| | 合　計 | 200 | 合　計 | 200 |
| 財務資金 | 運　転　資　金　不　足 | 180 | 固　定　資　金　余　剰 | 40 |
| | 現　金　預　金 | △40 | 短　期　借　入　金 | 100 |
| | 合　計 | 140 | 合　計 | 140 |

## 資金移動表

(単位：百万円)

| | 支 出 | | | 収 入 | |
|---|---|---|---|---|---|
| 経常収支 | 営 業 支 出 | | | 営 業 収 入 | |
| | 売 上 原 価 | 350 | | 売 上 高 | 600 |
| | 棚 卸 資 産 増 加 | 50 | | 売 上 債 権 増 加 | △150 |
| | 仕 入 債 務 増 加 | △20 | | 経常収入計 | 450 |
| | 販売・一般管理費 | 170 | | 経常支出超過 | 40 |
| | 減 価 償 却 費 | △70 | | | |
| | 営業支出計 | 480 | | | |
| | 営 業 外 支 出 | | | | |
| | 営 業 外 費 用 | 10 | | | |
| | 経常支出合計 | 490 | | 合 計 | 490 |
| 固定収支 | 固 定 資 産 投 資 | 100 | | 固定支出超過 | 100 |
| | 固定支出合計 | 100 | | 合 計 | 100 |
| 財務収支 | 財務収入超過 | 100 | | 財 務 収 入 | |
| | | | | 短 期 借 入 金 増 加 | 100 |
| | 合 計 | 100 | | 財務収入合計 | 100 |
| 総合収支 | 経常収支差額 | △40 | | 期首現金預金残高 | 100 |
| | 固定収支差額 | △100 | | 期末現金預金残高 | 60 |
| | 財務収支差額 | 100 | | 現金預金増減額 | △40 |
| | 合 計 | △40 | | 経常収支比率 | 91.8% |

今度は，この事例のキャッシュ・フロー計算書を「直接法」と「間接法」で作成してみましょう。

## キャッシュ・フロー計算書
### （直接法）

（単位：百万円）

| | | |
|---|---|---:|
| 1 | 営業活動によるキャッシュ・フロー | |
| | 営 業 収 入 | 450 |
| | 仕 入 代 金 支 出 | △380 |
| | 販売費及び一般管理費支出 | △100 |
| | 小 計 | △30 |
| | 営 業 外 支 出 | △10 |
| | 営業活動によるキャッシュ・フロー | △40 |
| 2 | 投資活動によるキャッシュ・フロー | |
| | 固 定 資 産 投 資 | △100 |
| | 投資活動によるキャッシュ・フロー | △100 |
| 3 | 財務活動によるキャッシュ・フロー | |
| | 短 期 借 入 金 借 入 | 100 |
| | 財務活動によるキャッシュ・フロー | 100 |
| 4 | 現金等の増減額 | △40 |
| 5 | 現金等の期首残高 | 100 |
| 6 | 現金等の期末残高 | 60 |

## キャッシュ・フロー計算書
## （間接法）

（単位：百万円）

| | | |
|---|---|---:|
| 1 | 営業活動によるキャッシュ・フロー | |
| | 税引前当期純利益 | 70 |
| | 減価償却費 | 70 |
| | 売上債権の増加 | △150 |
| | 棚卸資産の増加 | △50 |
| | 仕入債務の増加 | 20 |
| | 支払利息 | 10 |
| | 小計 | △30 |
| | 利息の支払額 | △10 |
| | 法人税等の支払額 | 0 |
| | 営業活動によるキャッシュ・フロー | △40 |
| 2 | 投資活動によるキャッシュ・フロー | |
| | 固定資産投資 | △100 |
| | 投資活動によるキャッシュ・フロー | △100 |
| 3 | 財務活動によるキャッシュ・フロー | |
| | 短期借入金借入 | 100 |
| | 財務活動によるキャッシュ・フロー | 100 |
| 4 | 現金等の増減額 | △40 |
| 5 | 現金等の期首残高 | 100 |
| 6 | 現金等の期末残高 | 60 |

　よく見ると，直接法によるキャッシュ・フロー計算書は資金繰り実績表と，間接法によるキャッシュ・フロー計算書は資金運用表（キャッシュ・フローがわかる形式のもの）とほぼ同一の内容になっていることがわかります。

　また，繰り返しますが，資金移動表は，資金繰り表と同様な内容を表示しています。

## 7　オンデマンの財務分析

216ページ（直接法），217ページ（間接法）に示したオンデマンのキャッシュ・フロー計算書を分析すると，次の事項がわかります。

① 営業活動によるキャッシュ・フローが52,539千円計上されており，さらにそのうち，本業のキャッシュ・フロー（小計欄）が43,981千円あるので，本業活動によってキャッシュが減少する事態にはなっていない。

② （間接法）　営業活動によるキャッシュ・フローがプラスになった原因としては，棚卸資産の減少32,733千円が最も大きい。これは，手許在庫を販売してキャッシュを稼いだ部分が大きいことを示しており，今後逆の状況になる可能性もある（すなわち，在庫を増加させるためのキャッシュ・アウトが生じて資金繰りを圧迫する可能性もある）。

③ （直接法）　営業活動によるキャッシュ・フローを営業収入で割ると9.5％になる（この割合を営業キャッシュ・フロー・マージンという）。これは，100円の営業収入によって手許資金が9.5円増えることを示しており，決して低くない割合であると思われる。

④ 投資活動によるキャッシュ・フローが△43,486千円のため，営業活動によるキャッシュ・フローのほとんどが投資活動によるキャッシュ・フローによって相殺されている（フリー・キャッシュ・フロー*があまりない）。結局，ニット製品製造業は不断の設備投資を前提にして成り立っているため，投資活動によるキャッシュ・フローを十分賄える営業活動によるキャッシュ・フローがないと，資金繰りは厳しい状況になる。

⑤ 財務活動によるキャッシュ・フローでは，一部の短期資金調達方法を短期借入金から手形割引にシフトしている。

＊　フリー・キャッシュ・フローは「5　キャッシュ・フロー計算書の見方」の中で説明しました。

# 📖 練習問題

【問題1】 下記の資料から算出した直接法による「営業活動によるキャッシュ・フロー」の額を求めなさい。

（単位：百万円）

| 科　目 | 前期末 | 当期末 | 増　減 |
|---|---|---|---|
| 売上債権 | 640 | 710 | 70 |
| 棚卸資産 | 480 | 450 | △30 |
| 仕入債務 | 540 | 560 | 20 |

| | |
|---|---|
| 売　上　高 | 6,000 |
| 売　上　原　価 | 3,600 |
| 人　件　費 | 900 |
| その他営業支出 | 835 |
| 当　期　純　利　益 | 250 |

（銀行業務検定試験財務3級試験問題より）

【問題2】 下記の資料から算出した間接法によるキャッシュ・フロー計算書の「営業活動によるキャッシュ・フロー」の額を求めなさい。

（単位：百万円）

| | |
|---|---|
| 税引前当期純利益 | 2,220 |
| 棚卸資産の減少額 | 850 |
| 売上債権の増加額 | 400 |
| 仕入債務の増加額 | 100 |
| 減価償却費 | 340 |
| 受取利息 | 80 |
| 利息の受取額 | 80 |

（銀行業務検定試験財務3級試験問題より）

【問題3】 下記のJ社（年1回，3月末日決算）の比較貸借対照表および次ページの損益計算書（抜粋）にもとづいて，次の設問に答えなさい。なお，金額がマイナスの場合は△で示すこと。

(1) 当期（X3年3月期）のキャッシュ・フロー計算書の「営業活動によるキャッシュ・フロー」の区分を，解答用紙の書式に従って間接法により作成しなさい。

(2) 当期（X3年3月期）のキャッシュ・フロー計算書の「営業活動によるキャッシュ・フロー」の区分（小計まで）を，解答用紙の書式に従って直接法により作成しなさい。

(3) J社の「営業活動によるキャッシュ・フロー」の状況について，簡潔に述べなさい。

比較貸借対照表

（単位：百万円）

| 資　産 | 前期 | 当期 | 負債・純資産 | 前期 | 当期 |
|---|---|---|---|---|---|
| 現金預金 | 42 | 40 | 仕入債務 | 120 | 145 |
| 売上債権 | 160 | 212 | 短期借入金 | 90 | 100 |
| 棚卸資産 | 90 | 125 | 未払法人税等 | 25 | 8 |
| 前払営業費 | 18 | 14 | 未払給料 | 20 | 22 |
| 有形固定資産 | 210 | 215 | 長期借入金 | 132 | 165 |
| 投資その他の資産 | 90 | 84 | 資本金 | 100 | 100 |
| | | | 利益剰余金 | 123 | 150 |
| 合　計 | 610 | 690 | 合　計 | 610 | 690 |

（注）　現金預金は，全額が現金および現金同等物である。

損益計算書（抜粋）
（自X2年4月1日至X3年3月31日）

（単位：百万円）

| | |
|---|---:|
| 売上高 | 1,440 |
| 売上原価 | 900 |
| 売上総利益 | 540 |
| 販売費及び一般管理費 | |
| 　人件費 | 200 |
| 　その他営業費 | 280 |
| 　（うち減価償却費） | (26) |
| 　営業利益 | 60 |
| 営業外収益（受取利息） | 3 |
| 営業外費用（支払利息） | 10 |
| 　経常利益 | 53 |
| 　税引前当期純利益 | 53 |
| 　法人税等 | 21 |
| 　当期純利益 | 32 |

（銀行業務検定試験財務2級試験問題より）

《解答欄》

(1)

キャッシュ・フロー計算書
（自X2年4月1日至X3年3月31日）

（単位：百万円）

Ⅰ　営業活動によるキャッシュ・フロー

税引前当期純利益

減価償却費

受取利息

支払利息

売上債権の増加額

棚卸資産の増加額

前払営業費の減少額

仕入債務の増加額

未払給料の増加額

小　　計

利息の受取額

利息の支払額

法人税等の支払額

営業活動によるキャッシュ・フロー

(2)

キャッシュ・フロー計算書
（自X2年4月1日至X3年3月31日）

（単位：百万円）

Ⅰ　営業活動によるキャッシュ・フロー

営業収入

仕入支出

人件費支出

その他の営業支出

小　　計

# 練習問題　解答・解説

## 第1章　財務諸表の構造と関連（40ページ）

【問題1】
(1) 貸借対照表には何が書かれていますか。
《解答》　お金の出どころ（負債・純資産）とお金の使いみち（資産）。
《解説》
　　企業は，株主や債権者等から資金を調達して，それをさまざまな形態に投資し，そこからさらに資金を回収して，さらに投資を行うという「資金の循環」を行っています。

【資金循環過程】

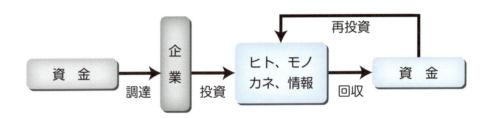

　　上記の資金循環過程のうち，資金の調達源泉と資金の運用形態（投資の状況）を示したものが貸借対照表です。

(2) 資産はなぜ流動資産と固定資産に分類されているのですか？
《解答》　資金が回収されるまでの時間が異なり，流動資産は企業の安全性を判定するうえで「安全」と判定されるのに対し，固定資産は「危険」と判定されるため。
《解説》
　　上記のように，企業は，資金を調達してきて，それをさまざまな経営資源（ヒト，カネ，モノ，情報）に投資し，それを再び資金として回収するという活動を行っています。そして，投資した資金より回収される資金が大きければ利益となります。
　　このように，企業が投資する経営資源にはさまざまな形態があり，それらが資金として回収されるまでの時間にも差があります。たとえば，八百屋はダイコン・ニンジンにも，土地・建物にも投資しますが，前者はすぐ回収されるのに対して，後者は全額回収されるまでに長期間を要します。このことから，ダイコン・ニンジンは「すぐ資金が回収され安全な資産」，土地・建物は「なかなか資金が回収されず危険な資産」と性格づけることもできます。たとえば，金融機関の融資担当者が資金を貸し付けるときに，「流動資産の割合が高い企業」と「固定資産の割合が高い企業」のどちらの方が安心で

きるかを考えればわかると思います。流動資産の割合が高い企業はすぐに資金が回収される資産が大きいので，融資した資金もすぐに返済することができると考えられますが，固定資産の割合が高い企業は，資金の回収に時間がかかり，融資した資金を返済するにも時間がかかると判断されます。

このように，企業の安全性を判定するための指標として流動資産と固定資産を分類しています。

(3) 純資産が増加する原因を2つ挙げなさい。

《解答》 増資および当期純利益の計上

《解説》

純資産とは，企業の出資者（株式会社では株主）に帰属する資金のことで，株式会社では「株主資本」ともいわれます（厳密にいえば，株主資本に該当しない純資産もあるのですが，この段階では同じものと考えてください）。純資産には，当然のことながら最初に出資者が出資した資金（資本金）が含まれます。資本金はこのように普通は最初に出資者が出資した資金のことを指しますが，場合によっては途中で出資者にお願いして追加出資してもらうこともあります。この場合には，その分だけ資本金が増加します。

また，企業は利益を計上するために活動していますが，利益が計上されるとどのような変化が起きるかといえば，その分だけ出資者の取り分すなわち純資産が増加します。つまり，当期純利益の計上によりその企業の純資産（内訳は利益剰余金）は増加します。

(4) 損益計算書はなぜ作成されるのですか？

《解答》 利益の発生源泉を明らかにするため。

《解説》

企業の利益は，貸借対照表の純資産の増加額（正確には利益剰余金の増加額）に一致します。ただし，上記の増資や剰余金の配当はないものと仮定しています。

このように貸借対照表でも利益を計算することはできるのですが，それだけだとその利益がどうやって計上されたかという発生源泉まではわかりません。たとえば，その利益が本業から生じたのか，あるいは不動産を売却して生じたのか，株式を売却して生じたのかがわからないと，その企業の正確な収益性（儲ける力）を判定することはできません。このため，企業の純資産を増加させる取引（収益）と純資産を減少させる取引（費用）を対比させ，さらに5種類の利益（売上総利益，営業利益，経常利益，税引前当期純利益，当期純利益）を明らかにした損益計算書を作成し，利益の発生源泉を示す必要があるのです。

(5) なぜ，売上高から仕入高を控除した金額が利益として認識されないのですか？

《解答》 期首在庫および期末在庫の調整が必要だから。

《解説》

仕入高とは当期において購入した商品の総額を指し，売上原価とは「売上げた商品の

仕入原価」を指します。両者は，在庫がある場合には異なります。
次の事例で説明しましょう。
① ある八百屋が3月31日に開業し，その日に1本100円でダイコンを3本仕入れた。
② 3月31日にそのうち2本が1本130円で販売された。
③ 八百屋の決算日は3月31日である。
④ 翌日4月1日に残りのダイコン1本が130円で販売された。

これをタイムスケジュールに表すと次のようになります。

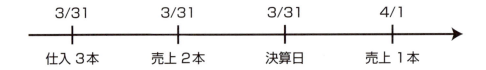

この事例では，3月31日と4月1日の2日間でダイコン3本を1本100円で仕入れ，それを全部1本130円で販売しました。この八百屋がいくら儲けたかといえば，1本30円の利益で3本分なので，利益の総額は90円です。これは小学生でも計算できます。しかし，財務諸表で難しいのは，「決算日がある」ことです。この八百屋は3月31日で決算になり，「3月31日に終了する事業年度でいくら儲けたか」を計算しなければなりません。そうすると，今計算した90円の利益は「いつの利益か？」という期間帰属の問題が生じます。

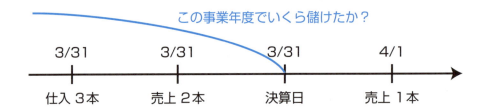

この計算を行うためには，ルールが必要です。そこで，企業会計では次のようにルールを定めました。

売上高は当期において販売した商品の金額，それに対応する費用は「売上げた商品の仕入原価」とする。

売上高は2本分260円，売上げた商品の仕入原価は@100円×2本＝200円となって，この八百屋の利益は60円と計算されます。期末に売れ残った1本（在庫）にかかる利益（30円）は，翌期の利益として認識されることになります。

したがって，期首・期末ともに在庫がある場合には，売上原価は次のように計算されます。

| 売上原価＝期首商品棚卸高＋当期商品仕入高－期末商品棚卸高 |
| --- |

(6) 一般的に企業の収益性を判断する指標として優れているのはどの利益ですか？

《解答》 経常利益

《解説》

　　前述のように，損益計算書には5種類の利益が表示されています。企業の収益性（儲ける力）を判断するには，非経常的な特別利益・特別損失を含めてはなりません。なぜならば，それらの項目は，めったにない特別な損益あるいは決算のやりくりのために計上されたもので，それらを収益性の判定材料にした場合には，正確な判断ができなくなるからです。

　　この考え方に従えば，残りの利益は売上総利益，営業利益，経常利益の3つになりますが，売上総利益は本業の重要な費用である販売費及び一般管理費を控除していませんので，これも収益性の判断材料としては問題があります。

　　残りの営業利益と経常利益は，どちらでも収益性の判断はできます。しかし，分析対象企業に負債が多額にある場合には，いくら本業の利益＝営業利益が多額に計上されていても，その負債に伴う金融費用（支払利息等）のために，経常利益の段階では大きく低下することも考えられます。そのような状況まで考えた場合には，経常利益で収益性を判断したほうがよいと思われます。

【問題2】

《解答》 ① 1,300 ② 2,700 ③ 800 ④ 2,900 ⑤ 10,800 ⑥ 4,200

《解説》

A社

　① 期末純資産＝期末資産2,500－期末負債1,200＝1,300万円

　② 費用＝収益3,000－利益300＊＝2,700万円

　　　＊利益＝期末純資産1,300－期首純資産1,000＝300万円

B社

　③ 期首純資産＝期末純資産1,900－利益1,100＊＝800万円

　　　＊利益＝収益3,600－費用2,500＝1,100万円

　④ 期末負債＝期末資産4,800－期末純資産1,900＝2,900万円

C社

　⑤ 期末資産＝期末負債3,800＋期末純資産7,000＝10,800万円

　⑥ 収益＝費用4,600＋利益△400＊＝4,200万円

　　　＊利益＝期末純資産7,000－期首純資産7,400＝△400万円（損失）

## 【問題3】

### (1) 仕訳帳

（単位：万円）

| # | 借方科目 | 金　額 | 貸方科目 | 金　額 |
|---|---|---|---|---|
| ① | 現　　　　　金 | 1,000 | 資　本　　金 | 1,000 |
| ② | 現　　　　　金 | 1,000 | 短 期 借 入 金 | 1,000 |
| ③ | 当 座 預 金 | 1,500 | 現　　　　　金 | 1,500 |
| ④ | 建　　　　　物 | 400 | 当 座 預 金 | 700 |
|   | 土　　　　　地 | 300 |   |   |
| ⑤ | 車 両 運 搬 具 | 600 | 当 座 預 金 | 600 |
| ⑥ | 当 座 預 金 | 500 | 運 送 収 入 | 500 |
| ⑦ | 燃　料　費 | 100 | 現　　　　　金 | 100 |
| ⑧ | 給 料 手 当 | 200 | 現　　　　　金 | 200 |
| ⑨ | 支 払 利 息 | 20 | 当 座 預 金 | 20 |
| ⑩ | 租 税 公 課 | 30 | 現　　　　　金 | 30 |
|   | 合計 | 5,650 | 合計 | 5,650 |

（注）　収益・費用項目の仕訳

　　　収益は「純資産が増加する取引」なので右側（貸方），費用は「純資産が減少する取引」なので左側（借方）に記入します。

### (2) 総勘定元帳

#### 現　金

| | | | | | |
|---|---|---|---|---|---|
| ① 資　本　金 | 1,000 | ③ 当 座 預 金 | 1,500 |
| ② 短 期 借 入 金 | 1,000 | ⑦ 燃　料　費 | 100 |
| | | ⑧ 給 料 手 当 | 200 |
| | | ⑩ 租 税 公 課 | 30 |
| | | 次 期 繰 越 | 170 |
| | 2,000 | | 2,000 |
| 前 期 繰 越 | 170 | | |

#### 当 座 預 金

| | | | | | |
|---|---|---|---|---|---|
| ③ 現　　　金 | 1,500 | ④ 諸　　　口 | 700 |
| ⑥ 運 送 収 入 | 500 | ⑤ 車両運搬具 | 600 |
| | | ⑨ 支 払 利 息 | 20 |
| | | 次 期 繰 越 | 680 |
| | 2,000 | | 2,000 |
| 前 期 繰 越 | 680 | | |

車両運搬具

| ⑤ 当 座 預 金 | 600 | 次 期 繰 越 | 600 |
| 前 期 繰 越 | 600 | | |

建　　物

| ④ 当 座 預 金 | 400 | 次 期 繰 越 | 400 |
| 前 期 繰 越 | 400 | | |

土　　地

| ④ 当 座 預 金 | 300 | 次 期 繰 越 | 300 |
| 前 期 繰 越 | 300 | | |

短期借入金

| 次 期 繰 越 | 1,000 | ② 現　　　金 | 1,000 |
| | | 前 期 繰 越 | 1,000 |

資　本　金

| 次 期 繰 越 | 1,000 | ① 現　　　金 | 1,000 |
| | | 前 期 繰 越 | 1,000 |

運 送 収 入

| 損　　　益 | 500 | ⑥ 当 座 預 金 | 500 |

給 料 手 当

| ⑧ 現　　　金 | 200 | 損　　　益 | 200 |

燃　料　費

| ⑦ 現　　　金 | 100 | 損　　　益 | 100 |

租 税 公 課

| ⑩ 現　　　金 | 30 | 損　　　益 | 30 |

支 払 利 息

| ⑨ 当 座 預 金 | 20 | 損　　　益 | 20 |

(注)　収益・費用項目の勘定の締切

　　収益・費用項目については，その残高を「損益勘定」へ振り替えます。その結果，損益勘定は次のように作成され，損益勘定の期末残高が当期純利益に一致します。この損益勘定は，結局損益計算書と同じものになります。

損益勘定の期末残高は繰越利益剰余金勘定へ振り替えられて，その期末残高（次期繰越額）が貸借対照表に表示されます。

### 損　益

| 給 料 手 当 | 200 | 運 送 収 入 | 500 |
|---|---|---|---|
| 燃 料 費 | 100 | | |
| 租 税 公 課 | 30 | | |
| 支 払 利 息 | 20 | | |
| 繰越利益剰余金 | 150 | | |
| | 500 | | 500 |

### 繰越利益剰余金

| 次 期 繰 越 | 150 | 損　益 | 150 |
|---|---|---|---|
| | | 前 期 繰 越 | 150 |

(3)　残高試算表

### 残高試算表

（単位：万円）

| 現　　金 | 170 | 短 期 借 入 金 | 1,000 |
|---|---|---|---|
| 当 座 預 金 | 680 | 資 本 金 | 1,000 |
| 車 両 運 搬 具 | 600 | 運 送 収 入 | 500 |
| 建　　物 | 400 | | |
| 土　　地 | 300 | | |
| 給 料 手 当 | 200 | | |
| 燃 料 費 | 100 | | |
| 租 税 公 課 | 30 | | |
| 支 払 利 息 | 20 | | |
| 合 計 | 2,500 | 合 計 | 2,500 |

(4) 財務諸表の作成

### 残高試算表

(単位：万円)

| | | | |
|---|---|---|---|
| 現　　　　金 | 170 | 短 期 借 入 金 | 1,000 |
| 当 座 預 金 | 680 | 資　　本　　金 | 1,000 |
| 車 両 運 搬 具 | 600 | | |
| 建　　　　物 | 400 | | |
| 土　　　　地 | 300 | | |
| 給 料 手 当 | 200 | 運 送 収 入 | 500 |
| 燃　　料　　費 | 100 | | |
| 租 税 公 課 | 30 | | |
| 支 払 利 息 | 20 | | |
| 合　　計 | 2,500 | 合　　計 | 2,500 |

（貸借対照表）（損益計算書）

　総勘定元帳の次期繰越額（貸借対照表項目）および損益勘定への振替額（損益計算書項目）を集計して，上記の残高試算表が作成されます。

　この上半分（貸借対照表項目）が貸借対照表，下半分（損益計算書項目）が損益計算書になります。

### 貸借対照表

(単位：万円)

| | | | |
|---|---|---|---|
| 【流 動 資 産】 | 850 | 【流 動 負 債】 | 1,000 |
| 現　　　　金 | 170 | 短 期 借 入 金 | 1,000 |
| 当 座 預 金 | 680 | 　負債合計 | 1,000 |
| 【固 定 資 産】 | 1,300 | 【資 本 金】 | 1,000 |
| 車 両 運 搬 具 | 600 | 【利益剰余金】 | 150 |
| 建　　　　物 | 400 | 繰越利益剰余金 | 150 |
| 土　　　　地 | 300 | 　純資産合計 | 1,150 |
| 　資産計 | 2,150 | 負債・純資産計 | 2,150 |

**損益計算書**

（単位：万円）

| | | |
|:---|---:|---:|
| 運 送 収 入 | | 500 |
| 販 売・管 理 費 | | |
| 　給 料 手 当 | 200 | |
| 　燃 　料 　費 | 100 | |
| 　租 税 公 課 | 30 | 330 |
| 　営 業 利 益 | | 170 |
| 営 業 外 費 用 | | |
| 　支 払 利 息 | | 20 |
| 　当 期 純 利 益 | | 150 |

（注）　貸借対照表の繰越利益剰余金の計算方法

　　　まず，損益計算書を作成し，当期純利益（150万円）を求めます。その金額と前期から繰り越されてきた繰越利益剰余金残高（本問の場合は設立第1期のため0です）を足した金額（本問の場合は150万円）を貸借対照表の繰越利益剰余金の欄に記入し，貸借合計額が一致すれば貸借対照表の完成です。

　　　実際には，上記のとおり収益・費用項目の残高を損益勘定へ振り替え，損益勘定の残高を繰越利益剰余金勘定へ振り替えた後，それぞれの残高を集計してそれぞれの財務諸表が作成されます。

# 第2章　流動・固定分類基準（47ページ）

【問題1】

《解答》　(d) – (a) – (c) – (e) – (b)

《解説》

　　流動性配列法とは，現金に近いものから上に並べるという貸借対照表科目の配列方法です。これに対して，現金に近いものを下にするという固定性配列法もあり，電力会社などではこの方法が採用されています。近い将来日本でも適用される予定の国際会計基準（ＩＦＲＳ）でも，固定性配列法の適用が認められています。しかし，現行の企業会計では，特殊な例を除き，原則として流動性配列法が採用されています（ＢＳ原則三）。

　　流動性配列法の場合には，当然流動資産が固定資産の上に表示されます。しかし，流動資産や固定資産といってもその種類は多く，それぞれの科目間での配列が次に問題になります。まず，固定資産については，有形固定資産，無形固定資産，投資その他の資産の順に表示します。有形固定資産と無形固定資産はどちらが現金に近いかという区別は誰にもつきませんが，この順番に並べるというルールになっていると理解してください（財規14，会規74）。ちなみに，企業によっては，流動資産や固定資産以外に，後

述する繰延資産が貸借対照表に表示されることがあります。この場合，繰延資産は固定資産の後に表示されます。

　それでは，有形固定資産，無形固定資産，投資その他の資産にはどのような科目が含まれるかについてですが，それは，今後この本の次章以降を見たり，実務経験を積めば，いやでもわかりますので，心配しないでください。本問の場合，ソフトウェアが無形固定資産，投資有価証券が投資その他の資産に該当します。

　流動資産にも配列順序があります。正常営業循環過程（43ページの【図表2-1】）を見ればわかりますが，現金回収までの期間が短いものから配列すれば，現金→受取手形→売掛金→棚卸資産（商品や製品など）→前渡金の順になります。ところが，これら以外にも流動資産はあります。たとえば，有価証券があったらどこに表示するのかということですが，これは財務諸表等規則（17条）に従うことになり，売掛金と棚卸資産の間に表示します。その他の流動資産についてもこの規定に従います。本問の(c)の販売用不動産は不動産販売業における棚卸資産なので，流動資産の配列は，現金預金→受取手形→販売用不動産の順になります。

　ちなみに，現金預金には「現金」と「預金」が含まれ，預金には定期預金や定期積立金などのいわゆる固定性預金も入っています。たとえば，3年定期預金も流動資産に表示されるかといえば，答はNOです。預金については，1年基準が適用されて，1年を超えて満期を迎える預金については，固定資産（投資その他の資産）に分類されます。したがって，流動資産に表示される現金預金とは，現金と現金が回収されるまでの期間が1年以内の預金の合計になります。

## 【問題2】

《解答》　1年基準（ワン・イヤー・ルール）

《解説》

　正常営業循環基準は，正常な営業（本業）上の資産・負債に適用される分類基準です。したがって，得意先に対する売上債権（受取手形と売掛金の合計のこと）が正常なものであれば，売上債権は営業上の債権なので，当然，正常営業循環基準に従って流動資産に分類されます。しかし，本問のように破産した得意先に対する売上債権であれば，正常な状態とはいえず，正常営業循環基準は適用対象外になります。このような場合には，1年基準（ワン・イヤー・ルール）が適用され，回収されるまでの期間が1年以内かどうかによって流動資産と固定資産に分類されます。破産によってほとんどの売上債権は回収できなくなると予想されますが，実際には，破産法の規定に従って債権者集会が開かれ，最終的に債権の切捨てが確定するまで相当の期間を要します。この債権切捨てが確定するまでは，固定資産（投資その他の資産）に「破産債権」等の科目で表示することになります。

【問題3】

《解答》 (1)

《解説》

　1年基準（ワン・イヤー・ルール）が適用されるのは，次の資産・負債以外です。
① 正常営業循環基準が適用される資産・負債
② 有価証券
③ その他基準が適用される経過勘定項目

　したがって，たとえば，前問のように，営業上の債権であっても，得意先が破産したなど異常な状態になった場合には，1年基準が適用されることになります。

　(1)の社債は，社債権者から直接資金を調達した負債であり，借入金と同様に1年基準が適用されます。

　(2)の残存耐用年数（残りの使用可能期間のこと）が1年未満となった機械装置は，流動資産に振り替える必要はありません。残存耐用年数が1年未満ということは，あと1年以内にその機械装置に投資した資金の全額が，売上によって回収されるということなので，本来ならば流動資産に振り替えるべきです。これに対して，長期借入金の場合には，決算日から1年以内に返済する予定の金額については，必ず「1年以内返済予定の長期借入金」として流動負債に振り替えなければなりません。資産側は1年以内に回収できる状態になっても必ずしも流動資産に振り替える必要はなく，負債側は1年以内に返済できる状態になったら必ず流動負債に振り替えなければならないという処理の違いはどこからきているのでしょうか？

　これは，次の資産・負債・純資産の性格付けを思い出してもらえればわかると思います。

　このような取扱いは，今まで安全な固定負債であった長期借入金が1年以内に返済することになれば，危険な流動負債として表示し，財務諸表を見る人のために「黄色信号」を点滅させる必要がありますが，今まで危険な固定資産だった機械装置が1年以内に回収されることになっても，それは安全な流動資産になったので，あえて振り替えなくともよいという保守的な考え方によるものです。

(3)の「延払条件」とは，代金を分割払するという条件のことを指します。このケースは3年分割払で売掛金を回収するので，その全額が回収できるまで3年かかってしまいます。しかし，この売掛金が正常なものである限り，すなわち，3年の延払条件付の輸出が通常行われているものである限り，正常営業循環基準の適用により流動資産に分類されます。

(4)の約束手形は「受取手形」勘定に計上されます。本問の受取手形は商品の販売，すなわち本業の業務に関連して受け取った手形なので，当然のことながら，正常営業循環基準が適用され，流動資産に分類されます。ただし，同じ受取手形であっても，それが営業外の取引にかかる場合（たとえば，固定資産の廃材を売却してその代金を手形で回収した場合）は，1年基準が適用されます。

(5)の**恒常在高**とは，在庫を0にせず，一定分だけ常にあるように在庫しておく金額（あるいは数量）を指します。たとえば，文房具店が鉛筆の在庫を0にしてしまうと商売ができなくなってしまいますので，ある程度の鉛筆在庫は常に持っています。これが恒常在高です。恒常在高は常にあるので，結果的に一定金額が何年にもわたり貸借対照表に記載されることになります。しかし，在庫は営業上の資産なので，1年基準ではなく正常営業循環基準が適用され，その商品が正常なものである限り流動資産に分類されます。

## 【問題4】

《解答》 (4)

《解説》

この問題の返済時期ごとの返済額および借入金残高を示すと，次のようになります。なお，（ ）で示した部分は，本来返済しなければならないが，返済しなかった金額を表しています。

（単位：百万円）

| 摘要 | X2/8 | X2/10 | X3/1 | X3/4 | X3/7 | X3/10 | X4/1 | X4/3 |
|---|---|---|---|---|---|---|---|---|
| 返済 | – | 20 | 20 | 20 | (20) | (20) | (20) | – |
| 残高 | 300 | 280 | 260 | 240 | 240 | 240 | 240 | 240 |

このように，X4年3月末の時点で借入金は総額240百万円あることがわかります。返済条件は3か月ごとに20百万円ずつなので，1年以内返済額は80百万円となり，流動負債は80百万円と考えてしまった人もいるでしょうが，よく考えてみると，X3/7，X3/10，X4/1と3回にわたって，この会社は本来返済しなければならない金額（合計60百万円）を返済しなかったのです。当然その金額は真っ先に返済を求められる額です。したがって，この会社が1年以内に返済しなければならない金額は，80百万円＋

60百万円＝140百万円となり，固定負債に分類されるのは100百万円（＝240百万円－140百万円）となります。

ただし，一般的な金銭消費貸借契約書（資金の貸借を行うときの契約書）には，次のような文言が入っています。

第X条　次の場合には，甲（債権者）からの通知催告がなくても当然期限の利益を失い，乙（債務者）は直ちに債務を弁済しなければならない。
(1)　1回でも利息を期限に支払わないとき
(2)　他の債務につき仮差押え，仮処分または強制執行を受けたとき
(3)　他の債務につき競売，破産または再生手続開始の申立があったとき
(4)　乙の振出，裏書，保証にかかる手形・小切手が不渡りとなったとき
(5)　甲に通知せずに，乙が住所を移転したとき

もし，本問のケースでこのような金銭消費貸借契約書が取り交わされていて，しかも，上記の要件に抵触する事実があった場合には，債務者はその全額を直ちに弁済しなければならなくなりますから，流動負債が240百万円，固定負債は0となります。

# 第3章　金銭債権の評価（57ページ）

【問題1】
《解答》　(1)　×　(2)　○　(3)　×　(4)　○　(5)　×
《解説》

(1)　金融商品会計基準68項によれば，金銭債権については活発な市場がない場合が多く，受取手形や売掛金は帳簿価額が時価に近似しているものと考えられるし，貸付金等の債権は時価を容易に入手できない場合や売却することを意図していない場合が多いので，金銭債権については，原則として時価評価は行わないこととなっています。具体的には，金銭債権の貸借対照表価額は，取得価額から貸倒見積額にもとづいて算定された貸倒引当金を控除した金額となります（金融商品基準14）。

(3)　民事再生法の規定による再生手続の申立があった場合には，その債権金額の50％に相当する金額について貸倒引当金の繰入が認められます。ただし，債務者から事前に受け入れた金額や担保権の実行，保証債務の履行により取立等の見込みがあると認められる部分があれば除外します（令96）。

(5)　貸倒引当金とは回収不能見込額なので，必ずその全額が貸倒れになるとは限りません。たとえば，貸倒引当金として200,000円を見込んでいたが，実際には150,000円が貸倒れになったとすれば，翌期末には貸倒引当金50,000円（＝200,000円－150,000

円）が残ります。この金額は，結果的に見積り違いによる差額です。これは本来ならば当期に修正を行うべきもので，これが貸倒引当金戻入です。貸倒引当金戻入は，損益計算書上は原則として営業費用または営業外費用から控除するか営業外収益に表示されます。

　貸倒引当金の会計処理には，洗替え法と差額補充法があります。洗替え法は前期末に繰り入れた貸倒引当金の残高があれば，いったんそれを0に戻し，改めて当期末における回収不能見込額を貸倒引当金として繰り入れる方法です。したがって，洗替え法の場合には，直前貸倒引当金残高がある限り貸倒引当金戻入が認識されます。

　一方，差額補充法の場合には，直前貸倒引当金残高と当期末の回収不能見込額との差額を貸倒引当金繰入額とする方法で，たとえば直前貸倒引当金残高が50,000円で，当期末の回収不能見込額が70,000円であれば，貸倒引当金繰入20,000円と会計処理します。逆に，直前貸倒引当金残高が50,000円で，当期末の回収不能見込額が30,000円であれば，差額の20,000円は貸倒引当金戻入として処理します。したがって，差額補充法の場合でも貸倒引当金戻入が認識されることはあります。

## 【問題2】

《解答》　発生主義会計による正しい期間損益を計算するため。

《解説》

　債権が貸倒れになる原因は，実際にその回収不能が確定する時期よりかなり以前に発生するのが通常です。具体的には，ある企業が資金繰りに行き詰まり，債務の支払期限延長の依頼を行った段階では，債権者にとってまだその債権の回収不能が確定したわけではありません。しかし，その後その企業が債務超過になり，自力で再生することができず，民事再生手続の申立を行い，その後債権者集会が開かれて状況の説明が行われ，最終的に裁判所によって再生計画の認可が決定されて，債務カット額が確定するというステップをたどったと仮定すれば，債権者にとってその債権が不良債権化してからその全部または一部の回収不能が確定するまで相当の期間が経過するのが一般的です。確かに，その債権の回収不能が確定してから貸倒損失として会計処理しても，損益に与える影響額は，貸倒引当金を設定しておいて最終的に回収不能金額が確定した段階で差額を調整する方法と合計では同じなのですが，費用に計上するタイミングが異なります。すなわち，貸倒引当金を計上する会計処理方法は，実際に貸倒れが確定する以前に，その原因が発生した時に費用を認識するという「**発生主義**」の考え方にもとづいて採用されています。適正な期間収益から適正な期間費用を控除して適正な期間損益を算定するという考え方からは，債権の貸倒れによる損失はいつの期間に帰属するかを決定しなければならず，貸倒れの原因が発生した時に費用を認識する発生主義の考え方が制度会計に採り入れられているのです。

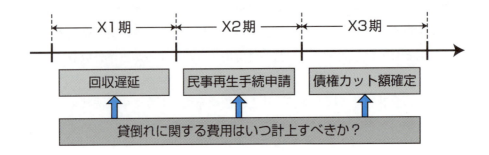

【問題3】

《解答》 (5)

《解説》

　会社計算規則78条によれば，貸倒引当金は次のように表示することになっています。

① 各資産に係る引当金は，次項の規定による場合のほか，当該各資産の項目に対する控除項目として，貸倒引当金その他当該引当金の設定目的を示す名称を付した項目をもって表示しなければならない。ただし，流動資産，有形固定資産，無形固定資産，投資その他の資産または繰延資産の区分に応じ，これらの資産に対する控除項目として一括して表示することを妨げない。

② 各資産に係る引当金は，当該各資産の金額から直接控除し，その控除残高を当該各資産の金額として表示することができる。

　上記の①は，貸借対照表上で貸倒引当金を控除する方法，②は，貸借対照表には貸倒引当金を控除した残高を表示し，代わりに注記を行う方法を指しています。

　本問では，(5)のみが①の方法として認められます。

## 第4章　割引手形・裏書譲渡手形の会計処理と表示（65ページ）

【問題1】

《解答》　6,400千円

《解説》

　割引手形も裏書譲渡手形も，すでに相手先に渡して手許にはありません。割引手形の場合には，金融機関に手形を売却したのと同様の状況にあり，裏書譲渡手形の場合には，手形受取人に対して新たに手形を振り出す代わりに，手許にあった手形を渡したことになります。したがって，両方ともその手形は，手持受取手形には含まれません。結果的に，貸借対照表に表示されている受取手形の金額が手持受取手形の金額を示しています。

相手先に渡してしまって手許にない割引手形や裏書譲渡手形の金額をなぜ個別注記表に記載するかといえば，それらが偶発債務に該当するからです。偶発債務とは，場合によってはその債務を負担するかもしれないリスクを負っている状況をいいます。割引手形の場合には，手形振出人がその手形を決済できなかったら，金融機関に対して割り引いた手形の額面金額を支払わなければならなくなります（手形遡及義務）し，裏書譲渡手形の場合にも，同様に手形振出人がその手形を不渡りにしてしまえば，裏書譲渡人がその金額を手形受取人に支払わなければならなくなります。個別注記表の注記は，このようなリスクがあることを，財務諸表の読者に明らかにすることを目的としています。

【問題２】
《解答》
(福島商店)（借）買　　掛　　金　300,000円　（貸）売　　掛　　金　300,000円
(郡山商店)（借）受　取　手　形　300,000円　（貸）売　　掛　　金　300,000円
(相馬商店)（借）買　　掛　　金　300,000円　（貸）支　払　手　形　300,000円

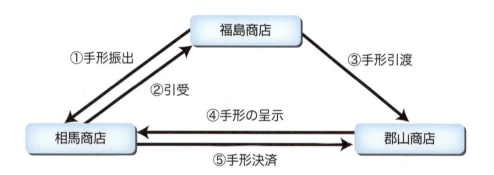

【問題３】
《解答》
(1) 評価勘定法
　①　（借）当　座　預　金　9,950,000円　（貸）割　引　手　形　10,000,000円
　　　　　　手　形　売　却　損　　50,000円
　②　（借）割　引　手　形　10,000,000円　（貸）受　取　手　形　10,000,000円
(2) 対照勘定法
　①　（借）当　座　預　金　9,950,000円　（貸）受　取　手　形　10,000,000円
　　　　　　手　形　売　却　損　　50,000円
　　　　　　手形割引義務見返　10,000,000円　　　　手形割引義務　10,000,000円
　②　（借）手　形　割　引　義　務　10,000,000円　（貸）手形割引義務見返　10,000,000円

【問題４】

《解答》　手形が不渡りになったときは，直ちにその手形債権が貸倒れになるわけではなく，手形振出人などに対して，その手形代金および遅延利息，償還請求のために要した諸費用を請求することができ，これらを「不渡手形勘定」（資産）で処理する。

《解説》

　手形の支払期日において，手形支払人の当座預金口座に手形代金分の残高がないときには，原則として，金融機関によって手形代金の支払が拒絶されます（金融機関との間に当座借越契約を結んでいる場合には，その限度額の範囲で当座預金から支払が行われます）。このように支払を拒絶された手形を**不渡手形**といいます。

　第１回目の不渡りが出ると，手形交換所は，そのことを各銀行に通知します（不渡届）。これによって「要注意企業」としてマークされ，商取引については制約されることになりますが，法律的・制度的には，それまでどおり，当座勘定取引，貸出取引を行うことができます。

　その後，６か月以内に２回目の不渡りを出すと，支払義務者名が手形交換所の取引停止報告に記載され，手形交換所参加全金融機関に通知されます。この報告にもとづいて，各金融機関がその支払義務者との当座勘定取引および貸出取引を２年間停止します。これを，**銀行取引停止処分**といいます。もちろん，銀行取引停止処分を受けても，普通預金口座での取引は可能ですが，この情報はあっという間に広まってしまい，その企業の信用不安が高まりますので，銀行取引停止処分を受けると，事実上の倒産状態になります。

　手形債権者が保有していた手形が不渡りになった場合には，上記のように，その債権が消滅するわけではなく，手形債務者に対しての請求権は残りますので，会計処理上は，その請求のための諸費用などを加えて，不渡手形勘定に振り替えます。

（事例）

　新潟商店は，手許にある群馬商店振出の約束手形350,000円について，支払期日に取引銀行を通じて取立を依頼したところ，回収できなかったため，群馬商店に対してその手形代金の支払を請求した。なお，その請求のための諸費用5,000円を現金で支払った。

（借）不 渡 手 形　　355,000円　（貸）受 取 手 形　　350,000円
　　　　　　　　　　　　　　　　　　　現　　　　金　　　5,000円

# 第5章　有価証券（79ページ）

## 【問題1】

《解答》　(5)

《解説》

　　満期保有目的の債券は，取得原価によって評価します。ただし，債券を債券金額よりも低い価額または高い価額で取得した場合において，取得原価と債券金額との差額の性格が金利の調整と認められるときには，償却原価法によって評価しなければなりません。

## 【問題2】

《解答》　4,989,000円

《解説》

　　市場価格のある有価証券のうち，売買目的有価証券およびその他有価証券については，時価基準によって貸借対照表価額を算定します。子会社・関連会社株式については，取得原価によって算定します。なお，本問には登場しませんが，満期保有目的の債券については，取得原価によって算定しますが，前問で説明したように，償却原価法によって評価が行われることもあります。

　　市場価格のない有価証券または時価を把握することがきわめて困難と認められる有価証券については，次の方法によって評価します（金融商品基準19）。

　①　社債その他の債権：債券の貸借対照表価額に準じる。

　②　①以外：取得原価

　したがって，本問の有価証券の期末評価額は次のように計算されます。

　　　　A社株式：@550円×3,500株＝　　1,925,000円
　　　　B社株式：@1,200円×1,700株＝　2,040,000円
　　　　C社株式：@380円×800株＝　　　　304,000円
　　　　D社株式：@600円×1,200株＝　　　720,000円
　　　　　　　　　　　　　合計　　4,989,000円

## 【問題3】

(1)

《解答》　期首繰越残高があったから。

《解答》

　　A社は当期においてB社株式を1,000株購入して1,000株売却しており，これだけで考えれば1株200円（＝1,200円－1,000円）売却益が生じていたはずです。しかし，仮に前期においてB社株式を1株1,600円で1,000株購入しており，それがそのまま期

首繰越残高になっていたとしたら，総平均法でも移動平均法でも，有価証券売却損益は次のように計算されます。

$$払出単価＝\frac{期首繰越残高160万円＋当期購入価額100万円}{期首繰越株数1,000株＋当期購入株数1,000株}＝@1,300円$$

払出原価＝@1,300円×1,000株＝130万円

有価証券売却損益＝120万円－130万円＝△10万円

(2)

《解答》 C社は有価証券の評価方法として総平均法を採用しており，その後D社株式を追加購入したから。

《解説》

　C社の有価証券の評価方法が移動平均法であったならば，売却のつど有価証券売却損益は確定しますので，C社の投資有価証券売却益は20万円（＝120万円－100万円）になるはずです。ところが，有価証券の評価方法が総平均法であったとすると，1事業年度の中で購入した有価証券（期首繰越も含む）の加重総平均単価をもって払出単価としますので，D社株式を1,000株売却した後，さらに取得していたとしたら，その購入単価も払出単価計算に反映されます。

　たとえば，D社株式を売却した後，株価がさらに上がり，1株1,600円になったところで1,000株を追加取得したと仮定した場合の有価証券売却損益を計算すると，次のようになります。

$$払出単価＝\frac{1回目の購入価額100万円＋2回目の購入価額160万円}{1回目の購入株数1,000株＋2回目の購入株数1,000株}＝@1,300円$$

払出原価＝@1,300円×1,000株＝130万円

有価証券売却損益＝120万円－130万円＝△10万円

　この事例の場合，D社株式を売却した後に追加購入したときの購入単価が払出単価に影響することになりますが，総平均法は，売買の前後は関係なく，1事業年度において購入した有価証券の加重総平均単価で払出単価を計算しますので，結果的に，追加取得をすることによって有価証券売却損益が動くことになってしまいます。

# 第6章　棚卸資産（90ページ）

【問題1】

《解答》　①　1,488,000円　②　1,504,000円　③　1,528,000円

《解説》

総額ベース

| 品　目 | 数　量 | 取得原価 | 正味売却価額 | 差　額 |
|---|---|---|---|---|
| P 1 | 200個 | 400,000円 | 440,000円 | 40,000円 |
| P 2 | 160個 | 384,000円 | 368,000円 | △16,000円 |
| 計 | 360個 | 784,000円 | 808,000円 | 24,000円 |
| Q | 180個 | 792,000円 | 720,000円 | △72,000円 |
| 合計 | 540個 | 1,576,000円 | 1,528,000円 | △48,000円 |

　　　　　　　　　　　　　　　　　　　　　　　　　　　低い方の金額

① 品目単位で比較する

| P 1 | 400,000円 |
|---|---|
| P 2 | 368,000円 |
| Q | 720,000円 |
| 合計 | 1,488,000円 |

② グループ単位で比較する

| P グループ | 784,000円 |
|---|---|
| Q グループ | 720,000円 |
| 合計 | 1,504,000円 |

③ 全品目の合計で比較する

　　正味売却価額合計　1,528,000円

【問題2】

《解答》　65百万円

《解説》

　この中で，棚卸資産に該当するのは，原材料，仕掛品，商品，販売用不動産，製品，半製品です。備品は，机，いす，応接セット，パソコンなどが該当し，固定資産（有形固定資産）に分類されます。前渡金は，商品などを仕入れるときに支払った予約金を指し，流動資産に分類されます。

　したがって，棚卸資産の額は次のように計算されます。

　　原材料5＋仕掛品3＋商品15＋販売用不動産20＋製品12＋半製品10＝65百万円

　ちなみに，販売用不動産は，不動産販売業者が販売するために保有している土地，建物等を指し，不動産販売業者にとっての「商品」に該当しますから，棚卸資産に分類されます。なお，建設業者が建設中の橋，道路，ビルなどは「未成工事支出金」といい，一般の製造業における「仕掛品」に相当します。この未成工事支出金も，建設業者にとっては棚卸資産に該当します。

【問題３】

《解答》

商品有高帳

（先入先出法）　　　　　　　　　品名　×××　　　　　　　　　（単位：個，円）

| | | 摘　　要 | 受入高 | | | 引渡高 | | | 残　　高 | | |
|---|---|---|---|---|---|---|---|---|---|---|---|
| | | | 数量 | 単価 | 金　額 | 数量 | 単価 | 金　額 | 数量 | 単価 | 金　額 |
| 4 | 1 | 前期繰越 | 100 | 200 | 20,000 | | | | 100 | 200 | 20,000 |
| | 6 | 仕　　入 | 300 | 240 | 72,000 | | | | 300 | 240 | 72,000 |
| | 13 | 売　　上 | | | | 100 | 200 | 20,000 | | | |
| | | | | | | 100 | 240 | 24,000 | 200 | 240 | 48,000 |
| | 19 | 仕　　入 | 100 | 200 | 20,000 | | | | 100 | 200 | 20,000 |
| | 28 | 売　　上 | | | | 200 | 240 | 48,000 | 100 | 200 | 20,000 |
| | 30 | 次期繰越 | | | | 100 | 200 | 20,000 | | | |
| | | | 500 | | 112,000 | 500 | | 112,000 | | | |
| 5 | 1 | 前期繰越 | 100 | 200 | 20,000 | | | | 100 | 200 | 20,000 |

商品有高帳

（移動平均法）　　　　　　　　　品名　×××　　　　　　　　　（単位：個，円）

| | | 摘　　要 | 受入高 | | | 引渡高 | | | 残　　高 | | |
|---|---|---|---|---|---|---|---|---|---|---|---|
| | | | 数量 | 単価 | 金　額 | 数量 | 単価 | 金　額 | 数量 | 単価 | 金　額 |
| 4 | 1 | 前期繰越 | 100 | 200 | 20,000 | | | | 100 | 200 | 20,000 |
| | 6 | 仕　　入 | 300 | 240 | 72,000 | | | | 400 | 230 | 92,000 |
| | 13 | 売　　上 | | | | 200 | 230 | 46,000 | 200 | 230 | 46,000 |
| | 19 | 仕　　入 | 100 | 200 | 20,000 | | | | 300 | 220 | 66,000 |
| | 28 | 売　　上 | | | | 200 | 220 | 44,000 | 100 | 220 | 22,000 |
| | 30 | 次期繰越 | | | | 100 | 220 | 22,000 | | | |
| | | | 500 | | 112,000 | 500 | | 112,000 | | | |
| 5 | 1 | 前期繰越 | 100 | 220 | 22,000 | | | | 100 | 220 | 22,000 |

《解説》

　　商品有高帳の書き方には両方法とも「コツ」があります。

　　まず，先入先出法の場合には，どれが先に仕入れた商品なのかがわからないと売上原価（払出価額）が計算できないので，異なる単価で仕入れた場合には，残高欄が２段（場合によっては３段以上）書きになります。わかりやすいようにカッコ（{　）を付けて表示します。払出があった場合には，上に記載されている在庫（先に仕入れた在庫）から払出欄に記入し，２種類以上の単価の払出があった場合にも，やはりカッコを付けて表示します。

　　移動平均法の場合には，残高欄の単価が常にその時点における加重平均単価を示すようになっています。払出があったときは，その直前の残高欄の単価が払出欄の単価に写され，払出価額が計算されます。したがって，払出があった後の残高欄の単価も，直前の残高欄の単価と同額になります。

## 【問題4】

《解答》　825百万円

《解説》

① 原価率＝{期首商品棚卸高（原価）775百万円＋仕入高3,500百万円}／
{売上高4,600百万円＋期末商品棚卸高（売価）1,100百万円}
＝75％

② 期末商品棚卸高（原価）＝1,100百万円×75％＝825百万円

## 【問題5】

《解答》　棚卸減耗損：80,800円，商品評価損：67,200円

《解説》

① 総平均法による期末在庫評価単価

$$\frac{900個 \times @2,200円 + 8,100個 \times @2,000円}{900個 + 8,100個} = @2,020円$$

② 期末帳簿在庫数量

期首商品棚卸高900個＋当期商品仕入高8,100個－期末商品売上数量8,400個
＝600個

③ 棚卸減耗損と商品評価損

| 帳簿単価 2,020円 | 商品評価損67,200円 | 棚　卸 |
| 正味売却<br>価　額 1,900円 | BS計上額<br>1,064,000円 | 減耗損<br>80,800円 |

実際数量560個　帳簿数量600個

# 第7章　固定資産（114ページ）

## 【問題1】

《解答》

① 有形固定資産…機械装置，航空機，車両運搬具，建設仮勘定

② 無形固定資産…特許権，のれん，電話加入権，専用側線利用権

③ 投資その他の資産…長期貸付金，長期前払費用，子会社株式，更生債権

## 【問題2】

《解答》　①　999,000円　②　667,334円

《解説》

① 定額法

$$減価償却費＝1,500,000円 \times 0.617 \times \frac{12}{12} ＝250,500円$$

$$X3年3月末帳簿価額＝1,500,000円－250,500円 \times 2＝999,000円$$

② 定率法

$$X2年3月期減価償却費＝1,500,000円 \times 0.333 \times \frac{12}{12} ＝499,500円$$

$$X3年3月期減価償却費＝(1,500,000円－499,500円) \times 0.333 \times \frac{12}{12} ＝333,166円$$

$$X3年3月期末帳簿価額＝1,500,000円－499,500円－333,166円＝667,334円$$

【問題3】

《解答》　(2)

《解説》

　固定資産に関する支出によって，その固定資産の①耐用年数が延長した場合，または②価値が増加した場合には，資本的支出として有形固定資産の取得原価に算入し，その後の期間に減価償却費として配分します。したがって，純資産の部に算入するわけではありません。この減価償却費の計算方法には，当初の耐用年数による方法と，延長後の残存対象年数による方法とがあります。

　一方，固定資産に関する支出が，現状維持や原状回復などを目的として行われた場合には，収益的支出（修繕費）として，その支出が行われた期の費用に計上されます。

【問題4】

《解答》　(4)

《解説》

　資産除去債務とは，有形固定資産の取得，建設，開発または通常の使用によって生じ，その有形固定資産の除去に関して法令または契約で要求される法律上の義務およびそれに準ずるものをいいます。

　資産除去債務は，有形固定資産の取得，建設，開発または通常の使用によって発生した時に負債として計上し，貸借対照表上，貸借対照表日以後1年以内にその履行が見込まれる場合を除き，固定負債の区分に資産除去債務等の適切な科目名で表示します。

　資産除去債務の額は，それが発生した時に，有形固定資産の除去に要する割引前の将来キャッシュ・フローを見積もり，割引後の金額（現在価値）で算定するため，有形固定資産の取得原価と同額を資産除去債務として計上するわけではありません。

なお，資産除去債務に対応する除去費用は，資産除去債務を負債として計上した時に，その負債の計上額と同額を，関連する有形固定資産の帳簿価額に加えます。


## 【問題5】

《解答》　17,600千円

《解説》

　本問のリース取引は，所有権移転ファイナンス・リース取引なので，リース資産導入時に，リース債権とリース債務の両建て処理（売買処理）を行い，リース資産は，自社所有の他の固定資産と同様に減価償却を行います。また，リース債務については，利息法によりリース債務にかかる利息を各期の費用として計上します。利息法とは，元利均等返済の住宅ローンと同様に，当初の利息負担が大きく，返済が進むにつれて少なくなっていく計算方法で，利息計上額は，直前のリース債務残高に利率（貸手の計算利子率）をかけて計算します。

　本問の場合，リース資産導入時の会計処理は次のようになります。

　（借）リース資産　　100,000千円　（貸）リース債務　　100,000千円

　本問で尋ねているのは第1回目のリース料支払時の支払債務元本金額なので，リース料総額から利息相当額を控除して求めます。

　支払利息は，直前のリース債務残高100,000千円×6.4％＝6,400千円と計算されるので，リース債務支払額は次のようになります。

　　リース料総額24,000千円－利息相当額6,400千円＝17,600千円

　第1回目のリース料支払時の会計処理は次のとおりです。

　（借）リース債務　　17,600千円　（貸）現金預金　　24,000千円
　　　　支払利息　　　 6,400千円


## 【問題6】

《解答》　165百万円

《解説》

　無形固定資産とは，有形固定資産のような具体的な物理的形態を持たないが，企業に対して長期にわたって収益をもたらす資産をいい，次の種類に分類されます。

　①　経済上の権利…のれん

　②　法律上の権利…特許権，借地権，商標権，実用新案権，鉱業権，漁業権等

　③　有形物の専用権…専用側線利用権，電気ガス供給施設利用権，電話加入権等

　④　ソフトウェア

　本問では，ソフトウェア，のれん，特許権が無形固定資産に属し，その金額は次のようになります。

65百万円＋82百万円＋18百万円＝165百万円

なお，ゴルフ会員権，長期前払費用，破産債権は，いずれも投資その他の資産に属します。

# 第8章　減損会計（121ページ）

【問題1】

《解答》　イ　割引前将来キャッシュ・フロー

　　　　　ロ　帳簿価額

　　　　　ハ　回収可能価額

《解説》

　減損会計では，まず，資産または資産グループに減損の兆候がある場合に，減損損失を認識するか否かの判定を行います。そして，減損損失を認識することとなった場合には，帳簿価額を回収可能価額まで減額します。この場合のその資産または資産グループの帳簿価額の減少額は，減損損失として特別損失に表示されます。

　減損の兆候がある資産または資産グループについて減損損失を認識するか否かの判定は，資産または資産グループから得られる割引前将来キャッシュ・フローの総額と帳簿価額を比較することにより行い，資産または資産グループから得られる割引前将来キャッシュ・フローの総額が帳簿価額を下回る場合には，減損損失を認識します。

　減損損失を認識すべきであると判定された資産または資産グループについては，帳簿価額を回収可能価額まで減額し，その減少額を減損損失として特別損失に計上します。

【問題2】

《解答》　(3)

《解説》

　固定資産の減損は，資産の収益性の低下により帳簿価額の回収が見込めなくなった状態をいいます。したがって，資産の市場価格が低下したとしても，その収益性が低下していなければ，減損損失を認識する必要はありません。

　減損損失を認識するかどうかの判定は，まず，固定資産のうち減損の兆候が生じている資産に関して行われます。その資産に関して，さらに帳簿価額と割引前将来キャッシュ・フローの総額を比較し，前者が後者を上回っている場合には，減損処理の対象となります。ただし，減損損失金額は，帳簿価額と回収可能価額との差額として計算されます。回収可能価額は，正味売却価額と割引後の将来キャッシュ・フローの総額のうち，いずれか大きいほうを指しますので，帳簿価額が正味売却価額を上回っていても，割引後の将来キャッシュ・フローを下回っていれば，減損損失を認識する必要はありま

せん。現在の日本基準においては，減損処理の対象となった固定資産の収益性が回復しても，減損損失の戻入れは行われません。

# 第9章　繰延資産（127ページ）

## 【問題1】

《解答》　(4)

《解説》

　繰延資産とは，将来の期間に影響する特定の費用を，その効果が及ぶ数期間に合理的に配分するため，経過的に貸借対照表の資産の部に計上したものです。

　本問は，「繰延資産の会計処理に関する当面の取扱い」に定められている各繰延資産の内容に関する問題ですが，(4)の社債発行費等の説明以外は正しい記述です。

　社債発行費等とは，社債募集のための広告費，金融機関の取扱手数料，証券会社の取扱手数料，目論見書・社債券等の印刷費，社債の当期の登録免許税その他社債発行のため直接要した費用をいいます。問題にある社債を発行した際における額面金額と払込金額の差額は「社債発行差金」といい，会社法が施行されるまでは繰延資産として処理されていましたが，現在，社債は実際の払込金額で計上されることになったため，繰延資産に計上されることはなくなりました。

## 【問題2】

《解答》　(5)

《解説》

　繰延資産の償却期間は，「繰延資産の会計処理に関する当面の取扱い」において定められていますが，本問の(1)～(4)は，正しい償却期間です。ただし，(1)の社債発行費等については，社債発行費の場合は社債の償還までの期間，新株予約権の発行にかかる費用のうち，資金調達などの財務活動に関するものは3年以内のその効果が及ぶ期間にわたって償却します。

　(5)の株式交付費については，株式交付の時から3年以内に定額法により償却しなければならないことになっています。株式交付費の償却期間が他の繰延資産に比べて短くなっているのは，株式交付（通常は増資）の機会が通常は頻繁にあり，早期償却を行わないと収益と費用が適正に対応しないと判断されたからだと思われます。

# 第10章　負債の内容（132ページ）

【問題1】

《解答》　200百万円

《解説》

　　未払費用30＋前受金10＋買掛金60＋1年以内返済予定長期借入金100＝200百万円

　　仮払金は流動資産，退職給付引当金は固定負債に該当します。退職給付引当金については，次章で説明します。

【問題2】

《解答》　28,500百万円

《解説》

（単位：百万円）

| 科　目 | 流動負債 | 固定負債 | 合計 |
|---|---|---|---|
| 買掛金 | 3,000 | 0 | 3,000 |
| 長期借入金 | 4,000 | 16,000 | 20,000 |
| 備品購入未払金 | 1,000 | 1,500 | 2,500 |
| 役員退職慰労引当金 | 0 | 5,000 | 5,000 |
| 社債 | 6,000 | 6,000 | 12,000 |
| 合計 | 14,000 | 28,500 | 42,500 |

　　買掛金は，営業上の取引によって生じた債務なので，正常営業循環基準によって流動・固定分類が行われ，正常なものであれば全額が流動負債に分類されます。

　　その他の負債については，営業外取引によって生じた債務なので，1年基準によって分類されます。役員退職慰労引当金については，厳密にいえば今後1年以内に退職する役員の分も含まれているのかもしれませんが，通常そのほとんどが1年を超えた後に支払われますので，固定負債に分類されます。

# 第11章　引当金（139ページ）

【問題1】

《解答》　(3)

《解説》

　　(3)の偶発事象とは，貸借対照表日後に，次期以降の財政状態および経営成績に影響を及ぼす可能性のある事象のことを指します。たとえば，企業が訴訟を受けていて損害賠償の可能性がある場合や取引先の債務を保証していてその債務を負担する可能性がある

場合などが該当します。

　偶発事象にかかる費用または損失であっても，その発生の可能性が低いものについては，引当金を計上することができません（会計原則注解18）。

【問題2】

《解答》　(2)

《解説》

　創立100周年記念事業のために要する費用の発生原因は，当期以前の事象に起因していると判断できないため，引当金を設定することはできません。

【問題3】

《解答》　400千円

《解説》

　退職給付引当金は，退職給付債務（退職時に見込まれる退職給付の総額のうち，期末までに発生していると認められる額を，割引率等によって現在価値に置き直したもの）から年金資産（企業年金制度を採用している企業が退職給付に充当するために外部の基金等に積み立てている資産）を控除して求められます。

　退職給付債務は，当期における勤務の対価として当期に発生した退職給付見込額としての勤務費用と，割引計算により算定される期首の退職給付債務について，期末時点までに時の経過により発生する計算上の利息である利息費用に分類することができます。

　さらに，期首の年金資産は，積み立てている外部の基金等が運用しているため，期末には運用収益の分が増加します。この期首の年金資産に合理的に予測された収益率を乗じて計算したものを，期待運用収益といいます。

　退職給付費用は，次の算式によって求められます。

　　退職給付費用＝勤務費用＋利息費用－期待運用収益

　したがって，本問の退職給付費用は次のように計算されます。

　　退職給付費用＝800千円＋150千円－550千円＝400千円

　なお，本来は退職給付引当金の額および退職給付費用の額の計算にあたって，過去勤務債務，数理上の計算差異，会計基準変更時差異の調整が必要なのですが，それらは無視しています。

# 第12章　純資産（151ページ）

【問題1】

《解答》　74,000百万円

《解説》

　　純資産の内訳は次のとおりです（単位：百万円）。

| | | |
|---|---|---|
| ① | 資本金 | 50,000 |
| ② | 繰越利益剰余金 | 12,000 |
| | 株主資本合計 | 62,000 |
| ③ | その他有価証券評価差額金 | 4,000 |
| ④ | 繰延ヘッジ利益 | 6,000 |
| | 評価・換算差額合計 | 10,000 |
| ⑤ | 新株予約権 | 2,000 |
| | 純資産合計 | 74,000 |

## 【問題２】

《解答》　(1)

《解説》

　　資本金は，株主から株式の対価として払い込まれた額であり，会社設立の際における株式の払込金額は，原則として資本金に計上しなければなりません。しかし，払込金額の２分の１を超えない額は，資本金として計上しないことができます（会445）。資本金として計上されなかった額は，資本準備金（株式払込剰余金）として表示されます。これは，たとえば欠損補填の場合，資本金と資本準備金では取り崩す手続が異なり，資本準備金の方が簡便なことによります（注）。要するに，会社法は，欠損補填の場合等の簡便な対応を認めているのです。

(注)　資本金を減少させる場合には，原則として株主総会の特別決議が必要になります。ただし，減資が欠損金の範囲内で行われる場合には，普通決議でよいことになります。資本準備金を減少させる場合は，特別決議は不要です。

## 【問題３】

《解答》　(5)

《解説》

(1)　たとえば，資本金および資本準備金の減少によって生じる剰余金は，その元は株主からの払込資本ですが，その他資本剰余金に計上されますので，株主からの払込資本は，資本金または資本準備金のみに計上されるわけではありません。

(2)　企業会計原則・一般原則には，「資本取引と損益取引とを明瞭に区別し，特に資本剰余金と利益剰余金とを混同してはならない」という規定があります（資本取引・損益取引区分の原則）。しかし，利益剰余金の残高がマイナスのときにその他資本剰余金で補填することや，逆に，その他資本剰余金の残高がマイナスのときに利益剰余金で補填す

ることは，この原則違反にはならないと考えられています。

(3) 会社計算規則（49①２号・50②２号）では，剰余金を減少させて資本準備金を増加させる場合は，その他資本剰余金に限るものとされています。これは，前述の資本取引・損益取引区分の原則の適用です。

(4) 現在の会計基準および会社計算規則においては，いずれも，自己株式については株主資本から控除する方法が採用されています。

【問題４】

《解答》(借) 繰越利益剰余金　　42,400千円　(貸) 未 払 配 当 金　50,000千円
　　　　　　その他資本剰余金　　10,600千円　　　　利 益 準 備 金　　2,400千円
　　　　　　　　　　　　　　　　　　　　　　　　　資 本 準 備 金　　　600千円

《解説》

① 剰余金配当時の利益準備金および資本準備金の積立は，その原資の割合（本問では80%：20%）によって行います。

② 本問の場合，配当金50百万円の10%にあたる５百万円を積み立てると，利益準備金（147百万円＋５百万円×80%＝151百万円）と資本準備金（600百万円＋５百万円×20%＝601百万円）の合計額（752百万円）が資本金の４分の１（3,000百万円×1/4＝750百万円）を超えてしまいますので，積立ができる金額は３百万円（＝750百万円－147百万円－600百万円）となります。

# 第13章　費用・収益の計上基準（163ページ）

【問題１】

《解答》(2)

《解説》

(1) 確かに現金基準の場合には，現金収支という客観的事実にもとづいて損益を認識するので計算は簡単ですが，掛取引を想定すると，商品の引渡しが完了し，顧客にその所有権が移転しても，収益が計上できないことになってしまいます。また，故意に入金時期をずらすことによって，利益操作も可能になります。

したがって，原則として現金基準による収益の計上は認められていません。

(2) 収益は収入によって，費用は支出によって測定されます。たとえば，先月前払いした電気代が1,000円，当月に支払った当月分の電気代が1,000円，当月末に未払いになっている電気代が1,000円と仮定すると，電気代（水道光熱費）という費用は合わせて3,000円（＝1,000円＋1,000円＋1,000円）となり，これは最終的に支出される電気代に一致します。しかし，この3,000円の電気代をいつの費用に計上するかという認識

基準は「現金基準」と「発生基準」があり，その計上額（期間帰属額）は異なります。

(3) **予約販売**において予約金を受け取ったとしても，それは単に預かっているにすぎません。したがって，販売基準の適用要件である「財貨またはサービスの引渡し」という要件を満たしていないことはもちろん，「貨幣性資産の受領」という要件も満たしていません。予約販売の場合には，顧客に商品を引き渡した時点でこれらの要件が満たされるため，収益が計上されます。

(4) 収益の計上は，発生基準ではなく，原則として実現基準（販売基準）によるべきなのですが，その根拠は，発生基準によると次の問題点が生じるからです。

    ① 客観的証拠がない。

    ② 収益を裏付ける貨幣性資産がない。

通常，収益が計上されれば利益も計上され，それに伴って納税や配当金の支払が必要になります。しかし，商品やサービスが引き渡されていない時点で収益を計上すると，そのもとになる貨幣性資産の裏付けがなく，配当金や税金を払うことができません。だから，実現基準による収益計上が原則なのです。

しかし，たとえば建設業の場合には，これらの制約要件がクリアされます。

まず，通常，工事を請け負う前に工事請負契約書を取り交わしますので，収益を裏付ける客観的証拠は存在します。また，通常，工事の進捗に応じて工事代金の授受が行われますので，貨幣性資産の裏付けも存在します。したがって，建設業者が行う長期請負工事には，工事進行基準が認められているのです。

上記のような条件が整えば，建設業者でなくても，工事進行基準の適用は認められます。たとえば，長期にわたるコンピュータ・システム開発を受託した会社においても，工事進行基準に準じた処理が認められます。

(5) 前述のように，実現基準による収益計上の要件は次の2つです。

    ① 財貨またはサービスの引渡し

    ② 貨幣性資産の受領

このように，貨幣性資産の受領が要件になっているのは，発生基準によって収益を計上すると，利益が計上され，納税や配当の必要が生じる恐れがあるからです。したがって，いくら活発な市場があってその時価が客観的に把握できたとしても，貨幣性資産を受領する前の段階で収益を計上することは認められません。

【問題2】

《解答》 2,668百万円

《解説》

(1) 第1期の工事収益

    ① 見積工事原価合計額：$702 + 1,950 + 1,248 = 3,900$百万円

② 第1期工事進捗率：780／3,900＝20%

③ 第1期工事収益：5,800×20%＝1,160百万円

(2) 第2期の工事収益

① 累計進捗率：(780＋1,794)／3,900＝66%

② 累計工事収益：5,800×66%＝3,828百万円

③ 第2期工事収益：3,828－1,160＝2,668百万円

# 第14章　製造原価（171ページ）

## 【問題1】

《解答》　16,250百万円

《解説》

　本問の製造原価報告書を作成すると，次のようになります。

**製造原価報告書**

（単位：百万円）

| | | | |
|---|---|---:|---:|
| Ⅰ | 材　料　費 | | |
| | 期首材料棚卸高 | 500 | |
| | 当期材料仕入高 | 5,200 | |
| | 材料仕入戻し高 | △150 | |
| | 計 | 5,550 | |
| | 期末材料棚卸高 | 600 | 4,950 |
| Ⅱ | 労　務　費 | | 4,300 |
| Ⅲ | 製　造　経　費 | | 6,800 |
| | 当期総製造費用 | | 16,050 |
| | 期首仕掛品棚卸高 | | 3,500 |
| | 計 | | 19,550 |
| | 期末仕掛品棚卸高 | | 3,300 |
| | 当期製品製造原価 | | 16,250 |

## 【問題2】

《解答》　16,020百万円

《解説》

　売上原価＝当期製品製造原価＋期首製品棚卸高－期末製品棚卸高

　　　　　＝16,250百万円＋2,350百万円－2,580百万円

　　　　　＝16,020百万円

【問題3】

《解答》　A社

《解説》

　　トヨタ自動車が主に生産しているのは，もちろん自動車です。最近は電気自動車や燃料電池車など新しい付加価値をもった製品の開発も進んでいますが，基本的には自動車産業は成熟産業といえるでしょう。乱暴な言い方をすれば，今まで培ってきた製造方法とノウハウのもと，鉄板に加工を加えて自動車が完成するシステムがすっかりできあがっているため，相対的には自動車そのものの付加価値はあまり高くないと考えられます。したがって，材料費の割合はきわめて高くなっています。

　　一方，東レは，炭素繊維をはじめさまざまな最先端の素材の開発が進んでおり，もはやかつての繊維会社という業態からは完全に脱却しています。炭素繊維は，繊維を原料にこれを高温で炭化して作った繊維で，自動車・航空機などさまざまな用途に利用されることが期待される希望の繊維です。炭素繊維を生産するためには複雑な工程が必要で，製造原価に占める加工費の割合が高くなっています。その結果，相対的に材料費の割合は低くなります。このように，付加価値の高い製品を生産している企業においては，製造原価に占める材料費の割合は低くなるのが一般的です。

# 第15章　外貨換算（176ページ）

【問題1】

《解答》　為替差益5,000円

《解説》

　　　売掛金の為替差損益＝（@125円－@108円）× 5,000ドル＝85,000円（為替差損）
　　　借入金の為替差損益＝（@120円－@111円）×10,000ドル＝90,000円（為替差益）
　　　損益計算書に計上される為替差損益＝90,000円－85,000円＝ 5,000円（為替差益）
　　　損益計算書には，原則として為替差益と為替差損を相殺して計上します。

【問題2】

(1)　○　表示が円で行われていても，実質的にその取引に関わる為替差損益を負担することになっている場合には，外貨建取引として取り扱うものとしています。このようなケースを「**メーカーズ・リスク**」といいます。

(2)　×　前渡金は，商品や固定資産等の受取りによって決済される資産であり，外貨建金銭債権には該当せず，発生時の為替相場で円換算されます。

(3)　×　決済差損益と換算差損益は確かにその性質は異なりますが，為替相場の変動の影響による損益という意味では同じなので，両者を区別せず差損益を相殺して純額で

記載します。

(4) × 金融商品取引所に上場していて時価が付いている株式であっても，子会社株式または関連会社株式の場合には，取得時の為替相場による円換算額を付します。

(5) × 在外子会社の財務諸表項目を換算するにあたって生じた換算差額は，純資産の部に為替換算調整勘定として計上されます。

# 第16章　税効果会計（189ページ）

## 【問題1】

《解答》　(5)

《解説》

　　税効果会計の対象となるのは，将来減算一時差異または将来加算一時差異です。これらは，当期の期間損益計算において，税引前当期純利益と法人税等を合理的に対応させるために繰延税金資産または繰延税金負債に計上されます。したがって，貸倒引当金繰入限度超過額のように将来において加算が行われる場合には適用対象になりますが，将来において加減算が行われない差異（永久差異）は税効果会計の対象にはなりません。交際費の損金不算入額や受取配当金の益金不算入額は永久差異のため，税効果会計の対象外となります。

　　なお，同一納税主体の繰延税金資産と繰延税金負債は，双方を相殺して貸借対照表の固定資産または固定負債の部に記載します。

## 【問題2】

《解答》　(1) ×　(2) ○　(3) ○　(4) ○

《解説》

(1) 交際費等の損金不算入額は将来において課税所得を減算する効果を持たないので永久差異となり，税効果会計の対象にはなりません。

(2) 法人税法上のその他有価証券の評価基準は原価基準のため，税効果適用前のその他有価証券評価差額金（プラスの金額を仮定します）は，将来その有価証券を現在の時価で売却したときの有価証券売却益に相当します。有価証券売却益が計上されれば，当然その金額に対する課税が行われますので，将来は納税が必要になります。税効果会計においては，その未払税金を有価証券評価差額が生じた年度で負債（繰延税金負債）に計上し，その分その他有価証券評価差額金を減額する処理を採っています。したがって，その他有価証券評価差額金は一時差異に該当します。

(3) 税務上の繰越欠損金は一時差異には該当しませんが，将来課税所得が計上された段階で法人税額を減少させる可能性があるので，将来減算一時差異に準じて取り扱われます。

(4) 繰延税金資産は，将来課税所得が生じてそれから差異相当額が減算されることが前提になるので，将来課税所得が十分生じない場合等には，回収可能性がないと判断されることもあります。したがって，その回収可能性は，毎期見直すことが必要になります。

# 第17章　連結会計（207ページ）

【問題1】

《解答》　100百万円

《解説》

　　　　親会社の利益率＝25／(100＋25)＝20％

　　　　未実現利益＝500百万円×20％＝100百万円

　　未実現利益とは，連結会社相互間の取引によって取得した棚卸資産などに含まれる利益です。未実現利益は，連結グループ外に売却等されるまでは利益として実現していないので，連結財務諸表の作成にあたっては，その全額を消去しなければなりません。

　　棚卸資産の場合，買手が所有している期末棚卸高に含まれる未実現利益を消去しますが，その際の連結修正仕訳は次のようになります。

　　　（借）仕入（売上原価）　××　　　（貸）繰越商品（商品）　××

　　これは，簿記における三分法の期末商品棚卸高に関する仕訳「（借）繰越商品　××（貸）仕入　××」の逆仕訳です。


【問題2】

《解答》　(2)

《解説》

(1) 連結財務諸表作成手続は，親会社および子会社の個別財務諸表を単純に合算することから始まります。

(2) 非支配株主持分は，連結貸借対照表の純資産の部に記載されますが，株主資本から独立した「非支配株主持分」の区分に記載されます。

(3) 連結原則第三では，子会社のうち，①支配が一時的であると認められる会社および②それ以外の会社であって連結することにより利害関係者の判断を著しく誤らせるおそれのある会社については，連結の範囲に含めないものとすると規定しています。本問の会社は，このうちの②に該当すると判断されます。

(4) 親子会社の決算日が異なっている場合には，原則として子会社に連結決算日において仮決算を行ってもらう必要があります。ただし，親子会社間の決算日の差異が3か月以内であれば，そのまま連結することもできます（会計記録の重要な不一致については整理が必要になります）。

(5) のれんは，親会社における子会社株式の取得価額とそれに対応する子会社の純資産合計額の差額で，連結財務諸表作成過程において投資消去差額として認識されます。のれんが借方（プラス）になる場合には，連結貸借対照表の無形固定資産に計上し，20年以内のその効果の及ぶ期間にわたって定額法その他合理的な方法によって償却を行います。このときの償却費は，販売費及び一般管理費に計上します。のれんがマイナスになる場合には，負ののれん発生益として連結損益計算書の特別利益に表示します。

## 【問題3】

《解答》

(1) 連結修正仕訳

（単位：百万円）

| # | 借方科目 | 金額 | 貸方科目 | 金額 |
|---|---|---|---|---|
| ① | 資 本 金<br>利 益 剰 余 金 | 1,000<br>100 | S 社 株 式<br>非支配株主持分 | 770<br>330 |
| ② | 利 益 剰 余 金* | 30 | 非支配株主持分 | 30 |
| ③ | 支 払 手 形 | 120 | 短 期 借 入 金 | 120 |
| ④ | 買 掛 金 | 360 | 売 掛 金 | 360 |
| ⑤ | 利 益 剰 余 金<br>（ 売 上 原 価 ） | 40 | 棚 卸 資 産 | 40 |

＊非支配株主に帰属する当期純利益

(2) 連結貸借対照表

### 連結貸借対照表
（X1年3月31日現在） （単位：百万円）

| 資　　産 | | 負債・純資産 | |
|---|---|---|---|
| 現 金 預 金 | 1,130 | 支 払 手 形 | 100 |
| 売 掛 金 | 1,940 | 買 掛 金 | 1,120 |
| 棚 卸 資 産 | 560 | 短 期 借 入 金 | 880 |
| 建 物 | 1,160 | 資 本 金 | 2,000 |
| | | 利 益 剰 余 金 | 330 |
| | | 非支配株主持分 | 360 |
| 合 計 | 4,790 | 合 計 | 4,790 |

《解説》

① 投資と資本の相殺消去

S社株式取得時のS社の純資産＝資本金1,000百万円＋利益剰余金100百万円

＝1,100百万円

非支配株主持分＝1,100百万円×30％＝330百万円
② 非支配株主に帰属する当期純利益の振替
非支配株主に帰属する当期純利益＝100百万円×30％＝30百万円
③ 負債の科目振替

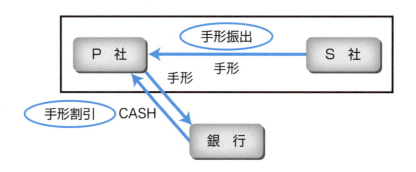

上図のように，Ｐ社とＳ社を１つの会社と見れば，手形の割引は，Ｐ社が手形を担保に銀行から短期借入を行ったと見ることができます。
④ 債権・債務の相殺消去
⑤ 未実現利益の消去
未実現利益＝240百万円×20／(100＋20)＝40百万円

連結精算表

(単位：百万円)

| 科　　目 | Ｐ　社 | Ｓ　社 | 合　計 | 連結修正仕訳 借方 | 連結修正仕訳 貸方 | 連結ＢＳ |
|---|---|---|---|---|---|---|
| 現　金　預　金 | 630 | 500 | 1,130 |  |  | 1,130 |
| 売　　掛　　金 | 1,300 | 1,000 | 2,300 |  | ④　360 | 1,940 |
| 棚　卸　資　産 | 360 | 240 | 600 |  | ⑤　40 | 560 |
| 建　　　　　物 | 900 | 260 | 1,160 |  |  | 1,160 |
| Ｓ　社　株　式 | 770 | 0 | 770 |  | ①　770 | 0 |
| 支　払　手　形 | 100 | 120 | 220 | ③　120 |  | 100 |
| 買　　掛　　金 | 1,000 | 480 | 1,480 | ④　360 |  | 1,120 |
| 短　期　借　入　金 | 560 | 200 | 760 |  | ③　120 | 880 |
| 資　　本　　金 | 2,000 | 1,000 | 3,000 | ①　1,000 |  | 2,000 |
| 利　益　剰　余　金 | 300 | 200 | 500 | ①　100 ②　30 ⑤　40 |  | 330 |
| 非支配株主持分 | 0 | 0 | 0 |  | ①　330 ②　30 | 360 |
| 合　　　計 |  |  |  | 1,650 | 1,650 |  |

# 第19章　資本利益率（232ページ）

【問題1】

《解答》　9.8%

《解説》

① 経常利益の計算

売上高2,500－売上原価1,950－販売管理費320＋営業外収益30－営業外費用55 ＝205百万円

② 総資本＝負債1,500＋純資産583＝2,083百万円

③ 総資本経常利益率

205／2,083≒9.8%

【問題2】

《解答》　8.6%

《解説》

① 純資産（自己資本）＝5,800－3,920＝1,880百万円

② 自己資本当期純利益率＝162／1,880＝8.6%

# 第20章　資本利益率の分解（245ページ）

【問題1】

《解答》　(2)

《解説》

| 比　率 | 前　期 | 当　期 | 収益性への影響 |
|---|---|---|---|
| 総資本経常利益率 | 9.1% | 10.3% | ⇧ |
| 売上高経常利益率 | 4.9% | 5.1% | ⇧ |
| 総資本回転率 | 1.9回 | 2.0回 | ⇧ |
| 自己資本経常利益率 | 45.0% | 48.3% | ⇧ |
| 売上高当期純利益率 | 2.2% | 1.9% | ⇩ |
| 自己資本比率 | 20.3% | 21.4% | ⇧ |

企業の総合的な収益性について判断するときの基準になるのは，総資本経常利益率であり，その分解結果である売上高経常利益率や総資本回転率の増減だけでは判断できません。本問の場合，上記のように総資本経常利益率は上昇していますから，G社の総合的な収益性は向上していると判断することができます。

(1)は，総資本経常利益率の分解結果を示しており，それぞれが上昇しているというこ

とは総資本経常利益率も上昇していますので，正しい記述です。

(2)の売上高当期純利益率は前ページのように下落していますが，これだけで企業の総合的な収益性に関する判断を下すことはできません。あくまでも総合的な収益性は総資本経常利益率で判断しますので，誤った記述です。

(3)は，総資本経常利益率で収益性の判定をしていますので，正しい記述です。

(4)は，総資本経常利益率＝自己資本経常利益率×自己資本比率となりますので，両方とも上昇していれば，総合的な収益性は向上していることになり，正しい記述です。

(5)の経常利益による各収益性比率とは，総資本経常利益率と売上高経常利益率を指しており，これらは上昇していますので，(5)は正しい記述です。


## 【問題2】

《解答》 (4)

《解説》

| 各利益率 | E 社 | F 社 | 優れている会社 |
|---|---|---|---|
| 売上高総利益率 | 15.0% | 16.0% | F社 |
| 売上高営業利益率 | 3.0% | 4.3% | F社 |
| 売上高経常利益率 | 2.0% | 1.8% | E社 |

上記のように，売上高総利益率，売上高営業利益率はF社の方が優れていますが，売上高経常利益率はE社の方が優れています。


## 【問題3】

《解答》 1.2月

《解説》

売上債権＝受取手形140＋割引手形100＋売掛金175＝415百万円

売上債権回転期間＝415／平均月商355＝1.169…→1.2月

売上債権回転期間を計算するときには，売上債権残高に割引手形や裏書譲渡手形を加算します。


## 【問題4】

《解答》 (2)

《解説》

(1) 商品返品率が上昇すれば商品残高（棚卸資産残高）が増加するので，棚卸資産回転期間は長期化します。

(2) 見込み生産の場合には，ある程度多めに原材料を仕入れ，販売見込み数量より生産数量も多くする必要がありますが，受注生産の場合には，余分な在庫を持つ必要がなくな

るので，棚卸資産回転期間は短期化します。
(3) 売上高が減少すれば，平均月商も減少するし，売残り在庫も発生するので，棚卸資産回転期間は長期化します。
(4) 販売計画以上の過剰仕入を行えば，当然在庫が増加するので，棚卸資産回転期間は長期化します。
(5) 製品製造期間が長期化すれば，仕掛品在庫が増加するので，棚卸資産回転期間は長期化します。

【問題5】
《解答》 31百万円
《解説》
　　当期経常運転資金＝45百万円×(2.0月＋1.5月－1.5月)＝ 90百万円…①
　　次期経常運転資金＝55百万円×(2.5月＋1.7月－2.0月)＝121百万円…②
　　増加運転資金所要額＝②－①＝121百万円－90百万円＝31百万円

# 第21章　損益分岐点分析（259ページ）

【問題1】
《解答》（1）
《解説》
(1) 損益分岐点比率は，損益分岐点売上高を現在の売上高で割って求めるので，分母が大きく，分子が小さいほど収益性がよいことになります。
(2) 損益分岐点比率＋経営安全率（安全余裕率）＝1なので，片方が低下するともう片方は上昇するという関係になります。
(3) 下記の損益分岐点図表を見るとわかりますが，変動費比率が上昇するということは，費用合計線の傾きが大きくなることなので，損益分岐点売上高は上昇します。
(4) 変動費比率が一定で固定費が増加すれば，損益分岐点は上昇します（下記損益分岐点図表参照）。

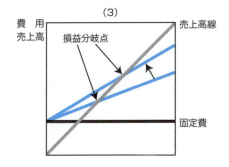
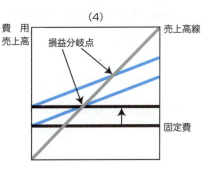

(5) これは損益分岐点売上高の定義です。

## 【問題２】

《解答》 2,750百万円

《解説》

本問の限界利益図表を描くと次のとおりです。

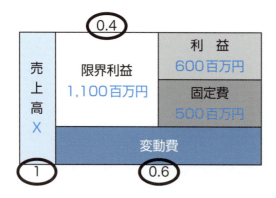

X：1,100百万円＝1：0.4

0.4 X＝1,100百万円

∴X＝1,100百万円／0.4＝2,750百万円

## 【問題３】

《解答＆解説》

(1)
　① 固定費の金額
　　売上原価700＋販管費400＋営業外費用300＝1,400百万円
　② 変動費の金額
　　売上原価（2,800－700）＋販管費（700－400）＝2,400百万円
　③ 限界利益率
　　1－2,400／4,000＝0.4　→　40％
　④ 損益分岐点売上高
　　1,400／0.4＝3,500百万円

(2)
　損益分岐点売上高＝3,500百万円
　次期売上高＝4,000＋500＝4,500百万円
　安全余裕率（経営安全率）＝(4,500－3,500)／4,500＝22.2％

# 第22章　利益増減分析（262ページ）

## 【問題1】

《解答》　1,277,860千円

《解説》

(1)　商品A

① 予想売上高：3,530百万円×70％＝2,471百万円

② 売上総利益：2,471百万円×38％＝938,980千円

(2)　商品B

① 予想売上高：3,530百万円×30％＝1,059百万円

② 売上総利益：1,059百万円×32％＝338,880千円

(3)　売上総利益合計

938,980千円＋338,880千円＝1,277,860千円


## 【問題2】

《解答》590,640千円

《解説》

前期の販売単価：P，販売数量：Q，仕入単価：Rとする。

(1)　当期の売上高

$1.1 P \times 0.92 Q = 1.012 \times P Q = 1.012 \times 1,500$百万円$= 1,518$百万円

(2)　当期の売上原価

① 前期の売上原価＝1,500百万円×(1－0.4)＝900百万円

② 当期の売上原価

$1.12 R \times 0.92 Q = 1.0304 \times R Q = 1.0304 \times 900$百万円$= 927,360$千円

(3)　当期の売上総利益

1,518百万円－927,360千円＝590,640千円


# 第23章　生産性分析（269ページ）

## 【問題1】

《解答》　(3)

《解説》

(1)・(2)　労働生産性は，付加価値額／平均従業員数で求められます。この式の間に「売上高」を挟むと，労働生産性は，売上高／平均従業員数（従業員1人当たり売上高）と付加価値額／売上高（付加価値率）の積として求められます。つまり，従業員1人当たり

売上高を高めるか，付加価値率を高めれば労働生産性は向上することを示していますので，(1)・(2)は正しい記述です。

(3) 労働生産性の式の間に「有形固定資産」を挟むと，労働生産性は，有形固定資産／平均従業員数（労働装備率）と付加価値額／有形固定資産（設備生産性）の積として求められます。つまり，労働装備率を高めるか，設備生産性を高めれば労働生産性は向上することを示していますので，(3)は誤った記述です。

(4) 「加工度が高い」という表現は，「付加価値が高い」と同様の意味なので，加工度の高いものを生産・販売すれば，当然付加価値額が上昇するため，労働生産性は向上します。

(5) (3)の式の展開で，設備生産性の式の間に「売上高」を挟むと，設備生産性は，付加価値額／売上高（付加価値率）と売上高／有形固定資産（有形固定資産回転率）の積として求められます。つまり，付加価値率を高めるか，有形固定資産回転率を高めれば設備生産性は向上することを示していますので，結果的に有形固定資産回転率を高めれば労働生産性は向上します。


【問題2】

《解答》 10,400千円

《解説》

　　労働生産性は，付加価値額／平均従業員数で求められます。本問では，平均従業員数は与えられていますが，付加価値額が示されていません。しかし，売上高と付加価値率が示されていますので，次の算式により付加価値額を求めることができます。

　　　付加価値額＝売上高×付加価値率＝1,200百万円×65％＝780百万円

　　したがって，労働生産性は次のように求められます。

　　　労働生産性＝780百万円／75名＝10,400千円


【問題3】

《解答》

(1)

　① 労働生産性＝136百万円／40人＝3,400千円

　② 付加価値率＝136百万円／300百万円＝45.3％

　③ 従業員1人当たり売上高＝300百万円／40人＝7,500千円

　④ 有形固定資産回転率＝300百万円／200百万円＝1.5回

　⑤ 労働装備率＝200百万円／40人＝5,000千円

(2)

| 指標名 | H社 | 同業水準 | 差異 |
|---|---|---|---|
| 労働生産性 | 3,400千円 | 5,000千円 | △1,600千円 |
| 付加価値率 | 45.3% | 45.5% | △0.2% |
| 従業員1人当たり売上高 | 7,500千円 | 11,000千円 | △3,500千円 |
| 有形固定資産回転率 | 1.5回 | 2.0回 | △0.5回 |
| 労働装備率 | 5,000千円 | 5,000千円 | － |

　上記のように，H社の労働生産性は，同業水準より1,600千円低くなっています。

　その原因は，付加価値率は同業水準よりやや低い程度であるものの，従業員1人当たり売上高が同業水準より3,500千円も低くなっていることにあります。従業員1人当たり売上高を有形固定資産回転率と労働装備率に分解してみると，労働装備率は同業水準と同じであるものの，有形固定資産回転率が同業水準より0.5回低くなっていることがわかります。

　したがって，H社の労働生産性が同業水準より低くなっている原因は，有形固定資産の利用度が低いことにあります。

# 第24章　静態的安全性分析（280ページ）

## 【問題1】

《解答》　(3)

《解説》

(1)　売上債権回転期間＝(72＋50)／90＝1.4月

(2)　棚卸資産回転期間＝25／90＝0.3月

(3)　当座比率＝(35＋72＋50)／(37＋48＋36)＝129.8%

(4)　流動比率＝(35＋72＋50＋25)／(37＋48＋36)＝150.4%

(5)　自己資本比率＝114／275＝41.5%

## 【問題2】

《解答》　(3)

《解説》

　固定比率および固定長期適合率は，いずれも長期資金の運用と調達のバランスから企業の長期的な安全性を測定する指標で，その数値が低いほど固定資産投資が安定的な資金で賄われていることを示しています。特に固定長期適合率は，100%以下が絶対的な目安とされています。

　固定比率は，固定資産／自己資本で，固定長期適合率は，固定資産／（固定負債＋自

己資本）で算出されますが，いずれも企業が増資を行った場合には，分母の自己資本が増加しますので，低くなり，安全性は改善されます。

【問題３】

《解答》

(1) 安全性諸指標の算出

| 指標名 | 前　　期 | | 当　　期 | |
|---|---|---|---|---|
| 流動比率(%) | $\dfrac{1,200+4,800+2,600}{4,600+2,400}=122.9$ | | $\dfrac{1,400+4,910+2,700}{4,650+2,300}=129.6$ | |
| 固 定 長 期<br>適 合 率(%) | $\dfrac{7,500+500}{6,500+1,500+1,600}=83.3$ | | $\dfrac{8,300+490}{6,400+2,500+1,950}=81.0$ | |
| 自 己 資 本<br>比 率 (%) | $\dfrac{1,500+1,600}{16,600}=18.7$ | | $\dfrac{2,500+1,950}{17,800}=25.0$ | |
| インタレスト・<br>カバレッジ・<br>レシオ（倍） | $\dfrac{700+18}{267}=2.7$ | | $\dfrac{760+21}{261}=3.0$ | |

(2) 流動比率は，前期122.9%から当期129.6%と6.7ポイント向上しており，短期的な安全性は，良化している。

固定長期適合率は，前期83.3%から当期81.0%へと2.3ポイント向上し，また，100%を下回っているので，固定資産投資を長期資金で賄えており，安定した状況にある。

自己資本比率も，前期18.7%から当期25.0%へと6.3ポイント向上しているが，増資が主因である。

さらに，インタレスト・カバレッジ・レシオも，前期2.7倍から当期3.0倍へと0.3ポイント上昇しており，金利負担能力も向上している。

総じて，Ｆ社は，売上を伸ばしながら，増資を実施し，その増加資金内で設備投資を賄ったものと推測される。Ｆ社の安全性は，短期的にも長期的にも向上している。

# 第25章 キャッシュ・フロー分析はなぜ必要か (291ページ)

## 【問題1】

《解答》 (4)

《解説》

　資金繰り表は，一定期間における現金収支の動きを，収入・支出の種類ごとに分類整理して計上し，現金過不足の調整や繰越金の状況が把握できるようにまとめられた表であり，企業が内部資料にもとづいて現金収支を管理・分析するために資金収支の予定と実績を1か月単位で作成するのが一般的です。このように，資金繰り表は，現金の収支のみを対象としているので，実際の現金の動きが生じないものはその対象とはならず，支払手形の振出は資金繰り表の支出にはなりません。

　(1)の資金の運用・調達に関する全体的な財務構造を把握することができるのは，資金運用表です。

　(2)の比較貸借対照表とその期間の損益計算書から作成されるのは，資金移動表です。

　(3)の当期純利益に非資金項目を加減して作成されるのは，間接法によるキャッシュ・フロー計算書の「営業活動によるキャッシュ・フロー」です。

## 【問題2】

《解答》 次の中から3つ

① 棚卸資産の存在（棚卸資産は，販売されるまで費用（売上原価）に計上されない）

② 固定資産の取得（固定資産は，減価償却手続を通じて費用化される）

③ 掛取引・手形取引の存在（売上・仕入の計上と売掛金・買掛金の決済のずれ）

④ 納税スケジュールの影響（法人税等は，原則として未払計上した後に支払われる）

⑤ 人件費・経費等の未払計上（通常は，いったん未払計上した後に支払われる）

⑥ 費用の引当計上（賞与，退職給付などは，原則として引当計上される）

⑦ 収益・費用の前払，前受，未収，未払（経過勘定項目）

　→ 要するに，発生主義（実現主義）と現金主義の違いによって損益と収支がずれる。

【問題3】

資金繰り予定表

（単位：千円）

| | 摘　　要 | 1月 | 2月 | 3月 | 4月 | 5月 | 6月 | 合計 |
|---|---|---|---|---|---|---|---|---|
| 前 | 月　繰　越　① | 4,196 | 4,072 | 4,079 | 4,136 | 3,365 | 3,595 | 4,196 |
| 収 | 保 険 手 数 料 | 1,569 | 1,700 | 1,800 | 2,000 | 2,100 | 2,300 | 11,469 |
| | 受 取 利 息 | 0 | 0 | 0 | 0 | 0 | 50 | 50 |
| 入 | 貸 付 金 回 収 | 0 | 0 | 0 | 0 | 0 | 1,000 | 1,000 |
| | 収入合計② | 1,569 | 1,700 | 1,800 | 2,000 | 2,100 | 3,350 | 12,519 |
| 支 | 人 件 費 支 払 額 | 1,150 | 1,150 | 1,150 | 1,150 | 1,150 | 1,500 | 7,250 |
| | その他経費支払額 | 450 | 450 | 500 | 500 | 600 | 650 | 3,150 |
| 出 | 支 払 利 息 | 6 | 6 | 6 | 9 | 8 | 8 | 43 |
| | 設 備 投 資 | 0 | 0 | 0 | 2,500 | 0 | 0 | 2,500 |
| | 支出合計③ | 1,606 | 1,606 | 1,656 | 4,159 | 1,758 | 2,158 | 12,943 |
| 差引過不足(①+②-③) | | 4,159 | 4,166 | 4,223 | 1,977 | 3,707 | 4,787 | 3,772 |
| 財 | 短期借入金借入 | 0 | 0 | 0 | 0 | 0 | 0 | 0 |
| 務 | 長期借入金借入 | 0 | 0 | 0 | 1,500 | 0 | 0 | 1,500 |
| 収 | 短期借入金返済 | 0 | 0 | 0 | 0 | 0 | 0 | 0 |
| 支 | 長期借入金返済 | 87 | 87 | 87 | 112 | 112 | 112 | 597 |
| 次 | 月　繰　越 | 4,072 | 4,079 | 4,136 | 3,365 | 3,595 | 4,675 | 4,675 |

# 第26章　資金繰り表（304ページ）

【問題1】

《解答》　173百万円

《解説》

　　売掛金は売上高の計上によって増加し，回収されれば減少します。回収額は現金回収（売掛金回収）と手形回収に分かれますので，10月末の売掛金残高は次のように求められます。

売　掛　金

| 8月末　180 | 売掛金回収 ⑨121＋⑩117 |
|---|---|
| | 手形回収 ⑨53＋⑩51 |
| 9月売上　170 10月売上　165 | **10月末　×** |

X＝180＋170＋165－（121＋117＋53＋51）＝173百万円

【問題2】

《解答》 (4)

《解説》

(1) 売掛金の手形回収割合を示すと、次のようになります（単位：百万円）。

| 摘　　要 | 12月 | 1月 |
|---|---|---|
| 現　金　回　収　額 | 160 | 162 |
| 手　形　回　収　額　① | 112 | 114 |
| 合計② | 272 | 276 |
| 手形回収割合①／② | 41.2% | 41.3% |

これはほぼ同じ割合と考えてよいと思います。

(2) 買掛金の手形支払割合を示すと、次のようになります（単位：百万円）。

| 摘　　要 | 12月 | 1月 |
|---|---|---|
| 現　金　支　払　額 | 143 | 130 |
| 手　形　支　払　額　① | 85 | 78 |
| 合計② | 228 | 208 |
| 手形支払割合①／② | 37.3% | 37.5% |

これもほぼ同じ割合と考えられます。

(3) 支払手形は手形振出により増加し、手形決済により減少しますから、12月、1月の増減額は次のように求められます。

　　　12月：85－76＝　9百万円

　　　1月：78－73＝　5百万円

　　　　　　　合計　14百万円（増加）

(4) 手持受取手形とは、企業の手許にある手形を指します。手持受取手形は手形回収によって増加し、手形取立および手形割引によって減少しますから、1月の動きは次のように計算されます。

　　　1月の増加（手形回収）：　　　　114百万円

　　　1月の減少：

　　　手形取立　　　　　83

　　　手形割引　　　　　50　　133百万円

　　　手持受取手形増減額　　　　△19百万円（減少）

　このように、手持受取手形は19百万円減少しているので、(4)の記述は誤りです。

(5) 割引手形は、手形割引により増加し、割引落込によって減少しますから、12月・1月の増減額は次のように求められます。

415

練習問題　解答・解説

12月：手形割引48－割引落込42＝　6百万円

1　月：手形割引50－割引落込43＝　<u>7百万円</u>

　　　　　　　　　　　合計　　<u>13百万円</u>（増加）


## 【問題3】

《解答＆解説》

(1)　①売掛金：460百万円　②割引手形：321百万円　③買掛金：410百万円

　　④支払手形：228百万円

　各勘定の記入を示します（単位：百万円）。

### 売　掛　金

| 10月末　440 | 売掛金回収<br>⑪176＋⑫154<br>手形回収<br>⑪264＋⑫286 |
|---|---|
| 11月売上　440<br>12月売上　460 | **12月末　460** |

### 割引手形

| 割引落込<br>11月　244<br>12月　268 | 10月末　420 |
|---|---|
| **12月末　321** | 手形割引<br>11月　195<br>12月　218 |

### 買　掛　金

| 買掛金支払<br>⑪132＋⑫144<br>手形振出<br>⑪198＋⑫216 | 10月末　330 |
|---|---|
| **12月末　410** | 仕入高<br>11月　360<br>12月　410 |

### 支払手形

| 手形決済<br>11月　280<br>12月　290 | 10月末　384 |
|---|---|
| **12月末　228** | 手形振出<br>11月　198<br>12月　216 |

(2)

①　回収・支払状況の変化

〈売掛金回収状況〉　　　　　　　　　　　　　　　　　（単位：百万円）

| 項　　目 | 11月 | | 12月 | |
|---|---|---|---|---|
| | 金額 | 割合 | 金額 | 割合 |
| 現　金　回　収 | 176 | 40% | 154 | 35% |
| 手　形　回　収 | 264 | 60% | 286 | 65% |
| 合　計 | 440 | 100% | 440 | 100% |

〈買掛金支払状況〉 (単位：百万円)

| 項　目 | 11月 | | 12月 | |
|---|---|---|---|---|
| | 金額 | 割合 | 金額 | 割合 |
| 現　金　支　払 | 132 | 40% | 144 | 40% |
| 手　形　支　払 | 198 | 60% | 216 | 60% |
| 合計 | 330 | 100% | 360 | 100% |

　売掛金の回収については，11月は，原則どおり，現金40％，手形60％となる予定であるが，12月は，前月売上分を全額回収できるものの，現金35％，手形65％と，手形回収割合が上昇する見込みである。

　一方，買掛金の支払状況は，11月，12月ともに，現金前月仕入分を当月支払い，かつ現金40％，手形60％と原則どおりの支払条件で変化なく推移する見込みである。

② 12月の資金繰り状況

　12月の資金繰り状況は，売上増加傾向にあるが，回収条件の悪化に伴う運転資金需要の増加および冬季賞与支払と重なり，通常月に比べて資金繰りが繁忙となることが予想される。これに対処するため，手形割引の増加および新規借入100百万円を行う予定である。

# 第27章　資金運用表（329ページ）

【問題1】

《解答》　(2)

《解説》

(1)　留保利益とは，配当金支払後の当期純利益を指し，税引前当期純利益（32百万円）－法人税等支払額（14百万円）－配当金支払額（5百万円）で計算されます。

(2)　運転資金不足は，資金繰りが健全な企業においても生じます。本問の場合，財務資金を見ると，運転資金不足は，固定資金余剰，短期借入金の増加および割引手形の増加によって賄っており，特に問題のある資金繰りではないと考えられます。

(3)　運転資金不足額＝売上債権増加額12＋棚卸資産増加額3－仕入債務増加額5
　　　　　　　　　＝10百万円

(4)　社外流出とは，法人税等支払額（14百万円）と配当金支払額（5百万円）のことを指し，税引前当期純利益（32百万円）の範囲内です。

(5)　留保利益＋減価償却費は「キャッシュ・フロー」を指し，その範囲内で固定資産投資が行われていれば，資金繰りは健全であることがわかります。本問の場合，キャッシュ・フローは19百万円で，固定資産投資は16百万円なので，固定資金の部における資金繰りは健全であったと判定されます。

## 【問題2】

《解答》　固定資産投資額　71百万円，法人税等支払額　15百万円

《解説》

　　固定資産（有形固定資産＋無形固定資産）および未払法人税等勘定の記入を示すと，次のようになります。太字になっている部分は絞り出し計算で求めた金額です。

固定資産

| 期首190+32 | 減少額<br>（減価償却費）<br>18 |
|---|---|
| **増加額**<br>**（投資額）**<br>**71** | 期末234+41 |

未払法人税等

| **減少額**<br>**（税金支払額）**<br>**15** | 期首8 |
|---|---|
| 期末13 | 増加額<br>（法人税等）<br>20 |

## 【問題3】

《解答》

(1)　資金運用表の作成

### 資金運用表

（単位：百万円）

| | 資金の運用 | | 資金の調達 | |
|---|---|---|---|---|
| 固定資金 | 法 人 税 等 支 払 | 106 | 税引前当期純利益 | 141 |
| | 配 当 金 支 払 | 15 | 減 価 償 却 費 | 82 |
| | 固 定 資 産 投 資 | 256 | 長 期 借 入 金 増 加 | 104 |
| | （　　　－　　　） | | （固定資金不足） | 50 |
| | 合　　　計 | 377 | 合　　　計 | 377 |
| 運転資金 | 売 上 債 権 増 加 | 99 | 仕 入 債 務 増 加 | 82 |
| | 棚 卸 資 産 増 加 | 50 | その他流動負債増加 | 22 |
| | その他流動資産増加 | 20 | （運転資金不足） | 65 |
| | （　　　－　　　） | | | |
| | 合　　　計 | 169 | 合　　　計 | 169 |
| 財務資金 | （固定資金不足） | 50 | （　　　－　　　） | |
| | （運転資金不足） | 65 | （　　　－　　　） | |
| | 現 金 預 金 増 加 | 47 | 短 期 借 入 金 増 加 | 104 |
| | | | 割 引 手 形 増 加 | 58 |
| | 合　　　計 | 162 | 合　　　計 | 162 |

(2) 当期の資金繰り状況

① 固定資金

　キャッシュ・フロー102百万円および長期借入金の増加額104百万円を超える固定資産投資256百万円を行ったことにより，50百万円の資金不足となった。

② 運転資金

　次のように，主として売上高（平均月商）の増加に伴い，65百万円の資金不足となった。結局，この資金不足を短期借入金と割引手形の増加によって賄っている。

《各種回転期間等の変化》

| # | 科　目 | 単　位 | 前　期 | 当　期 | 増　減 | 増減率 |
|---|---|---|---|---|---|---|
| ① | 平　均　月　商 | 百万円 | 359 | 382 | 23 | 6.4% |
| ② | 売上債権回転期間 | 月 | 3.23 | 3.30 | 0.07 | 2.2% |
| ③ | 棚卸資産回転期間 | 月 | 0.95 | 1.02 | 0.07 | 7.4% |
| ④ | 仕入債務回転期間 | 月 | 2.17 | 2.25 | 0.08 | 3.7% |
| ⑤ | 運転資金回転期間 | 月 | 2.01 | 2.07 | 0.06 | 3.0% |
| ⑥ | 経 常 運 転 資 金 | 百万円 | 723 | 790 | 67 | 9.3% |

③ 財務資金

　固定資金および運転資金ともに不足であり，資金繰りは繁忙であったと推測される。特に，固定資金不足を短期借入金と割引手形の増加で賄っているのは不健全であり，長期安定資金の導入が必要である。

# 第28章　資金移動表（344ページ）

【問題1】

《解答》　(2)

《解説》

(1)　経常収入＝585百万円＞経常支出＝543百万円

(2)　経常利益＝売上高684－売上原価486－販管費116＋営業外収益9－営業外費用12
　　　　　　　＝79百万円

(3)　経常収支比率＝経常収入585／経常支出543＝107.7%

(4)　経常収支尻（経常収支差額）＝経常収入585－経常支出543＝42百万円

(5)　営業利益＝売上高684－売上原価486－販管費116＝82百万円
　　売上高営業利益率＝営業利益82／売上高684＝12.0%

練習問題　解答・解説

## 【問題2】

(1) 資金移動表「経常収支の部」

### 資金移動表「経常収支の部」

(単位：千円)

| 支　　出 | | | 収　　入 | | |
|---|---|---|---|---|---|
| 仕 入 支 出 | | | 売 上 収 入 | | |
| 　売 上 原 価 | 869,035 | | 　売 上 高 | 1,081,022 | |
| 　棚卸資産増減 | 7,203 | | 　売上債権増減 | △8,911 | 1,072,111 |
| 　仕入債務増減 | 19,176 | 895,414 | 営 業 外 収 入 | | |
| 営 業 費 支 出 | | | 　営 業 外 収 益 | | 5,145 |
| 　販 管 費 | 203,839 | | 　経 常 収 入 合 計 | | 1,077,256 |
| 　減 価 償 却 費 | △1,473 | | （経常支出超過） | | 29,636 |
| 　諸引当金増減 | △411 | 201,955 | | | |
| 営 業 外 支 出 | | | | | |
| 　営 業 外 費 用 | | 9,523 | | | |
| 経 常 支 出 合 計 | | 1,106,892 | 合　　計 | | 1,106,892 |

(2) 経常収支比率＝経常収入1,077,256千円／経常支出1,106,892千円＝97.3％

(3) 資金繰り状況

　　L社の経常収支尻は，29,636千円の支出超過であり，その結果，経常収支比率は97.3％となっており，やや苦しい資金繰りであったと推定される。

　　L社は当期において経常利益3,770千円を計上しているにもかかわらず，資金繰りが悪化した原因は，売上高の減少に加えて，売上債権および棚卸資産が増加，仕入債務が減少していることが原因である。この結果，売上債権回転期間は1.4か月から1.6か月に，棚卸資産回転期間は0.5か月から0.6か月に長期化しているし，仕入債務回転期間は1.4か月から1.2か月に短期化しているので，その原因分析が必要である。

《参考》

| 科　　目 | 単位 | 前　期 | 当　期 | 増　　減 | 増減率 |
|---|---|---|---|---|---|
| 平 均 月 商 | 千円 | 95,793 | 90,085 | △5,708 | △6.0％ |
| 売上債権回転期間 | 月 | 1.4 | 1.6 | 0.2 | 14.3％ |
| 棚卸資産回転期間 | 月 | 0.5 | 0.6 | 0.1 | 20.0％ |
| 仕入債務回転期間 | 月 | 1.4 | 1.2 | △0.2 | △14.3％ |
| 運転資金回転期間 | 月 | 0.5 | 1.0 | 0.5 | 100.0％ |
| 経 常 運 転 資 金 | 千円 | 49,303 | 84,593 | 35,290 | 71.6％ |

# 第29章　キャッシュ・フロー計算書（364ページ）

**【問題1】**

《解答》　645百万円

《解説》

本問のキャッシュ・フロー計算書（直接法）を作成すると，次のようになります。

キャッシュ・フロー計算書

（単位：百万円）

| | |
|---|---:|
| 1　営業活動によるキャッシュ・フロー | |
| 　　営業収入 | 5,930 |
| 　　商品の仕入代金支出 | △3,550 |
| 　　人件費支出 | △900 |
| 　　その他営業支出 | △835 |
| 　営業活動によるキャッシュ・フロー | 645 |

営業収入＝売上高6,000－売上債権増加額70＝5,930万円

商品の仕入代金支出＝売上原価3,600－棚卸資産減少額30－仕入債務増加額20

　　　　　　　　　　＝3,550百万円

なお，営業活動によるキャッシュ・フローでは，通常，上記以外に利息の受取や支払，法人税等の支払が加減されるのですが，問題には示されていないので，上記の金額を答としました。

| 売上債権 | | 仕入債務 | | | 棚卸資産 | |
|---|---|---|---|---|---|---|
| 期首 640 | **営業収入** **5,930** | **商品の仕入代金支出** **3,550** | 期首 540 | | 期首 480 | 売上原価 3,600 |
| 売上高 6,000 | | | 商品仕入高 3,570 | ＝ | 商品仕入高 3,570 | |
| | 期末 710 | 期末 560 | | | | 期末 450 |

練習問題　解答・解説

【問題２】

《解答》 3,110百万円

《解説》

本問のキャッシュ・フロー計算書（間接法）を作成すると，次のようになります。

<table>
<tr><td colspan="2" align="center">キャッシュ・フロー計算書</td></tr>
<tr><td colspan="2" align="right">（単位：百万円）</td></tr>
<tr><td>1 営業活動によるキャッシュ・フロー</td><td></td></tr>
<tr><td>税引前当期純利益</td><td align="right">2,220</td></tr>
<tr><td>減価償却費</td><td align="right">340</td></tr>
<tr><td>受取利息</td><td align="right">△80</td></tr>
<tr><td>仕入債務の増加額</td><td align="right">100</td></tr>
<tr><td>売上債権の増加額</td><td align="right">△400</td></tr>
<tr><td>棚卸資産の減少額</td><td align="right">850</td></tr>
<tr><td align="center">小　計</td><td align="right">3,030</td></tr>
<tr><td>利息の受取額</td><td align="right">80</td></tr>
<tr><td>営業活動によるキャッシュ・フロー</td><td align="right">3,110</td></tr>
</table>

減価償却費は非資金費用なので，税引前当期純利益に加算します。また，資産の増加額は資金を使ったのでマイナス（△），負債の増加額は資金が入ってきたのでプラス処理します。

このケースも本来は法人税等の支払が減額されるのですが，問題には示されていないので，上記の金額を答としました。

【問題３】

(1) 間接法による「営業活動によるキャッシュ・フロー」の区分の作成

<br>

キャッシュ・フロー計算書
（自X2年４月１日至X3年３月31日）

（単位：百万円）

| | |
|---|---:|
| 1 営業活動によるキャッシュ・フロー | |
| 税引前当期純利益 | 53 |
| 減価償却費 | 26 |
| 受取利息 | △3 |
| 支払利息 | 10 |
| 売上債権の増加額 | △52 |
| 棚卸資産の増加額 | △35 |
| 前払営業費の減少額 | 4 |
| 仕入債務の増加額 | 25 |
| 未払給料の増加額 | 2 |
| 小　計 | 30 |
| 利息の受取額 | 3 |
| 利息の支払額 | △10 |
| 法人税等の支払額 | △38 |
| 営業活動によるキャッシュ・フロー | △15 |

(2) 直接法による「営業活動によるキャッシュ・フロー」の区分の作成

<br>

キャッシュ・フロー計算書
（自X2年４月１日至X3年３月31日）

（単位：百万円）

| | |
|---|---:|
| 1 営業活動によるキャッシュ・フロー | |
| 営業収入 | 1,388 |
| 仕入支出 | △910 |
| 人件費支出 | △198 |
| その他の営業支出 | △250 |
| 小　計 | 30 |

営業収入＝売上高1,440－売上債権増加額52＝1,388百万円

仕入支出＝売上原価900＋棚卸資産増加額35－仕入債務増加額25＝910百万円

人件費支出＝人件費200－未払給料増加額2＝198百万円

その他営業支出＝その他営業費280－減価償却費26－前払営業費減少額4

＝250百万円

### 売上債権

| 期首 160 | 営業収入 |
|---|---|
| 売上高 1,440 | 1,388 |
| | 期末 212 |

### 仕入債務

| 仕入支出 910 | 期首 120 |
|---|---|
| | 商品仕入高 935 |
| 期末 145 | |

＝

### 棚卸資産

| 期首 90 | 売上原価 900 |
|---|---|
| 商品仕入高 935 | |
| | 期末 125 |

### 未払給料

| 人件費支出 198 | 期首 20 |
|---|---|
| | 人件費 200 |
| 期末 22 | |

### 前払営業費

| 期首 18 | その他営業費 280 |
|---|---|
| その他の営業支出 250 | 減価償却費 △26 |
| | 期末 14 |

(3) 「営業活動によるキャッシュ・フロー」の状況について

　　J社の営業活動によるキャッシュ・フローは，15百万円のマイナスであり，厳しい資金繰り状況にあると推定される。これは，損益計算書上，営業利益が計上されているものの，売上債権や棚卸資産が大きく増加していることが原因である。

## ●参考文献一覧

この本を作成するにあたり，下記の文献を参考にさせていただきました（順不同）。

- ・「銀行業務検定試験問題解説集　財務3級」（経済法令研究会編）
- ・「銀行業務検定試験問題解説集　財務2級」（経済法令研究会編）
- ・「スタンダードテキスト財務会計編Ⅰ〜Ⅲ」（佐藤信彦ほか編著，中央経済社）
- ・「会計監査六法」（日本公認会計士協会，企業会計基準委員会共編）
- ・「IFRS国際会計基準と日本の会計実務」（あずさ監査法人古賀智敏ほか編著，同文舘出版）
- ・「財務会計論」（飯野利夫著，同文舘出版）
- ・「小企業の経営指標」（日本政策金融公庫総合研究所編，中小企業リサーチセンター）
- ・「税理士のための税効果会計と法人税」（日本税理士会連合会編，森田政夫著，中央経済社）
- ・「法人税実務問題シリーズ　リース会計」（日本税理士会連合会編，北村信彦著，中央経済社）
- ・「逐条解説減損会計基準」（辻山栄子編著，中央経済社）

# 事 項 索 引

## 〔あ〕

ROE ························· 230
預り金 ······················ 129
洗替え法 ····················· 54
安全性分析 ·················· 219
安全余裕率 ·················· 250

## 〔い〕

委託販売 ···················· 157
一時差異 ···················· 186
1年基準 ····················· 42
インタレスト・カバレッジ・レシオ ····· 236

## 〔う〕

売上原価 ····················· 30
売上債権回転期間 ········· 237, 238
売上総利益 ···················· 30
売上高 ···················· 30, 251
売上高営業利益率 ·············· 37
売上高経常利益率 ·············· 37
売上高純金利負担率 ··········· 236
売上高利益率 ············· 233, 235
運転資金 ·················· 282, 311
運転資金回転期間 ········· 241, 313

## 〔え〕

永久差異 ···················· 186
営業活動によるキャッシュ・フロー ····· 348
営業利益 ····················· 30
営業レバレッジ ··············· 256
益金 ······················· 180
益金不算入 ·················· 180

## 〔か〕

買掛金 ······················ 129
外貨建取引 ·················· 172
外貨建取引等会計処理基準 ······ 172
開業費 ······················ 124
回収可能価額 ················ 116
外注加工費 ·················· 170
開発費 ······················ 124
確定給付型年金制度 ··········· 136
確定拠出型年金制度 ··········· 136
確定債務 ···················· 128
加工費 ······················ 169
加算項目 ···················· 178
貸方（かしかた） ·············· 11
貸倒引当金 ················· 48, 51
合併比率 ···················· 111
株式交付費 ·················· 123
仮受金 ······················ 130
借入金 ······················ 131
借方（かりかた） ·············· 11
為替換算調整勘定 ············· 175
為替手形 ····················· 58
間接法 ······················ 350

## 〔き〕

期間差異 ···················· 186
企業情報 ······················ 9
期待運用収益 ················ 138
キャッシュ・フロー計算書 ····· 289, 347
旧定額法 ····················· 97
旧定率法 ····················· 98
切放し法 ····················· 74
銀行取引停止処分 ············· 384
銀行様式 ·················· 290, 294

勤務費用……………………137

## 〔く〕

偶発債務……………………61
繰越利益剰余金……………144
繰延資産……………………122
繰延税金資産……………183, 187
繰延税金負債………………188
クロスセクション分析……222

## 〔け〕

経営安全率…………………250
経過負債……………………129
形式的減資…………………142
形式的増資…………………142
経常運転資金………………241
経常収支……………………336
経常収支比率………………336
経常利益……………………30
限界利益……………247, 251
限界利益率…………………252
原価基準……………………67
減価償却……………………94
減価償却資産………………94
現金基準……………………153
原材料………………………81
減算項目……………………178
減損会計……………………116
減損の兆候…………………117

## 〔こ〕

工事完成基準………………158
工事進行基準………………158
恒常在高……………………379
固定資金……………………311
固定資産……………………15
固定収支……………………336
固定費………………248, 251
固定負債……………………15

個別財務諸表………………190

## 〔さ〕

債権金額……………………48
債務確定主義………………74
財務活動によるキャッシュ・フロー……357
財務資金……………………311
財務収支……………………336
財務情報……………………10, 218
財務諸表……………………10
財務レバレッジ……………229
材料費………………………166
差額補充法…………………54
差引過不足…………………296
残存価額……………………96

## 〔し〕

仕入債務回転期間…………238, 240
仕掛品………………………81
時価基準……………………67
資金移動表…………………290, 333
資金運用表…………………290, 307
資金繰り実績表……………294
資金繰り表…………………289, 294
資金繰り予定表……………294
資金要因……………………335
時系列分析…………………221
自己株式……………………147
自己資本当期純利益率……230, 231
資産…………………………12
資産除去債務………………106
実現基準……………………155
実質的減資…………………142
実質的増資…………………142
実数法………………………221
実地棚卸……………………87
支配力基準…………………192
支払手形……………………129
資本回転率…………………233

428

| | |
|---|---|
| 資本金 | 15 |
| 資本準備金 | 143 |
| 資本剰余金 | 142 |
| 資本利益率 | 226 |
| 事務用消耗品 | 81 |
| 締切 | 23 |
| 社債 | 130 |
| 社債発行費等 | 123 |
| 収益 | 28 |
| 収益性分析 | 219 |
| 受託販売 | 157 |
| 純資産 | 12 |
| 償却原価法 | 48, 49, 69 |
| 条件付債務 | 128 |
| 試用販売 | 158 |
| 商品 | 81 |
| 商品有高帳 | 86 |
| 商品評価損 | 87 |
| 正味実現可能価額 | 69 |
| 正味売却価額法 | 82 |
| 将来加算一時差異 | 188 |
| 将来減算一時差異 | 187 |
| 所有権移転外ファイナンス・リース取引 | 108 |
| 所有権移転ファイナンス・リース取引 | 108 |
| 新株引受権付社債 | 130 |
| 新株予約権 | 150 |
| 新株予約権付社債 | 130 |
| 申告調整 | 138 |

## 【せ】

| | |
|---|---|
| 税金負担率 | 35 |
| 税効果会計 | 182 |
| 生産性 | 263 |
| 生産性分析 | 219 |
| 正常営業循環過程 | 43 |
| 正常営業循環期間 | 43 |
| 正常営業循環基準 | 42 |
| 製造経費 | 167 |
| 静態的安全性分析 | 271 |

| | |
|---|---|
| 成長性分析 | 219 |
| 税引前当期純利益 | 31 |
| 製品 | 81 |
| 設備代金支払手形 | 129 |
| 全部純資産直入法 | 72 |

## 【そ】

| | |
|---|---|
| 総合収支 | 336 |
| 総資本経常利益率 | 230 |
| 総資本事業利益率 | 230 |
| 創立費 | 123 |
| 測定基準 | 153 |
| その他基準 | 42 |
| その他資本剰余金 | 143 |
| その他有価証券評価差額金 | 72 |
| その他利益剰余金 | 144 |
| ソフトウェア | 112 |
| 損益分岐点 | 247 |
| 損益分岐点比率 | 250 |
| 損益要因 | 335 |
| 損金 | 179 |
| 損金算入 | 181 |
| 損金不算入 | 179 |

## 【た】

| | |
|---|---|
| 貸借対照表 | 11 |
| 貸借対照表等式 | 13 |
| 退職給付引当金 | 136 |
| 退職給付費用 | 137 |
| 耐用年数 | 96 |
| 棚卸減耗損 | 87 |
| 棚卸減耗費 | 87 |
| 棚卸資産回転期間 | 237, 238, 240 |
| 棚卸資産の評価方法 | 84 |

## 【ち】

| | |
|---|---|
| 直接法 | 350 |
| 貯蔵品 | 81 |

## 【て】

定額法……………………… 49, 96
定率法………………………… 97
手形借入金…………………… 129
手形遡及義務………………… 61
手形の裏書譲渡……………… 63
手形の割引…………………… 60
転換社債……………………… 130
転記…………………………… 22

## 【と】

当期純利益…………………… 31
当期製品製造原価…………… 167
当期総製造費用……………… 167
投資活動によるキャッシュ・フロー…… 355
投資その他の資産………… 94, 113
動態的安全性分析…………… 271
特別損益……………………… 37
取引…………………………… 16

## 【に】

任意積立金…………………… 144
認識基準……………………… 153

## 【の】

のれん…………………… 111, 200

## 【は】

売価還元法…………………… 85
発生基準……………………… 154
発生主義……………………… 381
半製品………………………… 81
販売基準……………………… 155
販売用不動産………………… 44

## 【ひ】

引当金………………………… 133
非財務情報…………………… 218

## 非資金費用…………………… 338

非支配株主損益……………… 204
非支配株主持分………… 198, 205
非償却資産…………………… 94
備忘価額……………………… 97
費用…………………………… 28
評価性引当金………………… 134
評価方法……………………… 75
費用収益対応の原則………… 156
比率法………………………… 221

## 【ふ】

付加価値……………………… 264
負債………………………… 12, 128
負債性引当金………………… 134
普通社債……………………… 130
負ののれん……………… 111, 200
部分純資産直入法…………… 72
フリー・キャッシュ・フロー…… 358
不渡手形……………………… 384

## 【へ】

変化…………………………… 220
変動費…………………… 248, 251
変動費比率…………………… 251

## 【ほ】

法人税等調整額……………… 183
包装用品……………………… 81
法定償却方法………………… 99
法定評価方法…………… 77, 86
簿記一巡の手続……………… 20
保証債務……………………… 61

## 【ま】

前受金………………………… 129
前受収益……………………… 129

## 【み】

| | |
|---|---|
| 未実現利益 | 155 |
| みなし配当 | 147 |
| 未払金 | 129 |
| 未払費用 | 129 |

## 【む】

| | |
|---|---|
| 無形固定資産 | 94, 110 |

## 【め】

| | |
|---|---|
| メーカーズ・リスク | 400 |

## 【も】

| | |
|---|---|
| 目的外積立金 | 144 |
| 目的積立金 | 144 |
| 持分法 | 191, 205 |

## 【や】

| | |
|---|---|
| 約束手形 | 58 |

## 【ゆ】

| | |
|---|---|
| 有価証券台帳 | 77 |
| 有価証券の減損処理 | 73 |
| 有価証券の分類基準 | 42 |
| 有形固定資産 | 94 |

## 【よ】

| | |
|---|---|
| 予約販売 | 398 |

## 【り】

| | |
|---|---|
| リース期間定額法 | 108 |
| 利益 | 251 |
| 利益準備金 | 144, 146 |
| 利益剰余金 | 15, 144 |
| 利息費用 | 137 |
| 利息法 | 49 |
| 利回り | 220, 226 |
| 流動資産 | 15 |
| 流動性配列法 | 44 |
| 流動比率 | 272 |
| 流動負債 | 15 |

## 【れ】

| | |
|---|---|
| 連結財務諸表 | 190 |

## 【ろ】

| | |
|---|---|
| 労働生産性 | 264 |
| 労務費 | 167 |

## 【わ】

| | |
|---|---|
| 割引落込 | 60 |
| 割引料 | 60 |

著者略歴

坪谷　敏郎（つぼや　としお）
　　1975年　明治大学商学部卒業
　　公認会計士
　〈著書〉　決算事務ハンドブック（中央経済社　共著）
　　　　　　財務分析基礎講座（日本証券業協会　共著）
　　　　　　身近な税金の知識（産業能率大学）
　　　　　　儲かる会社はここがちがう（経済法令研究会　共著）
　　　　　　わかりやすい新企業会計基準（経済法令研究会　共著）
　　　　　　簿記入門―決算書を読むための基礎知識（経済法令研究会）
　　　　　　これだけは押さえたい簿記の仕組み（産業能率大学）
　　　　　　これだけは押さえたい財務諸表の基本の基本（産業能率大学）

　　　　　　　　　　　　　　　　　　　　　　　　　　　　　　　　　ほか


三訂　基礎から学ぶ財務知識

| | | |
|---|---|---|
| 2013年 8 月20日 | 初版第 1 刷発行 | 著　　　者　坪　谷　敏　郎 |
| 2014年 8 月28日 | 初版第 2 刷発行 | 発 行 者　志　茂　満　仁 |
| 2015年11月25日 | 改訂版第 1 刷発行 | 発 行 所　㈱経済法令研究会 |
| 2020年12月15日 | 三訂版第 1 刷発行 | 〒162-8421　東京都新宿区市谷本村町 3-21 |
| 2022年 3 月10日 | 三訂版第 2 刷発行 | 電話 03-3267-4811㈹　制作 03-3267-4897 |
| 〈検印省略〉 | | https://www.khk.co.jp/ |

営業所／東京03(3267)4812　大阪06(6261)2911　名古屋052(332)3511　福岡092(411)0805

制作／経法ビジネス出版㈱　小野　忍　　本文デザイン／西牟田隼人　　印刷・製本／富士リプロ㈱

©Toshio Tsuboya 2020　　　　　　　　　　　　　　ISBN 978-4-7668-4393-4

　　　　☆　本書の内容等に関する追加情報および訂正等について　☆
　　　本書の内容につき発行後に追加情報のお知らせおよび誤記の訂正等
　　　の必要が生じた場合には，当社ホームページに掲載いたします。
　　　（ホームページ 書籍・DVD・定期刊行誌 メニュー下部の 追補・正誤表 ）

定価はカバーに表示してあります。無断複製・転用等を禁じます。落丁・乱丁本はお取換えします。